50 DISCURSOS
QUE MARCARAM O MUNDO MODERNO

50 DISCURSOS
QUE MARCARAM O MUNDO MODERNO

Organizador:
Andrew Burnet

Colaboradores:
Nancy E. M. Bailey
Allan Burnett
Andrew Campbell
Steve Cramer
Catherine Gaunt

Tradução de Janaína Marcoantonio

7ª EDIÇÃO

Texto de acordo com a nova ortografia.

Título original: *50 Speeches That Made the Modern World*

Os editores brasileiros agradecem a Leonardo Ribbeiro, da Fundação Ulysses Guimarães, pelo auxílio na pesquisa sobre o discurso de Ulysses Guimarães.

1ª edição: primavera de 2017
7ª edição: primavera de 2024

Organizador: Andrew Burnet
Colaboradores: Nancy E. M. Bailey, Allan Burnett, Andrew Campbell, Steve Cramer, Catherine Gaunt
Tradução: Janaína Marcoantonio
Capa: Ivan Pinheiro Machado. *Fotos*: Da esquerda para a direita: Malala Yousafzai, Ulysses Guimarães, Albert Einstein, Steve Jobs, Winston Churchill, Nelson Mandela, Franklin D. Roosevelt, Martin Luther King, John Kennedy, Ho Chi Minh, Betty Friedan, Mahatma Gandhi, Elizabeth II, Richard Nixon, Charles de Gaulle, Ronald Reagan, Christine Lagarde, Patrice Lumumba, Ernesto "Che" Guevara, Vladimir Ilitch Lenin, Margaret Thatcher, Barack Obama, Yasser Arafat, Malcolm X, Nikita Khrushchev, La Pasionaria, Osama bin Laden, Bill Clinton
Preparação: Simone Diefenbach
Revisão: Jó Saldanha

CIP-Brasil. Catalogação na publicação
Sindicato Nacional dos Editores de Livros, RJ.

C517

    50 discursos que marcaram o mundo moderno / organização Andrew Burnet; tradução Janaína Marcoantonio. – Porto Alegre, RS: L&PM, 2024.
    328 p. ; 23 cm.

    Tradução de: *50 Speeches That Made the Modern World*
    ISBN 978-85-254-3683-2

    1. Discursos, ensaios, conferências. I. Burnet, Andrew. II. Marcoantonio, Janaína.

17-44678   CDD: 401.41
                             CDU: 81'42

Copyright © Chambers Publishing Ltd 2016

Todos os direitos desta edição reservados a L&PM Editores
Rua Comendador Coruja, 314, loja 9 – Floresta – 90.220-180
Porto Alegre – RS – Brasil / Fone: 51.3225.5777

Pedidos & Depto. Comercial: vendas@lpm.com.br
Fale conosco: info@lpm.com.br
www.lpm.com.br

Impresso no Brasil
Primavera de 2024

Sumário

Introdução		11
1	**Emmeline Pankhurst** "As leis que os homens fizeram" (24 de março de 1908)	13
2	**Vladimir Ilitch Lenin** "Tudo para os operários, tudo para os trabalhadores!" (30 de agosto de 1918)	20
3	**Mahatma Gandhi** "Por que queremos oferecer esta não cooperação?" (12 de agosto de 1920)	25
4	**Benito Mussolini** "Devemos conquistar a paz" (25 de junho de 1923)	31
5	**Franklin D. Roosevelt** "A única coisa que devemos temer é o próprio medo" (4 de março de 1933)	36
6	**La Pasionaria** "Não passarão!" (19 de julho de 1936)	43
7	**Eduardo VIII** "Eu deixo meu fardo" (11 de dezembro de 1936)	47
8	**Neville Chamberlain** "Este país agora está em guerra com a Alemanha" (3 de setembro de 1939)	51
9	**Winston Churchill** "Lutaremos nas praias" (4 de junho de 1940)	55

10   **Joseph Stalin**
     "A questão é de vida ou morte para o Estado soviético"
     (3 de julho de 1941)   62

11   **Joseph Goebbels**
     "Que venha a tempestade" (18 de fevereiro de 1943)   67

12   **Heinrich Himmler**
     "Estou falando sobre [...] o extermínio do povo judeu"
     (4 de outubro de 1943)   72

13   **Charles de Gaulle**
     "Paris ultrajada! Paris arruinada! Paris martirizada!
     Mas Paris libertada!" (25 de agosto de 1944)   76

14   **Ho Chi Minh**
     "O Vietnã tem o direito de ser um país livre e independente"
     (2 de setembro de 1945)   79

15   **David Ben-Gurion**
     "Inauguramos, hoje, esta Estrada de Bravura"
     (12 de dezembro de 1948)   84

16   **Albert Einstein**
     "A segurança por meio do armamento nacional é [...]
     uma ilusão desastrosa" (19 de fevereiro de 1950)   91

17   **Nikita Khrushchev**
     "O culto ao indivíduo e suas consequências nocivas"
     (25 de agosto de 1956)   96

18   **Anthony Eden**
     "Este é um momento de ação" (2 de novembro de 1956)   105

19   **Dag Hammarskjöld**
     "Sem um reconhecimento dos direitos humanos,
     nunca teremos paz" (10 de abril de 1957)   111

20 **Harold Macmillan**
    "A maior parte do nosso povo nunca esteve tão bem"
    (20 de julho de 1957) 117

21 **Patrice Lumumba**
    "Um governo honesto, leal, forte, popular" (23 de junho de 1960) 124

22 **Ernesto "Che" Guevara**
    "Para ser revolucionário, primeiro é preciso ter uma revolução"
    (19 de agosto de 1960) 128

23 **John F. Kennedy**
    "Ich bin ein Berliner" (26 de junho de 1963) 135

24 **Martin Luther King**
    "Eu tenho um sonho" (28 de agosto de 1963) 140

25 **Malcolm X**
    "O voto ou a bala" (3 de abril de 1964) 147

26 **Betty Friedan**
    "A hostilidade entre os sexos nunca foi pior" (janeiro de 1969) 155

27 **Edward Heath**
    "Uma Europa livre, democrática, segura e feliz"
    (2 de janeiro de 1973) 161

28 **Richard M. Nixon**
    "Não pode haver encobrimento na Casa Branca"
    (30 de abril de 1973) 168

29 **Yasser Arafat**
    "Trago numa mão o fuzil de um revolucionário e
    na outra um ramo de oliveira" (13 de novembro de 1974) 176

30 **Margaret Thatcher**
    "Uma dama não volta atrás" (10 de outubro de 1980) 185

31	**Ronald Reagan** "Os impulsos agressivos de um império do mal" (8 de março de 1983)	191
32	**Desmond Tutu** "A solução final do apartheid" (11 de dezembro de 1984)	196
33	**Ronald Reagan** "Derrube este muro!" (12 de junho de 1987)	205
34	**Ulysses Guimarães** "Temos ódio à ditadura. Ódio e nojo." (5 de outubro de 1988)	213
35	**Václav Havel** "Vivemos em um ambiente moral contaminado" (1º de janeiro de 1990)	220
36	**Nelson Mandela** "Neste dia da minha libertação" (11 de fevereiro de 1990)	226
37	**Mary Fisher** "O vírus da aids não é uma criatura política" (19 de agosto de 1992)	233
38	**Elizabeth II** "Este se revelou um *annus horribilis*" (24 de novembro de 1992)	238
39	**Benazir Bhutto** "O etos do Islã é a igualdade, a igualdade entre os sexos" (4 de setembro de 1995)	243
40	**Bill Clinton** "Eu pequei" (11 de setembro de 1998)	248
41	**George W. Bush** "Hoje, a nossa nação viu o mal" (11 de setembro de 2001)	254

42 **Saddam Hussein**
    "O Iraque será vitorioso" (20 de março de 2003)   257

43 **Osama bin Laden**
    "Nossos atos são uma reação aos seus próprios atos"
    (15 de abril de 2004)   261

44 **Steve Jobs**
    "Você já está nu. Não há motivo para não seguir seu coração."
    (12 de junho de 2005)   266

45 **Barack Obama**
    "O heroísmo está aqui, no coração de tantos de nossos
    concidadãos" (12 de janeiro de 2011)   274

46 **Aung San Suu Kyi**
    "Meu país, hoje, se encontra no início de uma jornada"
    (21 de junho de 2012)   283

47 **Malala Yousafzai**
    "Eles acharam que as balas nos silenciariam. Mas erraram."
    (12 de julho de 2013)   293

48 **Christine Lagarde**
    "Reduzir a desigualdade excessiva é não só moral e politicamente
    correto, como benéfico para a economia." (17 de junho de 2015)   301

49 **Hilary Benn**
    "Nós nunca passamos e nunca devemos passar pelo outro
    lado da estrada" (2 de dezembro de 2015)   313

50 **Theresa May**
    "Ao deixarmos a União Europeia, construiremos para nós mesmos
    um novo papel positivo e ousado no mundo" (13 de julho de 2016)   320

Agradecimentos   324
Fontes   325

Introdução

Andrew Burnet[1]

Quando consideramos o termo "mundo moderno", a mente logo fervilha de ideias. Vivendo na cultura de nossos dias, podemos ter a sensação de estar cercados de telas de TV, cada uma sintonizada num canal diferente. Todas nos bombardeiam com seus sons e imagens; todas demandam nossa atenção.

A tecnologia avança tão rapidamente que poucos de nós conseguem acompanhar as possibilidades que ela oferece – e muitos se preocupam com suas implicações. As divisões políticas e religiosas parecem se tornar cada vez mais acentuadas e mais perigosas. A pobreza piora enquanto grandes riquezas se acumulam. A mudança climática; o colapso dos sistemas financeiros; a continuidade das guerras. E tudo isso se apresenta diante de nós em meio a uma onda incessante de entretenimento, propaganda e "cultura de celebridades".

Mas, em meio a esse ruído e pressa, uma habilidade continua sendo tão essencial quanto na época dos antigos gregos e romanos – e, possivelmente, muito antes. É a arte da oratória, a atividade de persuasão, em que uma pessoa canaliza a atenção de muitas outras para comunicar um argumento. Hoje em dia, a audiência pode chegar a milhões, mas um orador verdadeiramente eficaz pode atrair uma multidão de qualquer tamanho.

Este livro não poderia tentar reconstruir a história do discurso público, tampouco mapeá-la consistentemente nos pontos de virada da história. Em vez disso, é uma coleção de cinquenta exemplos modernos representativos, oriundos de muitas circunstâncias diferentes.

Os oradores aqui reunidos abraçam uma variedade de assuntos, alguns muito mais louváveis que outros. Muitos deles lidam com questões eternas, como guerra e paz, desigualdade e justiça, repressão e revolução. Outros abordam preocupações peculiares da era moderna, como aids e a bomba atômica, tecnologia e terrorismo. Todos eles têm algo único a dizer, e o disseram de uma maneira original e convincente.

Ao apresentar esses discursos, tentamos colocar o leitor em um lugar privilegiado, descrevendo as circunstâncias, o contexto histórico e, quando possível, a reação do público. Apresentamos uma introdução a cada discurso e notas para explicar referências que talvez não sejam óbvias. Em alguns casos, abreviamos os discursos para eliminar material de menor interesse imediato para o leitor.

Mas nada disso deve distraí-lo das transcrições das próprias palavras dos oradores. Estão incluídas aqui porque falam magnificamente bem por si mesmas.

---

1. Andrew Burnet é escritor, editor e jornalista em Edimburgo, na Escócia. É organizador do livro *Chambers Book of Great Speeches*. (N.E.)

"Quanto mais pensamos na importância do voto para as mulheres, mais percebemos o quanto este é vital."

– Emmeline Pankhurst

I
Emmeline Pankhurst
Sufragista britânica

Emmeline Pankhurst, nascida Emmeline Goulden (1857-1928), foi uma das vozes significativas do movimento pelo sufrágio feminino do final do século XIX e início do século XX. Ela lutou pelo sufrágio feminino com tenacidade e militância extrema, e posteriormente foi acompanhada de suas filhas Christabel (1880-1958) e Sylvia (1882-1960). Sua campanha de quarenta anos alcançou um pico de sucesso logo após sua morte, quando a Representation of the People Act [Lei de Representação Popular] foi finalmente aprovada (1928), estabelecendo a igualdade de direito de voto para homens e mulheres.

"As leis que os homens fizeram"
24 de março de 1908, Londres, Inglaterra

Formada em 1887 a partir de dezessete grupos separados, a National Union of Women's Suffrage Societies [União Nacional pelo Sufrágio Feminino] lutara persistentemente, mas sem sucesso, para conquistar o direito de voto para as mulheres. Uma sensação crescente de frustração levou Emmeline e sua filha Christabel Pankhurst a formar grupos dissidentes: o Women's Social and Political Union [União Social e Política das Mulheres] em 1903 e o mais militante Women's Freedom League [Liga pela Liberdade das Mulheres] em 1907.

As táticas adotadas por membros dessas organizações incluíam interromper discursos políticos e provocar a polícia para que esta as prendesse por perturbar a paz. Suas atividades atraíram a atenção desejada, embora elas também fossem satirizadas por cartunistas e por grandes jornais. Em 1907, a lei foi modificada para permitir que as mulheres contribuintes votassem nas eleições locais – mas isso não satisfez Pankhurst.

Em 1908, ela fez uma série de discursos sob o título A importância do voto. Este foi feito no edifício Portman Rooms, na Baker Street, durante a eleição suplementar[1] no distrito de Putney aquele ano, o que

---
1. Eleição distrital realizada quando da vacância de uma cadeira parlamentar por morte ou renúncia. (N.T.)

trouxe mais urgência à sua mensagem. Em seu ataque ao status quo – direto, mas pacientemente justificado –, Pankhurst narra as falhas legislativas dos homens, condenando-os por sua incapacidade de melhorar a vida das mulheres comuns.

❝ O que vou dizer a vocês esta noite não é novo. É o que estamos dizendo em cada esquina, em cada eleição extraordinária durante os últimos dezoito meses. São perfeitamente conhecidos por muitos membros da minha audiência, mas eles não se importarão se eu repetir, em benefício daqueles que estão aqui esta noite pela primeira vez, os argumentos e exemplos com os quais muitos de nós estamos tão familiarizados.

Em primeiro lugar, é importante que as mulheres tenham o direito de voto para que, no governo do país, o ponto de vista das mulheres seja defendido.

É importante para as mulheres que, em qualquer legislação que afete igualmente as mulheres e os homens, aqueles que fazem as leis sejam responsáveis perante as mulheres, para que sejam obrigados a consultá-las e a conhecer suas opiniões quando estiverem contemplando a criação ou modificação de leis.

Durante muitos anos, muito pouco foi feito pela legislação para as mulheres – por razões óbvias. Uma parte cada vez maior do tempo dos membros do Parlamento é ocupada pelas reivindicações que são feitas em nome das pessoas que estão organizadas de várias maneiras a fim de promover os interesses de suas organizações industriais ou de suas organizações sociais ou políticas. Então o membro do Parlamento, se percebe vagamente que as mulheres têm necessidades, não tem tempo para atendê-las, não tem tempo para dedicar à consideração dessas necessidades. Seu tempo está totalmente ocupado atendendo às necessidades das pessoas que o colocaram no Parlamento.

Embora muito se tenha feito, e muito mais se tenha discutido em benefício dos trabalhadores que têm direito de voto, no que se refere às mulheres a legislação relacionada a elas está praticamente estagnada. Mas isso não é porque as mulheres não tenham necessidades, ou porque suas necessidades não sejam tão urgentes. Hoje, há muitas leis em nossa legislação que são reconhecidamente ultrapassadas e requerem uma reforma; leis que infligem injustiças gravíssimas às mulheres. Quero chamar a atenção das mulheres que estão aqui esta noite para algumas leis em nossa legislação que impõem condições muito severas e muito prejudiciais para as mulheres.

Os políticos homens têm o hábito de falar com as mulheres como se não houvesse leis que as afetam. 'O fato', dizem, 'é que o lar é o lugar das mulheres. Seus interesses são a criação e a educação dos filhos. Essas são as coisas que interessam às mulheres. A política não tem nenhuma relação com essas coisas e, portanto, a política não diz respeito às mulheres.' Mas as leis decidem como as mulheres devem viver em matrimônio, como seus filhos devem ser criados e educados e qual será o futuro de seus filhos. Tudo isso é decidido por leis do Parlamento. Tomemos algumas dessas leis e vejamos o que há a dizer sobre elas do ponto de vista das mulheres.

Em primeiro lugar, consideremos as leis de matrimônio. Elas são feitas por homens para mulheres. Consideremos se são iguais, se são justas, se são sensatas. Que garantia de sustento tem a mulher casada? Uma mulher casada, tendo desistido de sua independência financeira para se casar, como é compensada por essa perda? Que segurança ela obtém nesse matrimônio, pelo qual desistiu de sua independência financeira? Consideremos o caso de uma mulher que tem um bom salário. Estipula-se que ela deve desistir de seu emprego quando se torna esposa e mãe. O que ela ganha em troca?

Tudo o que um homem casado é obrigado, por lei, a fazer por sua esposa é lhe proporcionar algum tipo de abrigo, algum tipo de alimento e algum tipo de vestuário. Cabe a ele decidir qual será esse abrigo, qual será esse alimento, qual será esse vestuário. Cabe a ele decidir qual dinheiro deve ser gasto no lar, e de que modo este deve ser gasto; a esposa não tem voz, legalmente, para decidir nenhuma dessas coisas. Ela não pode reivindicar legalmente nenhuma porção definitiva da renda dele. Se ele for um homem bom, um homem consciente, faz a coisa certa. Se não for, se escolher quase matar a esposa de fome, ela não tem alternativa. Deve se contentar com o que ele considera suficiente.

Eu reconheço, em todos esses exemplos, que a maioria dos homens são consideravelmente melhores do que a lei os obriga a ser [...] mas, uma vez que há alguns homens maus, alguns homens injustos, vocês não concordam comigo que a lei deve ser alterada para que se possa lidar com esses homens?

Tomemos o que acontece à mulher se o marido morre e a deixa viúva, às vezes com filhos pequenos. Se, ao fazer seu testamento, um homem for insensível para com suas obrigações como marido e pai a ponto de privar a esposa e os filhos de todas as suas propriedades, a lei permite que ele o faça. Esse testamento é válido. Então, vejam, a posição da mulher casada não é segura. Depende totalmente de ela tirar um bom bilhete na loteria. Se tiver um bom marido, ótimo; se tiver um mau marido, tem de sofrer, e não tem alternativa. Essa é sua situação como esposa, e está longe de ser satisfatória.

Agora, consideremos sua situação se ela foi muito desafortunada no matrimônio, desafortunada a ponto de ter um marido ruim, um marido imoral, um marido cruel, um marido inapto para ser pai de filhos pequenos. Nós recorremos ao tribunal de divórcio. Como ela se livra desse homem? Se um homem se casou com uma mulher ruim e quer se livrar dela, ele só tem de provar contra ela um único ato de infidelidade. Mas, se uma mulher que se casou com um marido cruel quer se livrar dele, nem um ato nem mil atos de infidelidade dão a ela o direito ao divórcio. Ela deve comprovar bigamia, deserção ou pura crueldade, além de imoralidade, para conseguir se livrar desse homem.

Consideremos sua posição como mãe. Repetimos isso com tanta frequência em nossas reuniões que penso que o eco do que dissemos deve ter chegado a muitos.

Segundo a lei inglesa, nenhuma mulher casada existe como a mãe do filho que ela traz ao mundo. Aos olhos da lei, ela não é genitora de seu filho.

O filho, de acordo com nossas leis de matrimônio, tem apenas um genitor que pode decidir sobre seu futuro, que pode decidir onde ele deve morar, como deve viver, quanto deve ser gasto com ele, como ele deve ser educado e que religião deve professar. Esse genitor é o pai.

Esses são exemplos de algumas das leis feitas por homens, leis que dizem respeito às mulheres. Eu lhes pergunto, se as mulheres tivessem direito de voto, teríamos aprovado tais leis? Se as mulheres tivessem direito de voto, como os homens têm, teríamos leis iguais. Teríamos leis iguais para o divórcio, e a lei diria que, como a natureza deu aos filhos dois genitores, a lei deve reconhecer que eles têm dois genitores.

Eu falei a vocês sobre a situação da mulher casada, que não existe legalmente como genitora do próprio filho. No matrimônio, os filhos têm apenas um genitor. Fora do matrimônio, os filhos também têm apenas um genitor. Esse genitor é a mãe – a mãe desafortunada. Ela, sozinha, é responsável pelo futuro do filho; ela, sozinha, é punida se o filho é negligenciado e sofre negligência.

Mas me permitam dar um exemplo. Eu estive em Herefordshire durante a eleição extraordinária. Enquanto estive lá, uma mãe não casada foi trazida perante os juízes de paz, acusada de ter negligenciado o filho ilegítimo. Ela era empregada doméstica e deixara o filho aos cuidados de outra pessoa. Os juízes de paz – havia coronéis e proprietários de terra naquele tribunal – não perguntaram que ordenados a mulher recebia; não perguntaram quem era o pai nem se ele contribuía para o sustento da criança. Condenaram a mulher a três meses de prisão por ter negligenciado o filho.

Eu pergunto a vocês, mulheres aqui presentes esta noite: se as mulheres tivessem alguma participação na criação das leis, vocês não acham que elas teriam encontrado uma forma de tornar os pais dessas crianças igualmente responsáveis pelo bem-estar de seus filhos?

[...] O eleitor homem e o legislador homem veem primeiro as necessidades do homem, e não veem as necessidades da mulher. E assim será até que as mulheres tenham direito de voto.

Convém lembrar disso, em vista do que nos disseram sobre o valor da influência das mulheres. A influência das mulheres só é efetiva quando os homens querem fazer aquilo que a influência delas está apoiando.

Agora, olhemos um pouco para o futuro. Se em algum momento foi importante para as mulheres ter direito de voto, é dez vezes mais importante hoje, porque não se pode pegar um jornal, não se pode ir a uma conferência, não se pode nem mesmo ir à igreja, sem ouvir um bocado sobre reforma social e sobre a demanda por legislação social. Naturalmente, está claro que esse tipo de legislação – e o governo liberal nos diz que, se eles continuarem no poder por tempo suficiente, teremos muito disso – é de vital importância para as mulheres.

Se tivermos o tipo certo de legislação social, será muito bom para as mulheres e as crianças. Se tivermos o tipo errado de legislação social, podemos ter o pior tipo de tirania que as mulheres conheceram desde o início dos tempos. Estamos ouvindo sobre legislação para decidir em que tipo de casa as pessoas devem viver. Essa é, certamente, uma questão que diz respeito às mulheres. Decerto toda mulher, ao refletir seriamente sobre isso, se perguntará como os homens, sozinhos, têm a audácia de pensar que podem decidir como as casas devem ser sem consultar as mulheres.

Consideremos, então, a educação. Desde 1870 os homens vêm tentando descobrir como educar os filhos.[2] Penso que eles ainda não perceberam que, se quiserem descobrir como educar os filhos, terão de confiar nas mulheres e tentar aprender com as mulheres algumas dessas lições que a longa experiência de décadas ensinou a elas. Não se pode conceber que sessões inteiras do Parlamento sejam desperdiçadas em projetos de lei de educação [...]

Quanto mais pensamos na importância do voto para as mulheres, mais percebemos o quanto este é vital. Todos os dias, ao realizar nossos protestos, estamos descobrindo novas razões para o voto, novas necessidades para o voto.

Espero que haja alguns homens e mulheres aqui que saiam determinados pelo menos a dar a essa questão mais atenção do que deram no passado. Eles verão que nós mulheres, que tanto estamos fazendo para obter o direito de voto, queremos esse direito porque percebemos o bem que podemos fazer com isso quando o conseguirmos. Não o queremos para nos gabar do quanto conseguimos. Não o queremos porque queremos imitar os homens ou ser como os homens. Queremos porque, sem isso, não podemos fazer o trabalho que é necessário, correto e apropriado que cada homem e mulher esteja pronto e disposto a assumir em nome da comunidade da qual é parte. **"**

---

2. A Lei de Educação de 1870 criou distritos escolares, cada um com seu próprio conselho eleito, e permitiu a participação das mulheres tanto como eleitoras quanto como candidatas. (N.E.)

"Tudo para os operários, tudo para os trabalhadores!"
– Vladimir Ilitch Lenin

2
Vladimir Ilitch Lenin
Líder revolucionário russo

Astuto, dinâmico, pedante e implacável, o ativista político marxista Vladimir Ilitch Lenin (1870-1924) encabeçou a Revolução de Outubro de 1917 e inaugurou a "ditadura do proletariado" que governaria a Rússia por mais de sete décadas. Apesar do fracasso derradeiro do comunismo soviético, sua influência perdura na Rússia e além.

"Tudo para os operários, tudo para os trabalhadores!"

30 de agosto de 1918, Moscou, Rússia

A ocasião deste discurso foi um grande comício na oficina de granadas de mão da fábrica Michelson, em Moscou.

Muito havia mudado na Rússia após a Revolução de Fevereiro (em março de 1917, segundo a datação moderna), que forçara a abdicação do tsar Nicolau II e estabelecera um governo provisório de reformistas moderados. Embora Lenin – sem disposição a comprometer seus planos cuidadosos de reorganizar o governo e a economia – não tivesse tirado vantagem dos protestos contra o governo em julho de 1917, ele liderara a Revolução de Outubro, bem-sucedida, alguns meses depois. Em novembro, permitiu eleições para uma assembleia constituinte, mas a dissolveu em janeiro de 1918, depois que o Partido Revolucionário Socialista obteve a maioria dos assentos. A Rússia se retirou da Primeira Guerra Mundial em março de 1918, cedendo vastos territórios e recursos econômicos à Alemanha sob o Tratado de Brest-Litovsk.

Em 15 de agosto, Lenin cortou relações diplomáticas com os Estados Unidos e, duas semanas depois, fez este discurso desacreditando o governo provisório moderado (estabelecido após a Revolução de Fevereiro) e atacando o conceito americano de democracia. Aqui, ele expressa sua fúria diante do curso da guerra e do tratamento dispensado aos trabalhadores em outros países.

Quando estava se retirando do comício, uma integrante do Partido Revolucionário Socialista, Fanya Kaplan, correu em sua direção e atirou à queima-roupa. Lenin se recusou a ir para o hospital, por temer que outros assassinos estivessem ali à sua espera e foi tratado em casa. Nunca se recuperou totalmente de seus ferimentos.

❝Nós bolcheviques somos constantemente acusados de violar os slogans de igualdade e fraternidade. Analisemos detalhadamente essa questão.

Qual foi a autoridade que tomou o lugar da autoridade do tsar?[1] Foi a autoridade de Guchkov[2] e Milyukov[3], que começaram a se preparar para uma assembleia constituinte na Rússia. O que realmente está por trás desse trabalho em prol da libertação do povo de seu jugo de mil anos? Simplesmente o fato de que Guchkov e outros líderes reuniram à sua volta um bando de capitalistas que estavam perseguindo seus próprios objetivos imperialistas.

E quando a corja de Kerensky[4], Chernov[5] etc. ganhou poder, esse novo governo, hesitante e destituído de qualquer base na qual se apoiar, lutou apenas pelos interesses básicos da burguesia, sua aliada. O poder, de fato, passou para as mãos dos *kulaks*[6], e nada para as mãos das massas trabalhadoras.

Testemunhamos o mesmo fenômeno em outros países. Consideremos a América, o país mais livre e mais civilizado. A América é uma república

---

1. A dinastia Romanov governou a Rússia desde 1613. Ocorreram reformas constitucionais em 1905, mas, após a Revolução de Fevereiro, o tsar abdicou, colocando um fim ao governo imperial. Estabeleceu-se um governo provisório para governar o país até a formação de uma assembleia constituinte eleita. (N.E.)
2. O político russo Aleksandr Guchkov (1862-1936) foi ministro da Guerra durante o governo provisório. Ele apoiou a guerra e se opôs a uma reforma agrária abrangente. Deixou o cargo em maio de 1917. (N.E.)
3. O político russo Pavel Milyukov (1859-1943) foi ministro de Relações Exteriores durante o governo provisório até maio de 1917, tendo apoiado a guerra. (N.E.)
4. O político socialista russo Aleksandr Kerensky (1881-1970) tornou-se ministro da Guerra do governo provisório em maio de 1917, depois primeiro-ministro em julho de 1917. Sob pressão bolchevique, fugiu da Rússia naquele mesmo ano. (N.E.)
5. O político russo Viktor Chernov (c. 1873-1952) ajudou a fundar o Partido Revolucionário Socialista (PRS) em 1901. Em 1917, se tornou ministro de Agricultura no governo provisório. Presidiu por um breve período a assembleia constituinte, após o sucesso eleitoral do PRS, antes de Lenin dissolver a assembleia. (N.E.)
6. Termo pejorativo para designar camponeses proprietários de terras que haviam adquirido propriedade após a emancipação dos servos, em 1905. Os *kulaks* se opunham à reforma agrária de Lenin. (N.E.)

democrática. E qual é o resultado? Temos o governo desavergonhado de uma máfia não de milionários, mas de multimilionários, e a nação inteira está escravizada e oprimida. Se as fábricas e oficinas, os bancos e todas as riquezas da nação pertencem aos capitalistas; se, ao lado da república democrática, observamos uma escravidão perpétua de milhões de trabalhadores e uma pobreza contínua, temos o direito de perguntar: onde está toda a sua louvada igualdade e fraternidade?

Longe disso! O governo da democracia é acompanhado de um banditismo feroz e descarado. Nós entendemos a verdadeira natureza das chamadas democracias.

Os tratados secretos da República Francesa, da Inglaterra e de outras democracias[7] nos convenceram claramente da verdadeira natureza, dos fatos por trás desse negócio. Seus objetivos e interesses são tão criminosamente predatórios quanto os da Alemanha. A guerra abriu nossos olhos. Agora sabemos muito bem que o 'defensor da pátria' esconde, sob sua pele, um ladrão e bandido vil. A esse ataque do bandido devemos nos opor com ação revolucionária, com criatividade revolucionária.

Certamente, é muito difícil, em uma época excepcional como esta, conseguir união, particularmente dos elementos revolucionários camponeses. Mas temos fé na energia criativa e no compromisso social da vanguarda da revolução – o proletariado das fábricas e oficinas. Os trabalhadores já entenderam muito bem que, enquanto permitirem que sua mente se deleite com as fantasias de uma república democrática e uma assembleia constituinte, terão de entregar 50 milhões de rublos por dia para objetivos militares que serão destrutivos para si próprios, e durante tanto tempo que será impossível para eles encontrar alguma forma de escapar à opressão capitalista.

Tendo entendido isso, os trabalhadores criaram seus sovietes.[8] Foi a própria vida, a vida concreta, real, que os ensinou a entender que, enquanto os detentores das terras estivessem tão bem entrincheirados em palácios e castelos mágicos, a liberdade de associação seria uma mera ficção e só seria encontrada, talvez, no outro mundo. Prometer liberdade aos trabalhadores e, ao mesmo tempo, deixar os castelos, as terras, as fábricas e todos os recursos nas mãos dos capitalistas e proprietários de terras – isso não tem relação alguma com liberdade e igualdade.

---

7. A rápida escalada dos acontecimentos que levaram à Primeira Guerra Mundial se deveu, em grande parte, a uma rede de tratados e pactos negociados (com frequência, secretamente) entre as várias potências europeias. (N.E.)
8. Conselhos de soldados e de trabalhadores, eleitos por voto popular. (N.E.)

Vladimir Ilitch Lenin

Temos um único slogan, uma palavra de ordem: todos os que trabalham têm o direito de desfrutar das coisas boas da vida.

Os vagabundos, os parasitas, aqueles que sugam o sangue das massas trabalhadoras, devem ser privados dessas bênçãos. E nosso grito é: tudo para os operários, tudo para os trabalhadores!

Sabemos que tudo isso é difícil de se conseguir. Estamos cientes da oposição furiosa que encontraremos por parte da burguesia, mas acreditamos na vitória final do proletariado; pois, uma vez que tenha se libertado da terrível incerteza das ameaças de imperialismo militar, e uma vez que tenha erigido, sobre as ruínas da estrutura que derrubou, a nova estrutura da república socialista, a vitória é certa.

E, de fato, vemos que as forças estão se unindo em toda parte. Agora que abolimos a propriedade privada da terra, encontramos uma fraternização ativa acontecendo entre os trabalhadores da cidade e os do campo. O esclarecimento da consciência de classe dos trabalhadores também está avançando rapidamente de uma maneira muito mais definitiva do que antes.

No Ocidente também: os trabalhadores da Inglaterra, da França, da Itália e de outros países estão respondendo cada vez mais aos apelos e às demandas que dão testemunho da vitória que se aproxima – a vitória da revolução internacional. E nossa tarefa, hoje, é esta: a de realizar nosso trabalho revolucionário, independentemente de toda a hipocrisia, dos gritos de ódio e dos sermões da burguesia assassina. Precisamos voltar todos os nossos esforços para a frente tchecoslovaca[9] a fim de dispersar de uma vez por todas esse bando de degoladores que se encobre nos slogans de liberdade e igualdade e que atira em centenas e milhares de trabalhadores e camponeses.

Só temos uma escolha: vitória ou morte! **"**

---

9. Após o sucesso da Revolução de Outubro, o novo regime foi alvo de ataque de várias facções antibolcheviques em uma guerra civil entre os "vermelhos" comunistas e uma coalizão de conservadores, monarquistas e liberais conhecidos como "brancos". Estes incluíam a Legião Tchecoslovaca, na Sibéria. (N.E.)

"**Afirmo que a não cooperação é uma doutrina justa e religiosa; é o direito inerente de todo ser humano e é perfeitamente constitucional [...]"**

– Mahatma Gandhi

3
Mahatma Gandhi

Advogado e estadista indiano

Como líder do Movimento Nacional Indiano, Mohandas Karamchand Gandhi, conhecido como Mahatma ("Grande Alma") (1869-1948), liderou uma campanha não violenta pela independência indiana nas décadas que se seguiram à Primeira Guerra Mundial, finalmente concretizada na Partilha de agosto de 1947. Venerado por muitos como um patriota, reformador e guia moral, seus críticos o consideraram uma vítima da autoilusão, que o cegou para o derramamento de sangue provocado por suas campanhas supostamente não violentas. Gandhi foi assassinado em Delhi, por um fanático hindu, em 30 de janeiro de 1948.

"Por que queremos oferecer esta não cooperação?"

12 de agosto de 1920, Madras (atual Chennai), Índia

Gandhi fez este discurso logo no início de sua longa batalha. Após campanhas violentas pela independência indiana, a Lei de Crimes Revolucionários e Anárquicos de 1919, popularmente conhecida como Lei Rowlatt, tornou permanente a suspensão das liberdades civis promulgadas durante a Primeira Guerra Mundial. Esses acontecimentos levaram Gandhi a organizar um movimento de resistência pacífica baseado em princípios conhecido como satyagraha ("firmeza na verdade"). No entanto, este foi acompanhado de violência em alguns lugares, levando à imposição da lei marcial no Punjab e ao Massacre de Amritsar em abril de 1919, no qual soldados britânicos atiraram em uma multidão reunida para um festival religioso, matando pelo menos 379 pessoas.

Os termos de paz apresentados à Turquia pelos Aliados após a Primeira Guerra Mundial no Tratado de Sèvres irritaram os muçulmanos indianos, que lançaram o movimento Khilafat em setembro de 1919 a fim de proteger o califado turco e salvar o Império Otomano de ser desmembrado pela Inglaterra e seus aliados. Gandhi apoiou esse movimento e, em junho de 1920, escreveu ao vice-rei anunciando sua intenção de iniciar um movimento de não cooperação em protesto contra o tratado.

Em sua carta, ele se referia ao direito dos súditos de "recusar-se a cooperar com um governante que desgoverna". Os apoiadores do movimento de não cooperação foram instruídos a se recusar a cumprir obrigações impostas pelo governo, tirar seus filhos das escolas e faculdades e fundar escolas e faculdades nacionais. Eles deveriam boicotar os tribunais britânicos e criar tribunais particulares. Deveriam defender a verdade e a não violência em todos os momentos e usar roupas indianas tecidas em casa.

Gandhi lançou formalmente seu movimento de não cooperação em 1º de agosto de 1920. Logo depois, ele falou para uma multidão de 50 mil pessoas reunidas na praia em Madras. No discurso, ele explica a importância do movimento Khilafat e os princípios do movimento de não violência.

" Sr. Presidente e amigos [...]

Eu me sentei aqui para falar para vocês sobre uma questão de extrema importância [...] Vim perguntar a cada um de vocês se estão prontos e dispostos a dar o suficiente por seu país, pela honra e religião de seu país [...]

O que é esta não cooperação, da qual vocês tanto ouviram falar, e por que queremos oferecer esta não cooperação? Eu desejo, neste momento, seguir por este caminho. O país está diante de duas questões: a primeira e mais importante é a questão do Khilafat. Quanto a isso, o coração dos muçulmanos da Índia foi dilacerado. Os compromissos britânicos assumidos após a maior deliberação pelo primeiro-ministro da Inglaterra[1] em nome da nação inglesa foram jogados na lama. As promessas feitas à Índia muçulmana [...] foram quebradas, e a grande religião do Islã foi colocada em perigo.

Os muçulmanos defendem – e ouso pensar que defendem corretamente – que, uma vez que as promessas britânicas não se cumpriram, é impossível para eles apresentar fidelidade e lealdade sincera à Grã-Bretanha; e se um muçulmano devoto tiver de escolher entre a lealdade à Grã-Bretanha e a lealdade a seu Código e Profeta, ele não tardará um segundo em fazer essa escolha – e ele declarou essa escolha. Os muçulmanos dizem franca, aberta e honrosamente ao mundo inteiro que se os ministros britânicos e a nação britânica não cumprirem as promessas que lhes foram feitas [...] será impossível, para eles, reter a lealdade islâmica.

---

1. David Lloyd George (1863-1945) foi primeiro-ministro de 1916 a 1922. (N.E.)

É uma questão, portanto, para o restante da população indiana considerar se quer cumprir com seu dever fraterno para com os compatriotas muçulmanos, e, se quiser, tem uma oportunidade única na vida, que não ocorrerá por outros cem anos, de mostrar sua boa vontade, camaradagem e amizade e provar o que vem dizendo durante todos esses anos, que o muçulmano é irmão do hindu. Se o hindu considera que, antes da ligação com a nação britânica, vem sua ligação natural com o irmão muçulmano, então eu lhes digo que se vocês consideram que a reivindicação muçulmana é justa [...] não podem fazer outra coisa senão ajudar irrestritamente os muçulmanos [...]

Essas são as condições simples que os muçulmanos indianos aceitaram; e quando eles viram que poderiam aceitar a ajuda oferecida pelos hindus, que sempre poderiam justificar a causa e os meios diante do mundo inteiro, foi que decidiram aceitar a mão estendida da camaradagem.

Cabe então aos hindus e maometanos[2] oferecer uma frente unida a todas as potências cristãs da Europa e lhes dizer que, por mais débil que a Índia seja, ainda tem a capacidade de preservar o respeito próprio [...]

Esse é, resumidamente, o Khilafat; mas vocês também têm o Punjab. O Punjab feriu o coração da Índia como nenhuma outra questão o fez em todo o último século. Eu não excluo dos meus cálculos a Rebelião de 1857. Por mais agruras que a Índia tenha padecido durante a Rebelião, o insulto dirigido ao país durante a aprovação da legislação de Rowlatt, que o atingiu após sua aprovação, não tem paralelos na história indiana [...] A Câmara dos Comuns, a Câmara dos Lordes, o sr. Montagu[3], o vice-rei da Índia[4], cada um deles sabe qual é o sentimento da Índia nessa questão do Khilafat e na do Punjab [...] [mas] eles não estão dispostos a fazer a justiça que é devida à Índia e que ela demanda.

Eu afirmo que [...] a não ser que obtenhamos uma medida de autorrespeito das mãos dos governantes britânicos na Índia, nenhuma ligação e nenhuma relação amigável é possível entre eles e nós. Portanto, ouso propor este belo e irrefutável método de não cooperação.

---

2. Outro termo para muçulmanos. (N.E.)
3. O político inglês Edwin Montagu (1879-1924) foi subsecretário de Estado da Índia de 1910 a 1914 e secretário de Estado da Índia de 1917 a 1922. Em 1917-1918, ele pesquisou e escreveu um relatório sobre as reformas constitucionais indianas que formaram a base da Lei do Governo da Índia (1919), concedendo autogoverno limitado. (N.E.)
4. O administrador colonial inglês Frederic Thesiger, terceiro barão de Chelmsford e, posteriormente, primeiro visconde de Chelmsford (1868-1933), foi vice-rei da Índia de 1916 a 1921. (N.E.)

Disseram-me que a não cooperação é inconstitucional. Eu ouso negar que é inconstitucional. Ao contrário,

afirmo que a não cooperação é uma doutrina justa e religiosa; é o direito inerente de todo ser humano [...]

e é perfeitamente constitucional [...] Eu não reivindico constitucionalidade alguma para uma rebelião, bem-sucedida ou não, contanto que essa rebelião signifique, no sentido ordinário do termo, o que significa – isto é, a obtenção de justiça por meios violentos. Ao contrário, venho dizendo repetidas vezes a meus compatriotas que a violência, qualquer que seja o fim ao qual possa servir na Europa, nunca nos servirá na Índia.

Meu irmão e amigo Shaukat Ali[5] acredita em métodos de violência [...] mas, por reconhecer, como um verdadeiro soldado, que os meios de violência não são abertos à Índia, ele fica ao meu lado, aceitando minha humilde assistência, e dá sua palavra de que, uma vez que estou ao seu lado e uma vez que ele acredita na doutrina, ele não nutrirá a ideia de violência contra um único inglês ou contra um único homem na terra [...]

Assim que a Índia aceitar a doutrina da espada, minha vida como indiano estará acabada. Isso porque acredito em uma missão especial para a Índia e porque acredito que os antigos da Índia, após séculos de experiência, descobriram que a verdadeira questão para todo ser humano na terra não é a justiça baseada em violência, e sim a justiça baseada no sacrifício do eu, baseada em Yagna e Kurbani.[6] Eu me agarro a essa doutrina e me agarrarei a ela para sempre. É por essa razão que eu lhes digo que, embora meu amigo também acredite na doutrina da violência e tenha adotado a doutrina da não violência como uma arma dos fracos, acredito na doutrina da não violência como uma arma dos mais fortes [...]

Eu digo a meus compatriotas: considerando que vocês têm um senso de honra e que desejam permanecer os descendentes e defensores das nobres tradições que lhes foram entregues por gerações após gerações, é inconstitucional para vocês não não cooperar e inconstitucional para vocês cooperar com um governo que se tornou injusto como o nosso se tornou.

Eu não sou contra os ingleses; não sou contra os britânicos; não sou contra governo algum; mas sou contra a não verdade – contra a fraude e contra a injustiça [...]

---

5. O nacionalista muçulmano indiano Shaukat Ali (1873-1938) fundou o movimento Khilafat com seu irmão Mohammad (1878-1931). (N.E.)
6. Rituais cerimoniais de sacrifício e devoção. (N.E.)

Eu tivera esperanças, no Congresso de Amritsar[7] – estou falando a verdade de Deus diante de vocês –, quando implorei de joelhos perante alguns de vocês pela cooperação com o governo. Eu tinha esperança absoluta de que os ministros britânicos – que são sensatos, como governo – aplacariam o sentimento muçulmano; que eles fariam plena justiça na questão das atrocidades do Punjab. E por isso eu disse: devolvamos boa vontade à mão de camaradagem que se estendeu diante de nós, que eu então acreditava que nos fora estendida com a Proclamação Real. Foi por isso que implorei por cooperação.

Mas hoje, com essa minha fé obliterada pelos atos dos ministros britânicos, estou aqui para implorar não pela obstrução fútil no conselho legislativo, e sim por uma não cooperação real, substancial, que paralisaria o governo mais poderoso do mundo.

É isso que defendo hoje. Até que tenhamos obtido justiça, e até que tenhamos arrancado nosso autorrespeito de mãos indispostas e de canetas indispostas, não pode haver cooperação [...]

Eu nego ser um visionário. Não aceito a reivindicação de santidade. Sou deste mundo, mundano, um homem comum como qualquer um de vocês, provavelmente muito mais do que vocês. Sou propenso a tantas fraquezas quanto vocês [...]

Eu entendi o segredo de meu próprio hinduísmo, aprendi a lição de que a não cooperação é o dever não meramente do santo, mas de todo cidadão comum que – não sabendo muito, não se importando em saber muito – quer desempenhar suas funções domésticas cotidianas [...]

Estou pedindo aos meus compatriotas na Índia que não sigam outro evangelho senão o evangelho do autossacrifício que precede toda batalha.

Quer vocês pertençam à escola da violência ou da não violência, ainda terão de atravessar o fogo do sacrifício e da disciplina. Que Deus lhes conceda, que Deus conceda aos nossos líderes, a sabedoria, a coragem e o verdadeiro conhecimento para liderar a nação a seu estimado objetivo. Que Deus conceda ao povo da Índia o caminho correto – difícil, porém fácil – do sacrifício."

---

7. A sessão anual do Congresso Nacional Indiano aconteceu em Amritsar, em dezembro de 1919. (N.E.)

"Levem de volta às suas cidades, às suas terras, às suas casas, distantes, mas próximas do meu coração, a impressão vigorosa deste encontro. Mantenham a chama acesa, porque aquilo que não foi pode vir a ser, porque, se a vitória foi mutilada uma vez, não significa que possa ser mutilada uma segunda vez!"

– Benito Mussolini

4
Benito Mussolini
Ditador italiano

Em 1919, Benito Amilcare Andrea Mussolini (1883-1945) fundou o movimento fascista, explorando a desilusão disseminada, sentida por muitos italianos após a Segunda Guerra Mundial, para promover um nacionalismo extremo. Em 1922, Mussolini foi convidado pelo rei italiano, Victor Emmanuel III, para formar um governo e, em 1929, por meio de intimidação, mecenato e propaganda, ele havia transformado a Itália em um Estado totalitário. Ambicioso por construir um império ultramarino, durante os anos 1930 Mussolini tornou seu país cada vez mais alinhado com a Alemanha nazista e finalmente levou a Itália à guerra contra os Aliados em 1939. Depois que os Aliados aportaram na Sicília (1943), o rei e seu próprio Conselho Fascista se voltaram contra ele, e, em 1945, foi sumariamente executado enquanto tentava fugir do país.

"Devemos conquistar a paz"
25 de junho de 1923, Roma, Itália

Durante seu primeiro ano como primeiro-ministro, Mussolini ainda estava se estabelecendo no poder. Um elemento decisivo de seu apelo foi o patriotismo, e, em um comício para marcar o quinto aniversário da Batalha do Piave, ele fez este discurso pomposo em celebração ao sucesso marcial italiano.

A Itália entrara na Primeira Guerra Mundial em 1915, ao lado do Reino Unido e da França, esperando conquistar territórios da Áustria-Hungria e da Alemanha. Um conflito crucial ocorreu em junho de 1918, quando tropas italianas repeliram um ataque do exército austro-húngaro do outro lado do rio Piave. Quatro meses depois, o exército italiano obteve uma vitória ainda mais decisiva na Batalha de Vittorio Veneto. No entanto, a Itália recebeu pouco nos tratados de paz que se seguiram à guerra; e foi, em parte, aproveitando-se do ressentimento decorrente disso que Mussolini construiu sua popularidade.

Mussolini foi um orador carismático e inspirador, cujas técnicas de oratória – bem como suas polícias políticas – prefiguraram as de

Adolf Hitler. Dirigindo-se a uma grande multidão no Palazzo Venezia, ele finge relutância em falar, antes de soltar um discurso tipicamente incitador.

Embora insista que a marcha dos Camisas Negras sobre Roma "enterrou o passado", ele alude fortemente à herança antiga da cidade como um poder militar invisível. Seu propósito é obter apoio militar e desencorajar o dissenso; e ele instiga a multidão a uma denúncia daqueles que poderiam "mutilar a vitória", antes de recompensá-la com a visão da Itália como uma grande potência "imperecível".

" Companheiros de armas, depois que suas fileiras, tão bem disciplinadas e de modos tão refinados, marcharam por Sua Majestade o Rei, o símbolo intangível do país; depois da cerimônia austera em sua solenidade silenciosa diante do túmulo do Soldado Desconhecido – depois desta formidável demonstração de força sagrada, minhas palavras são absolutamente supérfluas, e eu não pretendo fazer um discurso. A marcha de hoje é uma manifestação cheia de significado e alerta. Um povo inteiro armado se reuniu hoje em espírito na Cidade Eterna.[1] É um povo inteiro que, acima das inevitáveis diferenças partidárias, se encontra fortemente unido quando a segurança da pátria está em risco.

Na ocasião da erupção do Etna[2], a solidariedade nacional se manifestou maravilhosamente; em cada cidade, em cada povoado e, poderíamos dizer, em cada aldeia, emergiu um sentimento fraterno pela terra atingida pela calamidade.

Hoje, dezenas de milhares de soldados, milhares de estandartes – com homens vindo a Roma de todas as partes da Itália e das colônias distantes do exterior – dão testemunho de que a unidade da nação italiana é um fato consumado e irrevogável.

Depois de sete meses de governo, falar com vocês, meus camaradas das trincheiras, é a maior honra que eu poderia ter. E não digo isso para agradá-los nem para lhes prestar uma homenagem que poderia parecer formal em

---

1. Roma. (N.E.)
2. Uma importante erupção do vulcão siciliano que começara anteriormente naquele mesmo mês. (N.E.)

uma ocasião como esta. Eu tenho o direito de interpretar as opiniões dos aqui presentes, reunidos para ouvir minhas palavras, como uma expressão de solidariedade para com o governo nacional.

[Gritos de apoio.]

Não pronunciemos palavras fantásticas e inúteis. Ninguém ataca a liberdade sagrada do povo italiano. Mas eu lhes pergunto: deve haver liberdade para mutilar a vitória?

[Gritos de 'Não! Não!'.]

Deve haver liberdade para atacar a nação? Deve haver liberdade para aqueles que têm como programa derrubar nossas instituições nacionais?

[Gritos de 'Não! Não!'.]

Repito o que disse antes explicitamente. Eu não me sinto infalível, eu me sinto um homem como vocês. Eu não rejeito – não posso, não devo rejeitar – nenhuma colaboração leal e sincera.

Companheiros de armas, a tarefa que pesa sobre meus ombros, mas também sobre os de vocês, é simplesmente imensa, e a ela estaremos obrigados por muitos anos.

É, portanto, necessário não desperdiçar, e sim entesourar e utilizar todas as energias que poderiam ser usadas para o bem de nosso país.

Cinco anos se passaram desde a Batalha do Piave, daquela vitória [...] É necessário proclamar, para vocês que me ouvem, e também para aqueles que leem o que digo, que a vitória do Piave foi o fator decisivo da guerra. No Piave, o Império Austro-Húngaro se fez em pedaços, no Piave começou o voo sobre as asas brancas da vitória do povo armado.

O governo pretende exaltar a força espiritual que emana da vitória de um povo armado. Não pretende dispersá-la, porque representa a semente sagrada do futuro. Quanto mais distantes ficamos daqueles dias, daquela vitória memorável, mais eles nos parecem maravilhosos, mais a vitória aparece envolta em uma auréola de lenda. De tal vitória todos desejariam ter participado!

Devemos conquistar a paz! Tarde demais alguém percebeu que

[...] quando o país está em perigo, o dever de todos os cidadãos, do mais elevado ao mais humilde, é apenas um: lutar, sofrer e – se necessário – morrer!

Nós vencemos a guerra, nós demolimos um império que ameaçou nossas fronteiras, nos reprimiu e nos conteve para sempre sob a extorsão da ameaça armada. A história não tem fim.

Camaradas, a história dos povos não é medida em anos, mas em dezenas de anos, em séculos. Esta manifestação de vocês é um sinal infalível da vitalidade do povo italiano. A frase 'devemos conquistar a paz' não é uma frase vazia. Contém uma verdade profunda. A paz é conquistada por meio de harmonia, trabalho e disciplina. Esse é o novo evangelho que se abriu diante dos olhos das novas gerações que vieram das trincheiras; um evangelho simples e direto, que leva em consideração todos os elementos, que utiliza todas as energias, que não se presta a tiranias de exclusivismo grotesco, porque tem um só objetivo, um objetivo comum: a grandeza e a salvação da nação!

Companheiros de armas, vocês vieram a Roma, e isso é natural – ouso dizer, estava predestinado! Porque Roma sempre foi, como será amanhã e nos séculos vindouros, o coração vivo de nossa raça! É o símbolo imperecível de nossa vitalidade como povo. Quem tem Roma tem a nação.

Os Camisas Negras enterraram o passado. Eu garanto a vocês, meus companheiros de armas, que meu governo, apesar das dificuldades ocultas ou manifestas, cumprirá suas promessas. É o governo de Vittorio Veneto.[3]

Vocês sentem e sabem isso e, se não acreditassem, não estariam aqui reunidos nesta praça.

Levem de volta às suas cidades, às suas terras, às suas casas, distantes, mas próximas do meu coração, a impressão vigorosa deste encontro. Mantenham a chama acesa, porque aquilo que não foi pode vir a ser, porque, se a vitória foi mutilada uma vez, não significa que possa ser mutilada uma segunda vez!

[Aplausos ruidosos, gritos repetidos de 'Nós juramos!'.]

Eu tenho em mente o juramento de vocês. Conto com vocês como conto com todos os bons italianos, mas conto, acima de tudo, com vocês, porque vocês são da minha geração, porque vocês vieram da sujeira sanguinária das trincheiras, porque vocês viveram e lutaram e sofreram cara a cara com a morte, porque vocês cumpriram com seu dever e têm o direito de reivindicar aquilo que lhes é de direito, não só do ponto de vista material como também do ponto de vista moral.

Eu lhes digo, eu juro para vocês, que se foi para sempre o tempo em que os combatentes voltando das trincheiras tinham de sentir vergonha de si

---

3. Mussolini se refere à batalha entre os exércitos italiano e austro-húngaro, em outubro e novembro de 1918. O exército austro-húngaro ruiu após a vitória da Itália. (N.E.)

mesmos; o tempo em que, devido às atitudes ameaçadoras dos comunistas, os oficiais recebiam o conselho covarde de usar trajes comuns.

[Aplausos.]

Tudo isso está enterrado. Vocês não devem se esquecer, e ninguém se esquece, de que há sete meses 52 mil Camisas Negras armados vieram a Roma para enterrar o passado!

[Aplausos ruidosos.]

Soldados, companheiros de armas, ergamos perante nosso grande camarada desconhecido o grito que resume nossa fé. Vida longa ao rei! Vida longa à Itália, vitoriosa, inexpugnável, imortal!

[Aplausos ruidosos, com bandeiras erguidas.] "

5
Franklin D. Roosevelt
Estadista americano

Franklin Delano Roosevelt (1882-1945) chegou ao poder como presidente dos Estados Unidos durante a Grande Depressão de 1929-1939, que ele combateu lançando seu programa inovador, o New Deal. Por influência de seu sucesso nessas reformas, Roosevelt foi reeleito por maioria esmagadora em 1936 e garantiu um terceiro mandato em 1940 e um quarto em 1944. Durante o fim dos anos 1930, ele se empenhou em evitar se envolver no iminente conflito europeu, mas, quando eclodiu a Segunda Guerra Mundial, ele modificou a neutralidade dos Estados Unidos em favor dos Aliados. Finalmente, os Estados Unidos foram arrastados para o conflito com o ataque do Japão a Pearl Harbor (dezembro de 1941). Roosevelt morreu três semanas antes da rendição dos nazistas.

"A única coisa que devemos temer é o próprio medo"
4 de março de 1933, Washington, D.C., EUA

O primeiro discurso de posse de Franklin D. Roosevelt, feito no pior momento da Grande Depressão, trouxe uma imprescindível mensagem de esperança. Com mais de metade da mão de obra americana desempregada, os preços dos produtos agrícolas mais baixos do que nunca e a indústria afundada no caos, o país estava em desespero. Ao aceitar a nomeação como candidato democrata para a eleição de 1932, Roosevelt prometera um "novo acordo para o povo americano". Agora ele podia começar a implementar políticas que eram quase revolucionárias em um país profundamente desconfiado do socialismo.

Roosevelt fora notadamente vago, durante a campanha eleitoral, sobre como planejava lidar com os imensos problemas econômicos que a nação enfrentava. Agora ele apresentava sua visão com clareza e confiança, falando para a multidão reunida na Casa Branca e para o país inteiro por meio do rádio, que se tornaria seu meio de comunicação favorito.

Seu tom é solene, mas mostra o estilo franco que foi sua marca registrada. Todos os princípios importantes do New Deal estão aqui, apresentados quase como um pacto entre o governo e o povo. O discurso é de um otimismo extraordinário, retratando um futuro brilhante e evocando a ainda potente mitologia nacional do espírito pioneiro, sem jamais subestimar o impacto da Depressão sobre os cidadãos comuns.

O resultado imediato foram os chamados "Cem Dias", durante os quais uma sessão de emergência do Congresso aprovou a maior parte da legislação reformista necessária.

"Estou certo de que meus compatriotas esperam que, ao assumir a presidência, eu me dirija a eles com uma candura e uma determinação que a presente situação de nosso país exige. Este é, preeminentemente, o momento de falar a verdade, toda a verdade, com franqueza e ousadia. Não precisamos evitar enfrentar honestamente a situação atual de nosso país. Esta grande nação resistirá como sempre resistiu, reviverá e prosperará.

Portanto, em primeiro lugar, permitam-me declarar minha firme convicção de que a única coisa que devemos temer é o próprio medo – o terror injustificado, irracional e inominável que paralisa os esforços necessários para converter retrocesso em avanço. Em cada momento sombrio de nossa vida nacional, uma liderança franca e vigorosa encontrou a compreensão e o apoio do próprio povo, o que é essencial para a vitória. Estou convencido de que, novamente, vocês darão esse apoio à liderança nestes dias críticos.

Em tal espírito, da minha parte e da sua, enfrentamos nossas dificuldades comuns. Graças a Deus, elas concernem apenas a coisas materiais. Os valores despencaram a níveis inacreditáveis; os juros subiram; nossa capacidade de pagar diminuiu; governos de todos os tipos se deparam com graves reduções de receita; os meios de troca estão congelados nas transações comerciais; as folhas secas da atividade industrial jazem em toda parte; os agricultores não encontram mercado para sua produção; as economias de muitos anos de milhares de famílias se esgotaram.

O que é mais importante: uma multidão de cidadãos desempregados enfrenta o triste problema da subsistência, e um número igualmente grande trabalha duro sem retorno algum. Só um otimista ingênuo negaria a trágica realidade do momento.

Mas nosso sofrimento não vem de uma escassez de recursos.

Não fomos acometidos por uma praga de gafanhotos. Em comparação com os perigos que nossos antepassados superaram por sua fé e coragem, ainda temos muito que agradecer. A natureza ainda oferece suas recompensas, e os esforços humanos as multiplicaram. A abundância está à nossa porta, mas seu uso generoso esmorece perante a oferta. Primordialmente, isso ocorre porque aqueles que regem as trocas de produtos da humanidade fracassaram por sua própria teimosia e incompetência, admitiram o próprio fracasso e renunciaram. As práticas dos cambistas inescrupulosos foram indiciadas no tribunal da opinião pública, repudiadas pelos corações e mentes dos homens.

É verdade que eles tentaram, mas seus esforços seguiram o padrão de uma tradição obsoleta. Diante do fracasso do crédito, propuseram apenas o empréstimo de mais dinheiro. Despojados do engodo do lucro com o qual induziram nosso povo a seguir sua falsa liderança, recorreram a exortações, implorando chorosamente por uma restauração da confiança. Eles só conhecem as regras de uma geração de egoístas. Eles não têm visão, e quando não há visão as pessoas perecem.

Os cambistas fugiram de suas posições elevadas nos templos de nossa civilização.[1] Podemos, agora, restaurar esses templos às antigas verdades. A medida da restauração reside na extensão em que apliquemos valores sociais mais nobres do que o mero benefício econômico.

A felicidade não está na mera posse de dinheiro; está na alegria da conquista, na emoção do esforço criativo. A alegria e o estímulo moral do trabalho já não devem ser esquecidos na perseguição ensandecida por lucros efêmeros.

Estes dias obscuros valerão tudo que nos custaram se nos ensinarem que nosso verdadeiro destino não é ser servidos, e sim servir a nós mesmos e a nossos companheiros.

O reconhecimento da falsidade da riqueza material como o padrão de sucesso anda de mãos dadas com o abandono da falsa crença de que o cargo público e a posição política elevada só devem ser valorizados pelos padrões de lugar de honra e lucro pessoal [...]

---

1. Uma referência ao incidente em que Jesus expulsa os cambistas do templo de Jerusalém. O incidente é descrito em todos os quatro evangelhos do Novo Testamento, incluindo Marcos 11:15-18. (N.E.)

e devemos colocar um fim a uma conduta nas operações bancárias e nos negócios que, com demasiada frequência, deu a uma confiança sagrada a aparência de delito cruel e egoísta. Não é de admirar que a confiança definhe, pois só prospera na honestidade, na honra, na sacralidade das obrigações, na proteção fiel, no desempenho altruísta; sem isso, não pode viver. A restauração, no entanto, não pede mudanças apenas na ética. Esta nação pede ação, e ação imediata.

Nossa tarefa primordial é colocar as pessoas para trabalhar. Esse não é um problema sem solução se o enfrentarmos com sensatez e coragem. Pode ser resolvido, em parte, se o próprio governo conduzir o recrutamento, tratando a tarefa como trataríamos a emergência de uma guerra, mas, ao mesmo tempo, por meio desses empregos, realizando projetos extremamente necessários para estimular e reorganizar o uso de nossos recursos naturais.

De mãos dadas com isso, devemos reconhecer francamente o desequilíbrio populacional em nossos centros industriais e – envolvendo-nos em uma redistribuição em escala nacional – nos esforçar para proporcionar um uso melhor da terra para aqueles mais aptos para a terra. A tarefa pode ser ajudada por esforços determinados para aumentar os valores dos produtos agrícolas e, com isso, a capacidade de comprar a produção das cidades. Pode ser ajudada evitando realisticamente a tragédia da perda crescente, por meio do embargo, de nossas pequenas casas e fazendas. Pode ser ajudada pela insistência de que os governos locais, estaduais e federal ajam sem demora para que seu custo seja drasticamente reduzido. Pode ser ajudada pela unificação das atividades de auxílio que hoje são, muitas vezes, dispersas, pouco econômicas e desiguais. Pode ser ajudada por um planejamento nacional e pela supervisão de todas as formas de transporte e comunicação e outros serviços que têm um caráter definitivamente público. Há muitas maneiras pelas quais pode ser ajudada, mas jamais pode ser ajudada meramente com conversa. Precisamos agir, e agir depressa.

Finalmente, em nosso progresso rumo a uma retomada do trabalho, precisamos de duas salvaguardas contra um regresso dos males da velha ordem: deve haver uma supervisão rigorosa de todos os serviços bancários, de crédito e de investimentos, de modo que se coloque um fim à especulação feita com o dinheiro de outras pessoas; e deve haver providências para uma moeda sólida e adequada.

Essas são as linhas de ataque. No momento presente, devo insistir em um novo Congresso, em sessão especial, com medidas detalhadas para seu cumprimento, e buscar a ajuda imediata de vários Estados.

Por meio desse programa de ação, nós nos dedicamos a colocar nossa própria casa nacional em ordem e a equilibrar receitas e despesas.

Nossas relações comerciais internacionais, embora muitíssimo importantes, são, neste ponto do tempo e da escala de necessidades, secundárias ao estabelecimento de uma economia nacional sólida. Eu prefiro, como política prática, seguir a ordem de prioridades. Não pouparei esforços para restabelecer o comércio internacional por meio do reajuste econômico global, mas a emergência em casa não pode esperar que isso se realize.

O pensamento básico que guia esse meio específico de recuperação nacional não é estritamente nacionalista. É a insistência, como consideração inicial, na interdependência dos vários elementos e territórios dos Estados Unidos – um reconhecimento da antiga e sempre importante manifestação do espírito americano do pioneiro. É o caminho para a recuperação. É o caminho imediato. É a garantia mais firme de que a recuperação será duradoura.

No campo da política mundial, eu dedicaria esta nação à política da boa vizinhança: o vizinho que respeita a si mesmo de maneira resoluta e, por isso, respeita os direitos dos outros; o vizinho que respeita suas obrigações e respeita a santidade de seus acordos em – e com – um mundo de vizinhos.

Se interpreto corretamente a índole de nosso povo, hoje percebemos, como nunca antes, que somos interdependentes uns dos outros; que não podemos meramente tomar, mas também devemos dar [...]

que, se queremos avançar, devemos seguir como um exército treinado e leal, disposto a se sacrificar pelo bem de uma disciplina comum, porque sem essa disciplina não se faz progresso algum, não se efetiva liderança alguma. Sei que estamos prontos e dispostos a submeter nossa vida e nossas propriedades a essa disciplina, porque ela torna possível uma liderança que visa a um bem maior. Isso eu proponho oferecer, prometendo que os propósitos maiores nos unirão a todos como uma obrigação sagrada para com uma unidade até então evocada somente em momentos de conflito armado.

Com essa promessa selada, eu assumo, sem hesitar, a liderança deste grande exército do nosso povo, dedicado a um ataque disciplinado a nossos problemas comuns.

A ação, nessa perspectiva e com esse fim, é viável sob a forma de governo que herdamos de nossos antepassados. Nossa constituição é tão simples e prática que sempre é possível satisfazer necessidades extraordinárias com mudanças de ênfase e disposição, sem perder a forma essencial. É por isso que nosso sistema constitucional se provou o mecanismo político mais incrivelmente duradouro que o mundo moderno já produziu. Possibilitou lidar com cada tensão resultante da vasta expansão territorial, das guerras externas, dos conflitos internos acirrados, das relações internacionais.

É de se esperar que o equilíbrio normal entre o poder executivo e o legislativo seja totalmente adequado para realizar a tarefa sem precedentes que temos diante de nós. Mas é possível que uma demanda sem precedentes e uma necessidade de ação imediata exijam um afastamento temporário desse equilíbrio normal do procedimento público.

Estou preparado, sob meu dever constitucional, para recomendar as medidas que uma nação afligida em meio a um mundo afligido pode requerer. Essas medidas, ou outras que o Congresso possa criar com base em sua experiência e sabedoria, eu procurarei, dentro de minha autoridade constitucional, fazer que sejam adotadas rapidamente.

Mas caso o Congresso não tome um desses dois cursos, e caso a emergência nacional ainda seja crítica, eu não me furtarei ao dever que então me confrontará. Solicitarei ao Congresso o último instrumento restante para enfrentar a crise: amplo poder executivo para travar uma guerra contra a emergência, tão grande quanto o poder que me seria dado se fôssemos, de fato, invadidos por um inimigo externo.

Pela confiança em mim depositada, responderei com a coragem e a devoção que o momento exige. É o mínimo que posso fazer.

Enfrentamos os dias árduos que nos esperam com a cálida coragem da unidade nacional; com a consciência clara de buscar valores morais antigos e preciosos; com a satisfação cristalina que vem do exercício austero do dever, tanto por velhos como por jovens. Nosso propósito é assegurar uma vida nacional equilibrada e permanente.

Nós não duvidamos do futuro da democracia essencial.

O povo dos Estados Unidos não fracassou. Em sua necessidade, transmitiu o mandato de que deseja ação direta e vigorosa. Pediu disciplina e direção sob liderança.

Fez de mim o presente instrumento de seus desígnios. Como uma dádiva, eu aceito.

Nessa dedicação de uma nação, pedimos humildemente a bênção de Deus. Que ele proteja cada um de nós. Que ele me guie nos dias que virão. **"**

"**Viva a Frente Popular! Viva a aliança de todos os antifascistas! Viva a república do povo!**"

— La Pasionaria

6

La Pasionaria

Política e jornalista espanhola

Filha de um mineiro basco, Isidora Dolores Gómez Ibárruri, conhecida como La Pasionaria (1895-1989), foi um dos membros fundadores do Partido Comunista espanhol em 1920. Durante a Guerra Civil (1936-1939), ela se tornou lendária por suas exortações apaixonadas ao povo espanhol a lutar contra as forças fascistas, declarando: "É melhor morrer de pé do que viver de joelhos".

"Não passarão!"

19 de julho de 1936, transmissão de rádio, Madri, Espanha

Ao amanhecer do dia 18 de julho de 1936, o major-general Francisco Franco – então ocupando um comando nas remotas Ilhas Canárias – lançou um manifesto na Espanha continental, declarando rebelião militar contra o governo esquerdista da Frente Popular. O levante começou naquela manhã, e seguiram-se três anos de luta sangrenta.

La Pasionaria tinha suas próprias razões para odiar Franco: sendo filha de um mineiro, ela o vira reprimir a revolta de outubro de 1934, liderada por mineiros, em Astúrias. Ela, justificadamente, via a rebelião de Franco como uma calamidade.

Já conhecida como jornalista, política e oradora pública – particularmente popular entre as mulheres –, La Pasionaria emergiu rapidamente como a porta-voz do caso republicano. Este chamado às armas, transmitido via rádio um dia depois do manifesto de Franco, foi um dos muitos discursos incitadores que ela fez nessa época, e seu slogan "Não passarão!" se tornou um grito aglutinador da Guerra Civil Espanhola.

No entanto, seus apoiadores estavam fadados ao fracasso. Em 1º de outubro, Franco foi declarado chefe de Estado, embora somente em abril de 1939 ele tenha sido capaz de proclamar a vitória total.

"Proletários, antifascistas, camponeses, ergam-se, todos! Preparem-se para defender a república, a liberdade nacional e as conquistas democráticas do povo!

Graças às comunicações do governo e da Frente Popular[1], o povo conhece a gravidade da situação atual. No Marrocos e nas Ilhas Canárias, os trabalhadores, unidos às tropas que continuam leais à república, lutam com entusiasmo e bravura.[2]

Ao grito de 'O fascismo não passará, os carrascos de outubro[3] não passarão!', os comunistas, os socialistas, os anarquistas e os republicanos, os soldados e todas as forças leais à vontade do povo estão derrotando os rebeldes traidores, que afundaram na lama da traição sua alardeada honra militar.

O país inteiro está chocado com as ações desses vilões. Eles querem, com o fogo e a espada, transformar a Espanha democrática, a Espanha do povo, em um inferno de terrorismo e tortura. Mas não passarão!

Toda a Espanha se dispôs a lutar. Em Madri, as pessoas saíram às ruas, apoiando o governo com sua determinação e seu espírito de luta para que possam exterminar totalmente os rebeldes fascistas reacionários.

Jovens, soa o alarme! Ergam-se e unam-se à batalha!

Mulheres, heroicas mulheres do povo, lembrem-se do heroísmo das mulheres asturianas![4] Lutem, vocês também, ao lado dos homens; junto com eles, defendam o pão e a tranquilidade de seus filhos, cujas vidas estão em perigo!

Soldados, filhos do povo! Mantenham-se firmes e unidos ao lado do governo, ao lado dos trabalhadores, ao lado das forças da Frente Popular, ao lado de seus pais, irmãos e camaradas! Marchem com eles para a vitória! Lutem pela Espanha de 16 de fevereiro![5]

Trabalhadores de todas as tendências políticas!

---

1. A coalizão de esquerda estabelecida em 1935, compreendendo liberais, socialistas, comunistas e anarquistas sob a liderança do ex-primeiro-ministro Manuel Azaña y Díaz (1880-1940). Ele foi eleito presidente em 1936. (N.E.)
2. As duas colônias espanholas onde Franco havia estabelecido bases. No momento deste discurso, Franco estava reunindo suas tropas no Marrocos. (N.E.)
3. La Pasionaria se refere ao massacre brutal de Franco na revolução de outubro de 1934. (N.E.)
4. As mulheres resistiram ativamente ao regime fascista asturiano de 1934-1938. (N.E.)
5. A eleição vencida pela Frente Popular foi realizada em 16 de fevereiro de 1936. (N.E.)

O governo depositou em nossas mãos os meios valiosos de defesa para que possamos cumprir com nosso dever honrosamente, para que possamos salvar a Espanha da desgraça que significaria uma vitória dos carrascos sanguinários de outubro. Nenhum de vocês deve hesitar nem por um instante sequer, e amanhã seremos capazes de celebrar nossa vitória.

Estejam preparados para a ação! Cada proletário, cada antifascista deve se considerar um soldado mobilizado!

Povos da Catalunha, do País Basco e da Galícia, e todos os espanhóis: ergam-se em defesa da república democrática, ergam-se para consolidar a vitória conquistada pelo povo em 16 de fevereiro! O Partido Comunista os convoca à luta. Convoca todos os trabalhadores a assumirem seu lugar na luta a fim de esmagar definitivamente os inimigos da república e da liberdade do povo.

Viva a Frente Popular!
Viva a aliança de todos os antifascistas!
Viva a república do povo! "

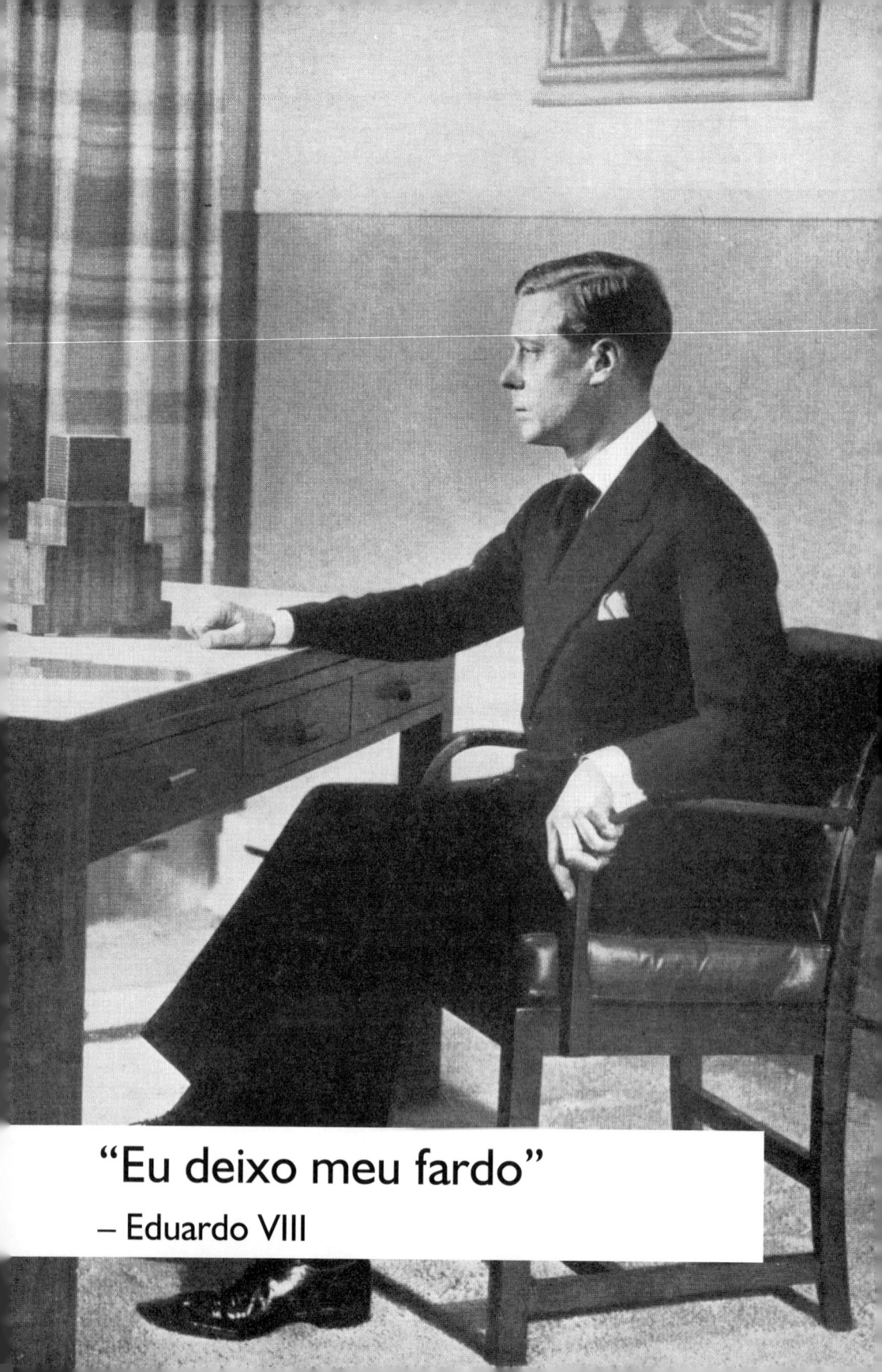

"Eu deixo meu fardo"

– Eduardo VIII

7
Eduardo VIII
Monarca britânico

Eduardo VIII, posteriormente Sua Alteza Real, o Duque de Windsor (1894-1972), era o filho mais velho de George V (1865-1936). Ele sucedeu ao pai em 1936, mas abdicou menos de onze meses depois, impelido pela desaprovação geral e pelas dificuldades constitucionais em torno de sua proposta de casamento à sra. Wallis Simpson, divorciada.

"Eu deixo meu fardo"
11 de dezembro de 1936, Windsor, Inglaterra

Eduardo foi um Príncipe de Gales muito popular nos anos 1920 e 1930. Seus modos eram encantadores e informais: impaciente para com as tradições e as cerimônias, esperava modernizar a monarquia britânica. Em 1914, ele disse à avó, a rainha Alexandra, que só se casaria com alguém que amasse e, nos anos que se seguiram à Primeira Guerra Mundial, sentiu-se atraído por muitas mulheres, mas nenhuma era considerada adequada para se casar com o herdeiro do trono. Em 1930, ele conheceu a americana Wallis Simpson, divorciada – que já havia se casado novamente –, e se tornou cada vez mais ligado a ela. Os jornais americanos divulgaram o relacionamento, mas os britânicos, não.

Quando Eduardo sucedeu ao trono em 20 de janeiro de 1936, foi obrigado a se comportar mais formalmente. No entanto, acreditando que o povo britânico estava começando a aceitar a ideia de um novo casamento após o divórcio, ele planejava se casar com a sra. Simpson após o segundo divórcio dela em outubro de 1936. O primeiro-ministro, Stanley Baldwin, e líderes da igreja acreditavam firmemente que uma mulher divorciada era inelegível para ser a esposa e rainha consorte do monarca, por causa de seu papel como chefe da Igreja da Inglaterra. Eduardo, então, enfrentou seu famoso dilema romântico: ele podia continuar rei sem se casar com a sra. Simpson ou abdicar e se casar com ela. Escolheu a última opção e comunicou sua decisão a uma nação perplexa, que, em grande parte, não estava ciente da situação.

Winston Churchill apoiou Eduardo na época, mas posteriormente declarou que sua abdicação fora uma mudança para melhor, já que o irmão mais novo de Eduardo, George VI, era um monarca ideal, e sua esposa, a rainha Elizabeth, uma consorte ideal.

❝Finalmente sou capaz de dizer algumas palavras minhas. Eu nunca quis omitir nada, mas até agora não foi constitucionalmente possível eu falar.

Há algumas horas, eu cumpri meu último dever como rei e imperador, e, agora que fui sucedido por meu irmão, o Duque de York[1], minhas primeiras palavras devem ser declarar minha lealdade a ele. Isso eu faço de todo o coração.

Todos vocês sabem as razões que me impeliram a renunciar ao trono. Mas eu quero que compreendam que, ao tomar minha decisão, eu não me esqueço do país ou do império que, como Príncipe de Gales, e finalmente como rei, eu, por 25 anos, tentei servir.

Mas vocês devem acreditar em mim quando lhes digo que considerei impossível carregar o pesado fardo da responsabilidade e cumprir meus deveres como rei, como desejaria fazer, sem a ajuda e o apoio da mulher que amo.

E quero que saibam que a decisão que tomei foi minha e somente minha. Isso foi algo que tive de julgar totalmente por mim mesmo. A outra pessoa mais diretamente interessada tentou até o fim me persuadir a tomar um caminho diferente. Eu tomei a decisão mais séria da minha vida pensando unicamente no que seria, no fim das contas, melhor para todos.

Esta decisão se tornou menos difícil para mim graças à certeza de que meu irmão, com seu longo preparo nos assuntos públicos deste país e com suas excelentes qualidades, será capaz de tomar meu lugar imediatamente, sem interrupção ou prejuízo à vida e ao progresso do Império. E ele tem uma bênção inigualável, desfrutada por tantos de vocês e não concedida a mim: um lar feliz com sua esposa e filhos.

Durante esses dias difíceis, eu fui conformado por Sua Majestade, a minha mãe, e por minha família. Os ministros da coroa, e em particular o sr. Baldwin,

---

1. O monarca britânico George VI (1895-1952), irmão mais novo de Eduardo, que reinou de 1936 a 1952. (N.E.)

o primeiro-ministro, sempre me trataram com total consideração. Nunca houve diferença constitucional alguma entre eles e mim e entre o Parlamento e mim. Criado na tradição constitucional por meu pai, eu nunca deveria ter permitido que alguma de tais questões fosse levantada.

Desde que eu era Príncipe de Gales, e mais tarde quando ocupei o trono, fui tratado com a maior amabilidade por todas as classes de pessoas, onde quer que eu tenha morado ou viajado pelo Império. Por isso, eu sou muito grato.

Agora me retiro completamente dos assuntos públicos, e deixo meu fardo.

Pode tardar algum tempo até eu regressar à minha terra natal, mas sempre acompanharei o destino do povo britânico e do Império britânico com profundo interesse, e, se em algum momento no futuro eu for considerado útil para Sua Majestade em uma função particular, eu não decepcionarei.

E agora todos temos um novo rei. Eu desejo a ele, e a vocês, seu povo, felicidade e prosperidade de todo o meu coração. Que Deus abençoe a todos. Deus Salve o Rei."

"Vocês podem imaginar o duro golpe que é para mim saber que toda a minha longa batalha para conquistar a paz falhou, mas não acredito que exista algo mais, ou algo diferente, que eu poderia ter feito e que teria sido mais eficaz."

– Neville Chamberlain

8
Neville Chamberlain
Estadista britânico

Arthur Neville Chamberlain (1869-1940) tornou-se primeiro-ministro britânico em 1937. Em nome da paz, e com o país despreparado para a guerra, em setembro de 1938 ele assinou o Acordo de Munique com o chanceler alemão Adolf Hitler, afirmando, posteriormente, ter encontrado "paz em nossa era". Ao mesmo tempo, tendo sido pressionado com o rearmamento, ele declarou guerra em 1939. Os revezes militares iniciais foram acompanhados de críticas à maneira como ele conduziu a guerra, e em 1940 ele cedeu o cargo de primeiro-ministro para Winston Churchill.

"Este país agora está em guerra com a Alemanha"
3 de setembro de 1939, transmissão de rádio, Londres, Inglaterra

Adolf Hitler firmara um pacto de não agressão de dez anos com a Polônia em 1934, mas já em 1939 começou a reivindicar o "corredor polonês", que separava a Alemanha do mar Báltico e incluía o porto de Gdánsk (conhecido pelos alemães como Danzig). A Polônia rejeitou essa reivindicação territorial e obteve garantias de apoio da França e da Grã-Bretanha. No início de abril, Hitler formulara um plano para a invasão da Polônia e no fim do mês renunciou ao pacto de não agressão entre os dois países. Enquanto isso, a diplomacia continuou entre a Polônia, a Grã-Bretanha e a França, o que finalmente levou à expansão e formalização de alianças militares. Em 23 de agosto, Chamberlain alertou Hitler de que a Grã-Bretanha ficaria ao lado da Polônia, embora o tratado só viesse a ser assinado em 25 de agosto. Enquanto isso, os nazistas estavam assinando sua própria aliança com a Rússia, o Pacto de Molotov-Ribbentrop, que eles violariam em seu devido momento.

Quando a Alemanha finalmente invadiu a Polônia em 1º de setembro, o povo britânico tinha pouco desejo de entrar em guerra, mas Chamberlain viu que não havia alternativa. As aspirações expansionistas de Hitler eram agora inequívocas, e as políticas adotadas pelos nazistas tornavam a Europa cada vez mais perigosa.

A Grã-Bretanha, junto com a França, foi obrigada a declarar guerra à Alemanha. Nesta famosa transmissão de rádio ao povo britânico, o primeiro-ministro descreve os acontecimentos que tornaram essa declaração inevitável.

❝ Esta manhã, o embaixador britânico em Berlim apresentou ao governo alemão um ultimato, afirmando que, a não ser que eles nos comunicassem, até as onze horas, que estavam preparados para retirar imediatamente suas tropas da Polônia, um estado de guerra existiria entre nós.

Eu devo lhes dizer agora que tal comunicado não foi recebido e que, consequentemente, este país está em guerra com a Alemanha.

Vocês podem imaginar o duro golpe que é para mim saber que toda a minha longa batalha para conquistar a paz falhou, mas não acredito que exista algo mais, ou algo diferente, que eu poderia ter feito e que teria sido mais eficaz. Até o último momento, teria sido perfeitamente possível chegar a um acordo pacífico e honroso entre a Alemanha e a Polônia, mas Hitler não aceitou. Evidentemente, ele estava decidido a atacar a Polônia, independente do que acontecesse; e, embora agora diga que fez propostas razoáveis que foram rejeitadas pelos poloneses, essa afirmação não é verdadeira. As propostas nunca foram apresentadas aos poloneses nem a nós. E, embora tenham sido anunciadas na rádio alemã na noite de quinta-feira, Hitler não esperou para ouvir comentários sobre elas; ao contrário, ordenou que suas tropas atravessassem a fronteira polonesa na manhã seguinte.

Sua ação demonstra convincentemente que não há chance alguma de esperar que esse homem venha a desistir de sua prática de usar a força para fazer valer sua vontade.

Ele só pode ser impedido pela força.

Nós e a França estamos hoje, no desempenho de nossas obrigações, indo em socorro da Polônia, que tão bravamente está resistindo a esse ataque perverso e não provocado a seu povo. Temos a consciência limpa. Fizemos tudo que um país poderia fazer para estabelecer a paz. A situação, em que nenhuma palavra pronunciada pelo governante da Alemanha é digna de confiança e nenhum povo ou país pode se sentir seguro, tornou-se intolerável. E agora que resolvemos colocar um fim a ela, sei que todos vocês farão sua parte com calma e coragem.

Quando eu terminar de falar, certos pronunciamentos detalhados serão feitos em nome do governo. Deem a estes a máxima atenção. O governo fez planos segundo os quais será possível prosseguir com o trabalho da nação nos dias de estresse e tensão que possivelmente nos esperam. Mas esses planos precisam da ajuda de vocês. Vocês podem participar nos serviços de combate ou como voluntários em um dos ramos da defesa civil. Nesse caso, reportarão seu dever de acordo com as instruções que tenham recebido. Vocês podem se dedicar a tarefas essenciais à execução da guerra ou à manutenção da vida da população – nas fábricas, nos transportes, nos serviços públicos ou no fornecimento de outras necessidades da vida. Nesse caso, é de vital importância que prossigam com seu trabalho.

Agora, que Deus abençoe a todos vocês. Que ele defenda o que é certo.

É contra as coisas ruins que lutaremos – a força bruta, a má-fé, a injustiça, a opressão e a perseguição – e, contra elas, tenho certeza de que o certo prevalecerá.**"**

"Eu, pessoalmente, tenho plena confiança de que se todos cumprirem com seu dever [...] nos mostraremos, mais uma vez, capazes de defender nossa terra insular, enfrentar a tempestade da guerra e sobreviver à ameaça de tirania [...]"

– Winston Churchill

9
Winston Churchill
Estadista e historiador britânico

Winston Leonard Spencer Churchill (1874-1965), um aristocrata e membro do Parlamento pelo Partido Conservador que ocupou uma série de cargos do governo, incluindo os de ministro do Interior e ministro da Guerra, havia alertado sobre a ameaça da ascensão nazista em meados dos anos 1930. Em 1940, Neville Chamberlain renunciou e Churchill se tornou primeiro-ministro, conduzindo a Grã-Bretanha pela Segunda Guerra Mundial, um dos períodos mais momentosos de sua história. Churchill rapidamente obteve a lealdade do povo britânico e a confiança dos Aliados. Ele era um orador experiente, capaz de convencer audiências de que a Grã-Bretanha finalmente prevaleceria, mesmo nos momentos mais obscuros.

"Lutaremos nas praias"
4 de junho de 1940, Londres, Inglaterra

O ataque alemão ao norte da Europa começou em 10 de maio de 1940. Era esperado desde a declaração de guerra pela Grã-Bretanha e pela França em 3 de setembro de 1939, e nesse ínterim os comandantes dos Aliados esboçaram planos defensivos e ofensivos. Quando o ataque começou, as colunas de tanques Panzer alemães avançaram por Luxemburgo, pelo leste da Bélgica e pelos Países Baixos até o norte da França. Oprimidas, as forças aliadas foram obrigadas a se retirar, impedidas pela rendição do exército belga. Forças britânicas e francesas lutaram para chegar a Dunquerque, onde foram confinadas a uma pequena área e encararam a aniquilação depois de apenas duas semanas de combate. Churchill preparou-se para fazer um discurso na Câmara dos Comuns explicando a perspectiva de uma derrota.

No entanto, entre 26 de maio e 2 de junho, mais de 330 mil soldados aliados foram evacuados das praias com sucesso no que foi chamado de "o milagre de Dunquerque". Embora os soldados tenham precisado abandonar a maior parte de seus equipamentos, seu regresso seguro à Grã-Bretanha evitou uma grande catástrofe, e houve júbilo nacional.

O discurso de Churchill descreve os esforços heroicos da Marinha Real e de centenas de marinheiros mercantes para evacuar o exército aliado, e da Força Aérea Real por seu sucesso em defender a evacuação. Mas também carrega uma mensagem poderosa de resistência, preparando os ouvintes para os tempos difíceis que a Grã-Bretanha teria pela frente, alertando que a luta para combater a agressão alemã não seria fácil, mas assegurando à Grã-Bretanha sua capacidade de obter a vitória total. A eloquência do discurso levou muitos às lágrimas – uma reação compartilhada pelo próprio orador.

❝ Quando, há uma semana, pedi à Câmara para estipular esta tarde como a ocasião para um discurso, eu temia que coubesse a mim a difícil tarefa de anunciar o maior desastre militar em nossa longa história [...] Toda a raiz e essência e inteligência do exército britânico – com base na qual e em torno da qual construiríamos e construiremos as grandes tropas britânicas nos últimos anos da guerra – parecia prestes a perecer no campo ou a ser levada a um cativeiro desonroso e faminto.

Essa era a perspectiva há uma semana. Mas outro golpe que poderia muito bem ter se mostrado fatal ainda cairia sobre nós [...]

A rendição inesperada do exército belga compeliu os britânicos a cobrirem um flanco até o mar de uns cinquenta quilômetros de extensão [...] Parecia impossível que um grande número de soldados aliados pudesse chegar à costa.

O inimigo atacou por todos os lados com grande ímpeto e violência, e seu principal poder, o poder de sua força aérea muito mais numerosa, foi lançado na batalha ou concentrado sobre Dunquerque e as praias. Exercendo grande pressão sobre as saídas estreitas, tanto do leste como do oeste, o inimigo começou a bombardear as praias, os únicos lugares em que os navios podiam se aproximar ou partir. Disseminaram minas magnéticas nos canais e nos mares; enviaram repetidas enxurradas de aeronaves hostis, às vezes mais de cem unidades em uma única formação, para lançar suas bombas sobre o único píer que restava e sobre as dunas que os soldados haviam escolhido como refúgio.

Seus submarinos, um dos quais foi afundado, e suas lanchas a motor arremeteram contra o grande tráfego que agora começava. Durante quatro ou cinco dias, uma batalha intensa reinou. Todas as suas divisões blindadas

– ou o que restou delas –, junto com grandes formações de infantaria e artilharia, lançavam-se em vão contra a faixa de terra cada vez mais estreita, cada vez mais contraída, em que lutavam os exércitos britânico e francês.

Enquanto isso, a Marinha Real, com a pronta ajuda de incontáveis marinheiros mercantes, não mediu esforços para embarcar os soldados britânicos e aliados; 220 navios de guerra velozes e outras 650 embarcações foram mobilizados. Tiveram de operar na costa difícil, muitas vezes em condições climáticas adversas, sob uma chuva quase incessante de bombas e uma concentração cada vez maior de fogo de artilharia. Como eu disse, nem mesmo os próprios mares ficaram livres das minas e dos torpedos.

Foi em condições como essas que nossos homens prosseguiram, com pouco ou nenhum descanso, por dias e noites a fio, fazendo viagem após viagem pelas águas perigosas, sempre trazendo consigo homens que haviam resgatado. Os números que eles trouxeram de volta são a medida de sua devoção e coragem. Os navios hospitalares, que trouxeram muitos milhares de britânicos e franceses feridos, estando tão claramente identificados, eram um alvo especial para as bombas nazistas; mas os homens e mulheres a bordo nunca faltaram com seu dever.

Enquanto isso, a Força Aérea Real, que já vinha interferindo na batalha, na medida em que seu alcance a partir das bases domésticas permitia, agora usava parte de sua principal força de combate metropolitana e arremetia contra os bombardeiros alemães e contra os caças que os protegiam em grande número. Essa luta foi prolongada e violenta.

De repente a cena desanuviou, e a tempestade, por ora – mas apenas por ora –, se extinguiu.

Um milagre de salvação, alcançado pelo heroísmo, pela perseverança, pela disciplina perfeita, pelo serviço impecável, pela capacidade, pela habilidade, pela fidelidade inconquistável, é manifesto para todos nós [...]

Devemos tomar muito cuidado para não atribuir a essa salvação as características de uma vitória. Mas houve, nessa salvação, uma vitória que deve ser notada [...]

Esta foi uma grande prova de força entre as forças aéreas britânica e alemã.

É possível conceber um objetivo maior para os alemães no ar do que impossibilitar a evacuação dessas praias e afundar todos esses navios que se apresentavam quase aos milhares? Poderia haver objetivo de maior importância e significância militar para todo o propósito da guerra do que esse? Eles tentaram com todas as suas forças e foram combatidos; foram frustrados em sua tarefa.

Nós expulsamos o exército; e eles pagaram quatro vezes por cada perda que causaram. Formações gigantescas de aeroplanos alemães – e sabemos que eles são um povo muito corajoso – foram dispersadas, em várias ocasiões, pelo ataque de um quarto de seu número da Força Aérea Real. Doze aeroplanos foram perseguidos por dois. Um aeroplano foi conduzido até as águas e naufragou, pela mera investida de um aeroplano britânico que não tinha mais munição. Ficou demonstrado que todos os nossos modelos – o Hurricane, o Spitfire e o novo Defiant – e todos os nossos pilotos são superiores ao que têm de enfrentar atualmente [...]

Suponho que nunca houve, no mundo inteiro, em toda a história da guerra, oportunidade como esta para a juventude. Os Cavaleiros da Távola Redonda, os conquistadores das Cruzadas, todos ficaram no passado: não só distante, como prosaico; estes jovens, apresentando-se toda manhã para defender sua terra natal e tudo que representamos, segurando nas mãos esses instrumentos de poder colossal e avassalador [...] merecem nossa gratidão, assim como todos os homens bravos que, de tantas maneiras e em tantas ocasiões, estão prontos, e continuam prontos, para dar a vida e todo o resto por sua pátria [...]

Consideremos, mais uma vez, o exército. Na longa série de batalhas violentas, hoje neste front, amanhã naquele, combatendo em três frentes ao mesmo tempo [...] nossas perdas em homens excederam 30 mil mortos, feridos e desaparecidos. Aproveito a oportunidade para expressar a solidariedade da Câmara a todos os que sofreram perda ou que ainda estão ansiosos [...] Mas direi o seguinte sobre os desaparecidos. Nós conseguimos que um grande número de feridos viesse para casa em segurança, para este país; mas, a respeito dos desaparecidos, eu diria que pode haver muitos declarados desaparecidos que voltarão para casa, algum dia, de um modo ou de outro [...]

Contra essa perda de mais de 30 mil homens, podemos estimar uma perda muito mais onerosa certamente infligida ao inimigo.

Mas nossas perdas materiais são enormes [...] O melhor de tudo que tínhamos para dar foi para a Força Expedicionária Britânica, e, embora eles não tivessem o número de tanques e de alguns artigos de equipamento que eram desejáveis, eram um exército muito bem equipado. Colheram os primeiros frutos de tudo que nossa indústria tinha para dar, e se acabou. E agora aqui está mais esta demora. De quanto tempo será, quanto irá durar, depende do nosso empenho nesta ilha.

Um esforço como jamais foi visto em nossa história hoje está sendo feito. O trabalho está prosseguindo em toda parte, dia e noite, durante a semana e aos domingos. O capital e a mão de obra deixaram de lado seus interesses, direitos e costumes e se colocaram a serviço do bem comum. A produção de munições já deu um salto. Não há razão para não superarmos, daqui a alguns meses, a perda grave e repentina que nos acometeu, sem retardar o desenvolvimento de nosso programa geral.

Entretanto [...] o exército francês foi enfraquecido, o exército belga foi perdido, uma grande parte dessas linhas fortificadas nas quais tanta fé fora depositada se foi, muitas fábricas e distritos mineradores valiosos caíram nas mãos do inimigo, bem como todos os portos do canal, com todas as consequências trágicas que decorrem disso, e devemos esperar que outro golpe seja desferido quase imediatamente contra nós ou a França. Fomos informados de que Herr Hitler tem um plano para invadir as Ilhas Britânicas [...]

Temos, no momento presente nesta ilha, forças militares incomparavelmente mais poderosas do que já tivemos em qualquer momento nesta guerra ou na última. Mas isso não continuará. Não nos contentaremos com uma guerra defensiva. Temos nosso dever para com nossos Aliados.[1] Temos de reconstituir e fortalecer a Força Expedicionária Britânica novamente, sob seu distinto comandante em chefe, o Lorde Gort. Tudo isso está sendo preparado; mas enquanto isso devemos colocar nossas defesas nesta ilha em um estado tão elevado de organização, que sejam necessários os menores números possíveis para proporcionar segurança efetiva e para que se concretize o maior potencial possível de esforço ofensivo.

A isso nos dedicamos no momento [...]

Voltando uma vez mais, e desta vez de maneira mais geral, à questão da invasão, eu observaria que nunca houve um período, em todos esses longos séculos dos quais nos vangloriamos, em que uma garantia absoluta contra a invasão, muito menos contra ataques sérios, poderia ser dada ao nosso povo [...]

Sempre houve a chance [de invasão], e foi essa chance que instigou e ludibriou a imaginação de muitos tiranos continentais.

---

1. Churchill se refere à França, que ainda estava tentando repelir a invasão alemã, embora viesse a se render três semanas depois. (N.E.)

Muitas são as histórias que são contadas. Recebemos garantias de que novos métodos serão adotados, e quando vemos a originalidade da malícia, a engenhosidade da agressão que nosso inimigo demonstra, podemos certamente nos preparar para todo tipo de estratagema e todo tipo de manobra traiçoeira e brutal. Penso que nenhuma ideia é tão estranha que não deva ser considerada e vista com um olhar indagador – mas, ao mesmo tempo, espero, sóbrio. Nunca devemos nos esquecer das sólidas garantias do poder marítimo e daquelas que pertencem ao poder aéreo, se este puder ser exercido localmente.

Eu, pessoalmente, tenho plena confiança de que se todos cumprirem com seu dever [...] nos mostraremos, mais uma vez, capazes de defender nossa terra insular, enfrentar a tempestade da guerra e sobreviver à ameaça de tirania, se necessário por anos, se necessário sozinhos. De todo modo, isso é o que tentaremos fazer. Essa é a decisão do governo de Sua Majestade – de cada um de seus homens. Esse é o desejo do Parlamento e da nação [...]

Embora grandes extensões da Europa e muitos Estados antigos e famosos tenham caído ou possam cair nas garras da Gestapo[2] e de todo o aparato odioso do governo nazista, nós não enfraqueceremos nem falharemos.

Iremos até o fim, lutaremos na França, lutaremos nos mares e oceanos, lutaremos com cada vez mais confiança e cada vez mais força no ar, defenderemos nossa ilha a qualquer custo,

[...] lutaremos nas praias, lutaremos nas áreas de pouso, lutaremos nos campos e nas ruas, lutaremos nas colinas, jamais nos renderemos [...]

E mesmo se – o que não acredito nem por um instante – esta ilha ou grande parte dela fosse subjugada e estivesse passando fome, nosso império além-mar, armado e protegido pela esquadra britânica, continuaria a luta, até que, no tempo de Deus, o novo mundo, com toda a sua força e poder, seguisse em frente para resgatar e libertar o velho. ❞

---

2. A Geheime Staatspolizei da Alemanha ("Polícia Secreta do Estado"), abreviada para Gestapo, ficou conhecida por sua brutalidade. (N.E.)

"O Exército Vermelho, a Marinha Vermelha e todos os cidadãos da União Soviética devem defender cada centímetro do solo soviético, devem lutar até a última gota de sangue por nossas cidades e vilarejos, devem mostrar a ousadia, a iniciativa e a lucidez que são inerentes ao nosso povo [...]"

– Joseph Stalin

10
Joseph Stalin
Líder e revolucionário russo

Após a Revolução de Outubro (1917), Joseph Stalin (1879-1953) foi nomeado comissário para as Nacionalidades e membro do Politburo. Com sua nomeação como secretário-geral do Comitê Central em 1922, Stalin, secretamente, começou a aumentar seu poder. Após a morte de Lenin (1924), ele assumiu o controle e iniciou uma reorganização dos recursos da URSS com sucessivos planos de cinco anos. Stalin passou a "disciplinar" aqueles que se opunham à sua vontade, trazendo morte por execução ou fome a aproximadamente 10 milhões de camponeses (1932-1933). Após sua exclusão da Conferência de Munique (1938), Stalin assinou um pacto de não agressão com a Alemanha nazista, o que permitiu que ele se preparasse para a invasão alemã de 1941. Finalmente, os alemães foram derrotados em uma guerra de desgaste. Após a Segunda Guerra Mundial, ele inaugurou a "Guerra Fria" contra todos os países não comunistas, enquanto prosseguia com seu expurgo implacável de toda oposição interna. Morreu em circunstâncias misteriosas em 1953.

"A questão é de vida ou morte para o Estado soviético"

3 de julho de 1941, transmissão de rádio, Moscou, Rússia

A URSS estava mal preparada para a invasão alemã de junho de 1941, que recebeu o codinome Operação Barbarossa por causa de um sacro imperador romano do século XII. Apesar do pacto de não agressão de 1939, que incluía planos de dividir os países do Leste europeu, Stalin havia previsto a possibilidade de agressão alemã, mas não esperava que esta ocorresse tão cedo como ocorreu.

O Exército Vermelho da URSS era bem equipado e numeroso, o que levou a certa complacência, mas seus soldados careciam de treinamento e de equipamentos de comunicação. Além disso, muitos de seus oficiais e estrategistas mais experientes foram mortos ou aprisionados durante as limpezas ideológicas de 1936-1938, e aqueles que restaram tendiam a dizer o que ele queria ouvir. Já seus adversários alemães estavam extremamente bem treinados e confiantes, tendo conquistado grande parte da Europa. A Luftwaffe, muito mais bem equipada que a força aérea soviética, e as divisões de tanques Panzer dizimaram rapidamente as posições soviéticas.

Este discurso via rádio, feito menos de duas semanas após a invasão, foi eficaz para levantar o moral, empregando slogans de guerra familiares como "Rumo à vitória!". Sua própria retórica alimenta a fé das forças soviéticas, encoraja os civis a participarem da briga e incita o ódio aos invasores.

Mas isso não foi suficiente para impedir o rápido avanço das forças alemãs. Em agosto de 1941, elas haviam chegado aos arredores de Leningrado, que esteve sob cerco durante novecentos dias. Os alemães finalmente foram detidos em novembro, após fracassar em tomar Moscou. Seguiu-se uma luta longa e violenta, com grandes perdas infligidas tanto aos combatentes como aos civis.

❝ Camaradas, cidadãos, irmãos e irmãs, homens de nosso Exército e Marinha, minhas palavras se dirigem a vocês, caros amigos!

O ataque insidioso da Alemanha hitlerista à nossa pátria, iniciado em 22 de junho, continua.

Apesar da resistência heroica do Exército Vermelho, e embora as melhores divisões e as melhores unidades de força aérea do inimigo já tenham sido esmagadas e tenham encontrado sua ruína no campo de batalha, o inimigo continua a avançar, enviando novas tropas para o front [...]

Como pôde acontecer de nosso glorioso Exército Vermelho entregar várias de nossas cidades e distritos aos exércitos fascistas? É realmente verdade que as tropas fascistas alemãs são invencíveis, como os propagandistas fascistas fanfarrões estão alardeando incessantemente?

É claro que não! A história mostra que não há, nem nunca houve, exércitos invencíveis. O exército de Napoleão era considerado invencível, mas foi derrotado sucessivamente pelos exércitos da Rússia, da Inglaterra e da Alemanha. O exército alemão do kaiser Guilherme, no período da Primeira Guerra Imperialista, também era considerado invencível, mas foi derrotado várias vezes por tropas russas e anglo-francesas, e finalmente aniquilado por forças anglo-francesas. O mesmo deve ser dito, hoje, do exército alemão fascista de Hitler.

Esse exército ainda não encontrou resistência séria no continente europeu. Somente em nosso território encontrou tal resistência. E se, como resultado dessa resistência, as melhores divisões do exército alemão fascista de Hitler foram derrotadas por nosso Exército Vermelho, isso significa que também pode ser – e será – aniquilado, como foram os exércitos de Napoleão e de Guilherme [...]

Poderíamos perguntar: como o governo soviético pôde consentir em firmar um pacto de não agressão com pessoas tão insidiosas, tão monstruosas como Hitler e Ribbentrop?[1]

Isso não foi um erro da parte do governo soviético? É claro que não!

Pactos de não agressão são pactos de paz entre dois Estados. Foi um pacto como esse que a Alemanha nos propôs em 1939. O governo soviético poderia ter recusado tal proposta? Penso que nenhum Estado pacífico poderia recusar um tratado de paz com um Estado vizinho, ainda que este fosse liderado por monstros e canibais como Hitler e Ribbentrop. Mas isso, é claro, apenas com a condição indispensável de que esse tratado de paz não coloque em perigo, direta ou indiretamente, a integridade territorial, a independência e a honra do Estado pacífico. Como é bem sabido, o pacto de não agressão entre a Alemanha e a URSS consistia precisamente nisso [...]

O que a Alemanha fascista ganhou e o que perdeu ao, perfidamente, rasgar o pacto e atacar a URSS? Ganhou uma certa posição vantajosa para seus soldados por um breve período, mas perdeu politicamente ao se expor aos olhos do mundo inteiro como um agressor sanguinário. Não pode haver dúvida de que esse tipo de ganho militar de curta duração para a Alemanha é apenas um episódio, ao passo que o enorme ganho político da URSS é um fator significativo e duradouro que está destinado a formar a base do desenvolvimento dos sucessos militares extraordinários do Exército Vermelho na guerra contra a Alemanha fascista.

É por isso que todo o nosso valente Exército Vermelho, toda a nossa valente Marinha, todos os falcões de nossa Força Aérea, todos os povos do nosso país, todos os melhores homens e mulheres da Europa, da América e

---

1. O político nazista Joachim von Ribbentrop (1893-1946) foi ministro de Relações Exteriores da Alemanha de 1938 a 1945. Em 23 de agosto de 1939, ele assinou um pacto de não agressão em Moscou com o ministro de Relações Exteriores da URSS, Vyacheslav Molotov (1890-1986). Este se manteve até 22 de junho de 1941, quando Hitler lançou a Operação Barbarossa. (N.E.)

da Ásia e, finalmente, todos os melhores homens e mulheres da Alemanha denunciam os atos traiçoeiros do governo alemão, simpatizam com o governo soviético, aprovam sua conduta e veem que a nossa é uma causa justa, que o inimigo será derrotado e que estamos destinados a vencer [...]

O inimigo é cruel e implacável.

Seu objetivo é tomar nossas terras, irrigadas pelo suor de nossa fronte, tomar os cereais e o petróleo assegurados pelo trabalho de nossas mãos. É restabelecer o governo dos senhores de terras, restabelecer o tsarismo, destruir a cultura nacional e a existência, como Estados, dos russos, ucranianos, bielorrussos, lituanos, letões, estonianos, usbeques, tártaros, moldávios, geórgicos, armênios, azerbaijanos e demais povos livres da União Soviética, germanizá-los, transformá-los em escravos de príncipes e de barões alemães.

Portanto, a questão é de vida e morte para o Estado soviético, de vida e morte para os povos da URSS;

[...] a questão é se os povos da União Soviética serão livres ou serão submetidos à escravidão.

O povo soviético deve perceber isso e abandonar toda complacência; deve se mobilizar e reorganizar todo o seu trabalho em um novo estado de guerra, onde não pode haver clemência para com o inimigo [...]

Todo o nosso trabalho deve ser imediatamente reorganizado em função da guerra; tudo deve estar subordinado aos interesses do front e à tarefa de organizar a destruição do inimigo.

Hoje, os povos da União Soviética veem que o fascismo alemão é indomável em seu rancor e ódio ensandecidos por nossa terra natal, que garantiu que todos os seus trabalhadores trabalhem em liberdade e prosperidade. Os povos da União Soviética devem se arriscar contra o inimigo e defender seus direitos e seu território.

O Exército Vermelho, a Marinha Vermelha e todos os cidadãos da União Soviética devem defender cada centímetro do solo soviético, devem lutar até a última gota de sangue por nossas cidades e vilarejos, devem mostrar a ousadia, a iniciativa e a lucidez que são inerentes ao nosso povo [...]

Em áreas ocupadas pelo inimigo, devem-se formar unidades de guerrilha a cavalo e a pé; devem-se organizar grupos de sabotagem para combater as unidades inimigas, para fomentar a guerra de guerrilha em toda parte, explodir pontes e estradas, destruir linhas telefônicas e de telégrafo, incendiar florestas, lojas e transportes. Nas regiões ocupadas, as condições devem se tornar intoleráveis para o inimigo e todos os seus cúmplices. Eles devem ser perseguidos e aniquilados a cada passo, e todas as suas ações devem ser frustradas.

A guerra com a Alemanha fascista não pode ser considerada uma guerra comum.

É não só uma guerra entre dois exércitos como também uma grande guerra de todo o povo soviético contra os exércitos alemães fascistas. O objetivo desta guerra patriótica nacional em defesa do nosso país contra os opressores fascistas é não só eliminar o perigo que paira sobre nós como também ajudar todos os povos europeus que se encontram sob o jugo da Alemanha fascista [...]

Camaradas, nossas forças são inumeráveis. O inimigo presunçoso logo aprenderá isso por sua conta. Lado a lado com o Exército Vermelho, muitos milhares de trabalhadores, grupos de agricultores e intelectuais estão se erguendo para combater o agressor inimigo. As massas de nosso povo se erguerão aos milhões. Os trabalhadores de Moscou e de Leningrado já começaram a formar grandes Guardas Populares em apoio ao Exército Vermelho. Tais Guardas Populares devem ser formadas em cada cidade que corre risco de invasão inimiga;

[...] todos os trabalhadores devem ser instados a defender com a própria vida sua liberdade, sua honra e seu país nesta guerra patriótica contra o fascismo alemão.

A fim de garantir a rápida mobilização de todas as forças dos povos da URSS e repelir o inimigo que atacou traiçoeiramente nosso país, formou-se um Comitê de Defesa do Estado e, no momento presente, toda a autoridade estatal foi investida nele. O Comitê de Defesa do Estado iniciou o desempenho de suas funções e convoca todo o nosso povo a se reunir em torno do partido de Lenin e Stalin e em torno do governo soviético, a fim de prestar apoio sacrifical ao Exército Vermelho e à Marinha Vermelha, exterminar o inimigo e garantir a vitória.

Todas as nossas forças em apoio ao nosso heroico Exército Vermelho e à nossa gloriosa Marinha Vermelha! Todas as forças do povo para a destruição do inimigo! Rumo à vitória!"

11
Joseph Goebbels
Político alemão

Paul Joseph Goebbels (1897-1945) foi um defensor entusiasta de Adolf Hitler e entrou para o Partido Nazista em 1924. Com a ascensão de Hitler ao poder, "Jupp" foi nomeado ministro de Propaganda e Esclarecimento Público. Um antissemita implacável, ele tinha o dom da oratória, o que o tornou um poderoso exponente dos aspectos mais radicais da filosofia nazista. Teve a confiança de Hitler até o fim. No bunker de Berlim onde Hitler passou seus últimos dias, Goebbels e sua esposa, Magda, cometeram suicídio depois de terem tirado a vida de seus seis filhos.

"Que venha a tempestade"
18 de fevereiro de 1943, Berlim, Alemanha

Nos estágios iniciais da Segunda Guerra Mundial, a Alemanha invadira grande parte do norte da Europa. Em novembro de 1942, também havia feito progresso significativo na Frente Oriental, avançando sobre a União Soviética. Mas a resistência soviética forçou a retirada alemã, isolando o 6º Exército alemão em Stalingrado. Antes do fim de janeiro de 1943, o 6º Exército havia se rendido, ao passo que as forças alemãs na África do Norte haviam recuado frente aos Aliados. A maré da guerra havia virado.

Como principal propagandista de Hitler, Goebbels sabia que era vital que o povo alemão não enfraquecesse com a notícia desses reveses. Em 18 de fevereiro de 1943, diante de câmeras de filmagem e microfones de rádio, ele se dirigiu a uma audiência de milhares especialmente selecionada, uma fatia da sociedade alemã que incluía veteranos da Frente Oriental. No discurso de uma hora de duração, do qual esta é uma versão editada, Goebbels, habilidosamente, manipulou sua audiência para dar apoio vocal entusiástico ao conceito de guerra total – a mobilização completa dos recursos humanos e materiais do país. Ele empregou a técnica de fazer perguntas dramáticas à audiência, bem ciente de que suas respostas seriam propagadas para o mundo.

> *Logo depois, Goebbels disse acerca de seus ouvintes: "Eles aplaudiram exatamente nos momentos corretos: a audiência politicamente mais bem treinada que se poderia encontrar na Alemanha". O principal arquiteto de Hitler, Albert Speer, comentou que, embora o discurso de Goebbels parecesse extremamente emotivo, fora um ato calculado.*

"Vocês, meus ouvintes, neste momento representam a nação inteira. Quero lhes fazer dez perguntas que vocês responderão para o povo alemão em todo o mundo – mas especialmente para nossos inimigos, que estão nos ouvindo no rádio.

[A multidão está no auge da euforia. Cada indivíduo sente como se Goebbels estivesse falando diretamente com ele. Com entusiasmo e participação absoluta, a multidão responde a cada pergunta.]

Os ingleses afirmam que o povo alemão perdeu a fé na vitória.

Eu lhes pergunto: vocês acreditam, com o Führer e conosco, na vitória final absoluta do povo alemão? Eu lhes pergunto: vocês estão decididos a seguir o Führer nos momentos bons e nos ruins até a vitória, e estão dispostos a aceitar os mais pesados fardos pessoais na luta pela vitória?

Segundo: os ingleses dizem que o povo alemão está cansado de lutar. Eu lhes pergunto: vocês estão prontos para seguir o Führer como a falange da pátria, apoiando o exército combatente, e para guerrear com determinação absoluta, por todos os reveses do destino, até que a vitória seja nossa?

Terceiro: os ingleses afirmam que o povo alemão já não tem desejo algum de aceitar as demandas crescentes do governo por trabalho bélico. Eu lhes pergunto: vocês e o povo alemão estão dispostos a trabalhar, se o Führer ordenar, dez, doze e, se necessário, catorze horas por dia e a dar tudo pela vitória?

Quarto: os ingleses afirmam que o povo alemão está resistindo às medidas de guerra total do governo. Eles não querem a guerra total, e sim a capitulação!

[Gritos: 'Nunca! Nunca! Nunca!'.]

Eu lhes pergunto: vocês querem a guerra total? Se necessário,

[...] vocês querem uma guerra mais total e radical do que qualquer coisa que possamos imaginar atualmente?

Joseph Goebbels

Quinto: os ingleses afirmam que o povo alemão perdeu a fé no Führer. Eu lhes pergunto: sua confiança no Führer é maior, mais fiel e inabalável do que nunca? Vocês estão completa e absolutamente prontos para segui-lo aonde quer que ele vá e para fazer tudo que for necessário para conduzir a guerra a um fim vitorioso?

[Milhares de vozes gritando em uníssono: 'Führer, ordene, nós seguimos!'. Uma enxurrada de gritos de 'Heil!' ecoa pelo salão.]

Sexto, eu lhes pergunto: vocês estão prontos, de agora em diante, para dedicar toda a sua força a abastecer a Frente Oriental com os homens e munições que esta necessita para dar ao bolchevismo o golpe fatal?

Sétimo, eu lhes pergunto: vocês juram em nome de Deus aos combatentes no front que a pátria os apoia firmemente, e que vocês darão tudo que eles necessitam para conquistar a vitória?

Oitavo, eu lhes pergunto: vocês, especialmente vocês mulheres, querem que o governo faça tudo que puder para encorajar as mulheres alemãs a dedicarem toda a sua energia a apoiar o esforço de guerra e liberar os homens para o front sempre que possível, ajudando, desse modo, os homens no front?

Nono, eu lhes pergunto: vocês aprovam, se necessário, as medidas mais radicais contra um pequeno grupo de mandriões e comerciantes atuando no mercado negro que fingem que há paz em meio à guerra e usam a necessidade da nação para seus próprios objetivos egoístas? Vocês concordam que aqueles que prejudicam o esforço de guerra devem perder a cabeça?

Décimo e último, eu lhes pergunto: vocês concordam que, sobretudo durante a guerra, de acordo com a plataforma do Partido Nacional Socialista, os mesmos direitos e deveres devem se aplicar a todos, que a pátria deve carregar conjuntamente os fardos pesados da guerra e que os fardos devem ser distribuídos igualmente entre superiores e inferiores e ricos e pobres?

Eu lhes perguntei; vocês me deram suas respostas. Vocês são parte do povo e suas respostas são as do povo alemão. Vocês disseram aos nossos inimigos o que eles precisavam ouvir para que não tenham falsas ideias ou ilusões.

Agora, assim como nas primeiras horas de nosso governo e durante os dez anos que se seguiram, estamos unidos firmemente em irmandade com o povo alemão. O aliado mais poderoso do mundo, o próprio povo, nos apoia e está determinado a seguir o Führer, haja o que houver. Eles aceitarão os fardos mais pesados para obter a vitória. Que poder na Terra será capaz de nos impedir de alcançar nosso objetivo? Agora devemos, e vamos, triunfar!

Eu me coloco diante de vocês não só como o porta-voz do governo mas também como o porta-voz do povo [...] Somos todos filhos do nosso povo, forjados juntos por esse momento crítico de nossa história nacional. Nós prometemos a vocês, prometemos ao front, prometemos ao Führer, que juntos faremos da pátria uma força na qual o Führer e seus soldados combatentes poderão confiar absoluta e cegamente. Prometemos fazer tudo em nossa vida e trabalho que seja necessário para a vitória [...] Com o coração ardente e a cabeça tranquila, superaremos as principais dificuldades desta fase da guerra. Estamos a caminho da vitória final. Essa vitória se apoia em nossa fé no Führer.

Esta noite, eu, mais uma vez, lembro a nação inteira de seu dever. O Führer espera que façamos aquilo que ofuscará tudo que fizemos no passado. Não queremos desapontá-lo. Assim como temos orgulho dele, ele deve ter orgulho de nós.

As maiores crises e perturbações da vida nacional mostram quem são os verdadeiros homens e mulheres. Já não temos o direito de falar do sexo frágil, pois ambos os sexos estão demonstrando a mesma determinação e força espiritual. A nação está pronta para qualquer coisa. O Führer comandou e nós o seguiremos. Neste momento de reflexão e contemplação nacional, temos uma crença firme e inabalável na vitória. Nós a vemos diante de nós, só precisamos ir ao seu encontro. Devemos decidir subordinar tudo a ela. Esse é o dever do momento. Que o slogan seja: 'Agora, o povo se ergue; que venha a tempestade!'.

[As palavras finais de Goebbels se perdem em uma chuva de aplausos.]

"Temos o direito moral, tínhamos o dever moral para com nosso povo de fazer isso, de matar esse povo que nos mataria."

– Heinrich Himmler

12

Heinrich Himmler

Político e chefe de polícia alemão

Heinrich Luitpold Himmler (1900-1945) entrou para o Partido Nazista em 1925, e em 1929 Adolf Hitler o nomeou chefe da SS (Schutzstaffel, "tropa de proteção"), uma arma partidária poderosa que ele criou a partir dos guarda-costas pessoais de Hitler. Na Alemanha e, posteriormente, nos países ocupados pelos nazistas, ele criou a Gestapo (Geheime Staatspolizei, "polícia secreta do Estado") e usou essa organização cruel para disseminar terror político e antissemita sem paralelos, por meio de espionagem, detenção generalizada, deportação em massa, tortura, execução e massacre. Em julho de 1944, ele foi nomeado comandante em chefe do Exército de Reserva e, em abril de 1945, propôs uma rendição incondicional aos Aliados. Hitler imediatamente o tirou do poder e deu ordens para sua prisão. Himmler desapareceu, mas foi capturado pelos britânicos perto de Bremen. Ele cometeu suicídio engolindo um frasco de cianeto escondido em sua boca e, assim, escapou do julgamento por seu papel central no assassinato de mais de sete milhões de pessoas.

"Estou falando sobre [...] o extermínio do povo judeu"

4 de outubro de 1943, Posen (Poznań), Polônia

Este discurso horripilante ilustra o firme avanço do projeto de genocídio nazista. A perseguição oficial de judeus alemães – e o estabelecimento de campos de concentração para abrigar "inimigos do Estado" – começou logo depois que Hitler foi nomeado chanceler em 1933. O próprio Partido Nazista foi extinto em 1934, e as Leis de Nuremberg, de setembro de 1935, negaram cidadania alemã aos judeus e a outros "não arianos". Na Kristallnacht ("noite dos cristais"), em novembro de 1938, comércios judeus foram pilhados, saqueados e incendiados. Os campos de concentração tornaram-se centros de extermínio após a Conferência de Wannsee em janeiro de 1942, na qual líderes nazistas discutiram a destruição de todos os judeus europeus – a "solução final para a questão judaica".

Entretanto, a enormidade desse plano era intimidadora, tanto em termos práticos como morais. Em um discurso de três horas a oficiais da SS na Polônia ocupada por nazistas, Himmler demandou que se deixassem de lado o pudor e a misericórdia. Ele também enfatizou a necessidade de disciplina e sigilo e, com isso, implicou seus delegados no crime do Holocausto. Mas, apesar das circunstâncias clandestinas, ele tratou de que a reunião fosse gravada, inclusive interrompendo o discurso para se certificar de que o gravador estava funcionando. Posteriormente, as fitas caíram nas mãos de militares norte-americanos e foram preservadas como evidências dos crimes de guerra nazistas. Este é um breve trecho da transcrição.

❝Quero mencionar perante vocês, com absoluta candura, um assunto muito difícil. Deve ser discutido entre nós, apesar de que jamais falaremos disso em público. Assim como, em junho, não hesitamos em realizar nosso dever conforme ordenado e colocamos contra a parede camaradas que haviam falhado e os fuzilamos[1] – algo sobre o qual nunca falamos, e nunca falaremos. Isso foi, graças a Deus, uma espécie de percepção natural para nós, uma conclusão inevitável dessa percepção, de que nunca conversaríamos sobre isso entre nós, nunca falaríamos a esse respeito. Todos estremeceram, e todos tinham clareza de que fariam a mesma coisa novamente, se fosse ordenado e necessário.

Estou falando sobre a evacuação dos judeus, o extermínio do povo judeu.

É uma das coisas que se diz facilmente. 'O povo judeu está sendo exterminado', todo membro do partido dirá a vocês. 'Perfeitamente claro: é parte dos nossos planos. Estamos eliminando os judeus, exterminando-os, uma questão menor.'

E então vêm todos eles, todos os 80 milhões de alemães honrados, e cada um tem seu judeu decente. Eles dizem: 'Todos os outros são porcos, mas este é um judeu de primeira classe.' *[Algumas risadas.]* E nenhum deles viu isso, passou por isso. A maioria de vocês sabe o que significa quando cem corpos jazem juntos, quando há quinhentos lá, ou quando há mil.

---

1. No expurgo realizado pela SS em 30 de junho e 1º de julho de 1934, conhecido como "a noite das facas longas", mais de setenta nazistas proeminentes foram assassinados. (N.E.)

> *E ter passado por isso e – com a exceção da fraqueza humana – ter mantido a decência fez de nós pessoas mais fortes, e essa é uma página de glória que nunca foi e nunca será mencionada.*

Porque sabemos como as coisas seriam difíceis se hoje – em cada cidade, durante os bombardeios, os fardos da guerra e as privações – ainda tivéssemos judeus como instigadores, agitadores e sabotadores secretos.

Provavelmente estaríamos no mesmo estágio que em 1916/1917, se os judeus ainda residissem em meio ao povo alemão.

Nós tomamos as riquezas que eles tinham, e eu dei uma ordem estrita, que o Obergruppenführer Pohl[2] cumpriu. Nós entregamos essas riquezas ao Reich, ao Estado. Não ficamos com nada para nós mesmos. Alguns poucos, que desrespeitaram isso, serão [julgados][3] de acordo com uma ordem que dei no começo: aquele que levar até mesmo um marco disso é um homem morto.

Alguns homens da SS desrespeitaram essa ordem. Eles são muito poucos, e serão mortos, sem misericórdia!

> *Temos o direito moral, tínhamos o dever moral para com nosso povo de fazer isso, de matar esse povo que nos mataria.*

No entanto, não temos o direito de enriquecer nem mesmo com um casaco, com um marco, com um cigarro, com um relógio, com nada do que não temos.

Porque não queremos, quando isso tudo terminar, ficar doentes e morrer do mesmo bacilo que exterminamos.

Eu nunca verei acontecer de mesmo uma partícula de putrefação entrar em contato conosco, ou criar raízes em nós. Ao contrário, onde poderia tentar criar raízes, nós a destruiremos juntos. Mas, no geral, podemos afirmar: realizamos esta tarefa extremamente difícil por amor ao nosso povo. E não sofremos defeito algum em nosso interior, em nossa alma, em nosso caráter. **"**

---

2. O oficial da marinha alemão Oswald Pohl (1892-1951) foi um líder da SS e uma figura central no Holocausto. Ele sobreviveu à guerra e acabou sendo enforcado por crimes de guerra. Durante seu julgamento, afirmou que essa era a primeira vez que lhe diziam oficialmente que "a solução final" significava o extermínio de judeus. (N.E.)

3. A palavra não foi dita, mas insinuada. (N.E.)

"Paris ultrajada! Paris arruinada! Paris martirizada! Mas Paris libertada!"

– Charles de Gaulle

13
Charles de Gaulle
Líder político e militar francês

Na época da invasão alemã à França em 1940, Charles André Joseph Marie de Gaulle (1890-1970) era general e subsecretário de Defesa. Dias antes de a França assinar um armistício com os invasores alemães, ele procurou refúgio na Inglaterra para fundar as Forças Francesas Livres. Embora amplamente ignorado tanto por Winston Churchill como por Franklin D. Roosevelt, ele serviu como foco para o movimento de resistência durante o restante da guerra. Regressou a Paris em 1944 com as primeiras forças de libertação e se tornou o primeiro líder do país após a guerra. Para muitos políticos americanos e britânicos, De Gaulle sintetizou o egoísmo e a obstinação dos gauleses; mas, embora não se equiparasse ao brilhantismo de Churchill em tempos de guerra, ele pode ser considerado um líder nacional mais efetivo e influente em tempos de paz.

"Paris ultrajada! Paris arruinada! Paris martirizada! Mas Paris libertada!"
25 de agosto de 1944, Paris, França

Quando De Gaulle fez seu regresso triunfal a Paris, a França estava sob controle alemão havia mais de quatro anos.

Após sua fuga para Londres em 1940, ele fora condenado à morte por traição pelo governo de Vichy, que era pouco mais do que uma marionete do regime nazista; mas logo se estabeleceu como líder das Forças Francesas Livres. Em 1943, mudou suas bases para a Argélia, território francês libertado.

No verão de 1944, forças aliadas aportaram na França (no norte em junho; no sul em agosto), obrigando os invasores alemães a retrocederem. Quando as tropas americanas se aproximavam de Paris, os cidadãos entraram em greve e lançaram atiradores contra os invasores alemães. As forças americanas sob o comando do general Dwight D. Eisenhower hesitaram, cientes de que Adolf Hitler havia ordenado que seus soldados destruíssem a cidade em vez de se render. Temeroso de um massacre – e ávido por se antecipar ao controle militar americano de Paris –, De Gaulle enviou as Forças Francesas Livres a Paris, e foi para elas que os alemães se renderam em 24 de agosto. Esse foi um triunfo para De Gaulle – que regressara de Argel de avião naquele mesmo dia –, sobretudo porque o presidente americano Franklin D. Roosevelt não confiava nele e, inicialmente, reconhecera o governo de Vichy.

No dia seguinte, De Gaulle, do Hôtel de Ville, dirigiu-se às multidões expectantes anunciando a libertação da cidade e a restauração do orgulho francês. Em seu discurso, ele soube explorar o patriotismo da multidão, personificando Paris como uma sobrevivente heroica, "sangrando, mas resoluta".

Em 28 de agosto, De Gaulle trouxe a sede do governo provisório para Paris.

"Por que tentar resistir à emoção que agora se apodera de todos nós, homens e mulheres, que estamos aqui em casa, em uma Paris de cabeça erguida, libertando-se, e capaz de fazê-lo com suas próprias mãos?

Não! Não devemos esconder esta emoção profunda e sagrada. Estes são acontecimentos avassaladores na vida de cada um de nós.

Paris! Paris ultrajada! Paris arruinada! Paris martirizada! Mas Paris libertada! Libertada por si mesma, libertada por seu povo, apoiada pelos exércitos da França, com o apoio e o fortalecimento de toda a França,

[...] a França que revida, a única França, a verdadeira França, a França eterna.

Agora, visto que o inimigo que tomou Paris se rendeu em nossas mãos, a própria França pode voltar para casa, para Paris.

Ela regressa, sangrando, mas resoluta. Regressa iluminada por uma grande lição, mas mais certa do que nunca de suas obrigações e seus direitos.

Falarei primeiro de suas obrigações e as resumirei completamente quando digo que, por ora, devemos nos preocupar com as obrigações de guerra. O inimigo está enfraquecendo, mas ainda não foi derrotado. Continua em nosso solo. Não devemos nos dar por satisfeitos simplesmente porque, com o apoio de nossos amados e estimados aliados, nós o afastamos de nossa casa. Devemos invadir seu território, pois esse é o dever do vitorioso.

É por isso que o destacamento de vanguarda francês entrou em Paris com fogo de canhão. É por isso que o grande exército francês da Itália desembarcou no Midi[1] e está avançando rapidamente pelo vale do Ródano. É por isso que nossas corajosas e amadas forças do interior se equiparão com armas modernas. Devemos ter vingança, retaliação, justiça: é por isso que continuaremos a lutar até o último dia, até o dia da vitória completa e total.

Todos os homens aqui, e todos os que nos ouvem na França, sabem que seu dever de guerra exige unidade nacional. Aqueles outros de nós – nós que teremos testemunhado os momentos mais grandiosos de nossa história – não precisamos desejar nada além de nos mostrarmos dignos da França até o final.

Viva a França! **"**

---

1. Um termo geral para o Sul da França. (N.E.)

14
Ho Chi Minh
Estadista vietnamita

Ho Chi Minh (1890-1969) fundou o Viet Minh – a Liga pela Independência do Vietnã – em 1941, conduzindo operações militares bem-sucedidas contra os invasores japoneses e, mais tarde, contra os franceses. Após declarar a independência do Vietnã em 1945, ele liderou uma operação militar exitosa contra os franceses na Guerra da Indochina (1946-1954). Com a partilha do país em 1954, ele se tornou primeiro-ministro (1954-1955) e presidente (1954-1969) do Vietnã do Norte, comunista. Reeleito em 1960, obteve o apoio da China na guerra entre o Vietnã do Norte e o do Sul e se tornou uma força importante no conflito dos anos 1960 à medida que este se expandiu e envolveu outros países, principalmente os Estados Unidos. Apesar da intervenção militar massiva dos Estados Unidos em apoio ao Vietnã do Sul (1965-1973), o Viet Cong – a Frente Nacional para a Libertação do Vietnã – de Ho Chi Minh assumiu a iniciativa e forçou um cessar-fogo em 1973, quatro anos após a morte do presidente.

"O Vietnã tem o direito de ser um país livre e independente"
2 de setembro de 1945, Hanói, Vietnã

A declaração oportunista de independência vietnamita feita por Ho Chi Minh foi resultado direto da Segunda Guerra Mundial. Como parte da Indochina, o país fora uma importante colônia francesa desde 1868, mas o Japão a invadiu em 1940 e a França foi forçada a reconhecer o governo japonês, em troca de uma soberania nominal.

Com apoio americano, o Viet Minh – a Liga pela Independência do Vietnã, fundada por Ho – travou uma guerra de guerrilha contra os invasores japoneses. Em março de 1945, temendo uma invasão americana, os japoneses expulsaram os governantes coloniais nominais da França, instalando o imperador vietnamita Bao Dai (1913-1997) como seu governante fantoche. Cinco meses depois, o Japão se rendeu, Bao Dai abdicou e o Viet Minh obteve o controle efetivo de grande parte do Vietnã.

> *Em 2 de setembro de 1945, o Japão assinou o acordo de rendição, colocando fim à Segunda Guerra Mundial. Ho aproveitou essa oportunidade para declarar a independência do Vietnã, que ele anunciou neste discurso, proferido na praça Ba Dinh, em Hanói.*
>
> *Ho Chi Minh começa citando a Declaração de Independência dos Estados Unidos, da qual seus aliados na inteligência militar americana lhe haviam entregado um exemplar. Denunciando a escravidão econômica do Vietnã pela França, ele então proclama a formação da República Democrática do Vietnã.*

"[...] 'Todos os homens são criados iguais. Todos são dotados pelo Criador de certos direitos inalienáveis, entre os quais estão a vida, a liberdade e a busca da felicidade.'

Essa afirmação imortal foi feita na Declaração de Independência dos Estados Unidos da América em 1776. Em linhas gerais, significa: todos os povos do mundo são iguais ao nascer; todos os povos têm o direito de viver, de ser livres e felizes.

A declaração da Revolução Francesa, feita em 1791, sobre os direitos do homem e do cidadão, também afirma: 'Todos os homens nascem livres e com direitos iguais e devem sempre permanecer livres e com direitos iguais.'[1] Essas são verdades inegáveis.

Entretanto, durante mais de oitenta anos, os imperialistas franceses, abusando do estandarte de liberdade, igualdade e fraternidade, violaram nossa pátria e oprimiram nossos concidadãos. Agiram contra os ideais de humanidade e justiça.

No campo da política, privaram nosso povo de todas as liberdades democráticas [...]

No campo da economia, eles nos depenaram, empobreceram nosso povo e devastaram nossa terra [...]

No outono de 1940, quando os fascistas japoneses violaram o território da Indochina para estabelecer novas bases em sua luta contra os Aliados, os imperialistas franceses ficaram de joelhos e entregaram nosso país para eles.

---

1. Ho parece se referir à Declaração de Direitos do Homem e do Cidadão, que foi aprovada pela Assembleia Nacional da França em agosto de 1789. (N.E.)

Assim, daquele dia em diante, nosso povo foi submetido ao duplo jugo dos franceses e dos japoneses. Seus sofrimentos e misérias aumentaram. O resultado foi que, do fim do ano passado ao começo deste ano, da província de Quang Tri ao norte do Vietnã, mais de dois milhões de nossos concidadãos morreram de fome.

Em 9 de março [de 1945], os soldados franceses foram desarmados pelos japoneses. Os colonialistas franceses fugiram ou se renderam, mostrando não só que eram incapazes de nos 'proteger' como também que, no intervalo de cinco anos, venderam duas vezes o nosso país para os japoneses.

Em várias ocasiões antes de 9 de março, a Liga Viet Minh instou os franceses a se aliarem com ela contra os japoneses. Em vez de concordar com essa proposta, os colonialistas franceses intensificaram de tal maneira suas atividades terroristas contra os membros do Viet Minh que antes de fugir massacraram um grande número de nossos prisioneiros políticos detidos na baía de Yen e em Cao Bang.

Apesar de tudo isso, nossos concidadãos sempre manifestaram para com os franceses uma atitude humana e tolerante. Mesmo após o golpe japonês de março de 1945, a Liga Viet Minh ajudou muitos franceses a atravessarem a fronteira, resgatou alguns deles de prisões japonesas e protegeu vidas e propriedades francesas.

No outono de 1940, nosso país, de fato, deixara de ser uma colônia francesa e se tornara possessão japonesa.

Depois que os japoneses se renderam para os Aliados, todo o nosso povo se ergueu para reconquistar nossa soberania nacional e fundar a República Democrática do Vietnã. A verdade é que nós obtivemos nossa independência – à força – dos japoneses, e não dos franceses.

Os franceses fugiram, os japoneses capitularam, o imperador Bao Dai abdicou. Nosso povo quebrou as correntes que, por quase um século, o prenderam, e conquistou a independência para a pátria. Nosso povo, ao mesmo tempo, derrubou o regime monárquico que reinou supremo por dezenas de séculos. Em seu lugar, estabeleceu a atual república democrática.

Por essas razões, nós, membros do governo provisório, representando todo o povo vietnamita, declaramos que, de agora em diante, rompemos todas as relações de caráter colonial com a França; rechaçamos todas as obrigações internacionais que a França assumiu até o momento em nome do Vietnã e abolimos todos os direitos especiais que os franceses adquiriram ilegitimamente em nossa pátria.

Todo o povo vietnamita, animado por um propósito comum, está determinado a lutar até o fim contra qualquer tentativa dos colonialistas franceses de reconquistar o país. Estamos convencidos de que as nações aliadas, que em Teerã[2] e em São Francisco[3] reconheceram os princípios da autodeterminação e da igualdade das nações, não se recusarão a reconhecer a independência do Vietnã.

Um povo que corajosamente se opôs à dominação francesa por mais de oitenta anos, um povo que lutou lado a lado com os Aliados contra os fascistas durante estes últimos anos, tal povo deve ser livre e independente.

Por essas razões,

[...] nós, membros do governo provisório da República Democrática do Vietnã, solenemente declaramos ao mundo que o Vietnã tem o direito de ser um país livre e independente [...]

– e, de fato, já o é. Todo o povo vietnamita está determinado a mobilizar toda a sua força física e mental, a sacrificar sua vida e seus bens para salvaguardar sua independência e liberdade. **"**

---

2. Na Conferência de Teerã (novembro-dezembro de 1943), os líderes aliados Churchill, Franklin D. Roosevelt e Stalin discutiram, entre outras coisas, o estabelecimento de uma organização internacional pós-guerra. (N.E.)

3. A Conferência de São Francisco ou Conferência das Nações Unidas sobre Organização Internacional (abril-junho de 1945) foi o encontro internacional em que a Organização das Nações Unidas foi fundada. (N.E.)

"Eles tiveram uma participação digna de orgulho neste feito de combate e desenvolvimento, que será imortalizada nos eternos anais da Sião libertada, que será um monumento à bravura judaica no trabalho e na guerra, o passaporte, hoje e sempre, para a vitória."

– David Ben-Gurion

15
David Ben-Gurion
Estadista israelense

O polonês David Ben-Gurion, nascido David Gruen (1886-1973), emigrou para a Palestina em 1906. Um sionista fervoroso, ele liderou o Partido Mapai (Trabalhista) desde sua formação em 1930 e, após a independência, tornou-se primeiro-ministro de Israel (1948-1953). Durante esse período, foi responsável pela absorção de um grande número de refugiados da Europa e das nações árabes no país. Foi novamente primeiro-ministro de 1955 a 1963. Retirou-se da política em 1970 e passou o restante de sua vida em um kibutz.

"Inauguramos, hoje, esta Estrada de Bravura"
12 de dezembro de 1948, Ayalon, Israel

As origens deste discurso remontam a muitos séculos antes. O povo judeu acredita que Deus lhe prometeu Canaã (ou a Palestina, a terra entre o rio Jordão e o mar Mediterrâneo) após sua fuga do Egito. Apesar de um período de exílio, eles dominaram a região até a época dos romanos, quando foram dispersados e a Palestina se tornou lar dos árabes. Após a Primeira Guerra Mundial, o Reino Unido administrou a Palestina sob um mandato da Liga das Nações (1922-1947), e durante esse período muitos judeus foram para a Palestina fugindo da perseguição nazista. Judeus e árabes conviviam, mas as conclamações por uma pátria judaica provocaram conflito com a população de maioria árabe.

Em novembro de 1947, a Organização das Nações Unidas (ONU) adotou um plano de dividir a Palestina em um Estado árabe e um judeu, cada um deles compreendendo seções ligadas por estradas extraterritoriais. Os árabes rejeitaram esse esquema, e a guerra eclodiu. As estradas ligando assentamentos judaicos corriam por áreas controladas por árabes, possibilitando que eles controlassem o acesso.

A operação Nachshon começou em abril de 1948, com o objetivo de abrir uma estrada para Jerusalém. Após o sucesso inicial, Jerusalém foi sitiada novamente. Em 14 de maio, David Ben-Gurion anunciou a independência de Israel; no dia seguinte, o mandato britânico terminou e Israel foi invadido por seus vizinhos árabes. Em 9 de junho, abriu-se um caminho para Jerusalém pelas montanhas e, após outros sucessos militares israelenses, a maior parte das fronteiras do país estava assegurada antes do fim de outubro.

Em 11 de dezembro, a resolução 194 da ONU propôs uma Comissão de Conciliação para a área, e no dia seguinte Ben-Gurion fez este discurso impactante, dedicando a estrada a Jerusalém e celebrando a entrega da cidade por soldados israelenses.

"Na estrada que inauguramos hoje é coroada nossa luta pela pátria e pela liberdade.

Sua construção envolveu o mais trágico heroísmo e a maior grandeza dessa luta, desde o dia em que fomos chamados a enfrentar nossos muitos inimigos e salvar Jerusalém.

Esse foi o coração e a alma da Guerra de Independência que assola o país há mais de um ano. Foi, e ainda é, uma batalha na cidade eterna[1] e à sua volta, e principalmente uma batalha pela estrada que leva até ela. Do domínio da estrada depende o destino da cidade.

Nosso Terceiro Retorno[2] a Israel tomou um curso oposto ao Primeiro e ao Segundo.

Viemos agora não do Oriente, mas do Ocidente, avançando para o leste; não do deserto para o mar, mas do mar para o deserto. Das três regiões da terra – montanhas, planícies e vales – possuímos o vale primeiro. Ocupamos uma pequena parte das planícies, e tarde. Das montanhas, não obtivemos quase nada, com a exceção de Jerusalém, que atraiu judeus de todas as gerações e de todos os cantos.

No último século, esse magnetismo transformou Jerusalém em uma metrópole judaica, com uma grande e crescente maioria de judeus. Mas isso também significou que a Jerusalém judaica ficou separada dos principais núcleos

---

1. Jerusalém. (N.E.)
2. Na tradição judaica, o Primeiro Retorno ocorreu após o período de cativeiro dos judeus no Egito em 1300 a.C.; o Segundo Retorno ocorreu após o período de exílio na Babilônia em 538 a.C. O Terceiro Retorno ocorreu após seu período de dispersão pelos romanos em 135 d.C. (N.E.)

de assentamento rural e urbano, pois foi a faixa costeira que ocupamos em sua maior parte, e os vales do Jezreel e do Jordão, o norte e o sul do lago de Tiberíades. Em épocas normais, a ameaça a Jerusalém não era notada. Uma jornada de uma hora até Tel Aviv parecia não ser um problema, contanto que fosse segura.

Quão letal era o perigo é algo que logo ficou claro quando os Estados árabes tentaram nos cercar. Muitos e violentos foram os golpes que nossos assentamentos sofreram nesta Guerra de Independência: o sofrimento de Jerusalém, sozinha, foi sete vezes maior. Nosso inimigo sabia que o golpe mortal que poderia desferir facilmente contra nós era capturar e destruir esta nossa cidade, distante de todas as concentrações de força judaica e cercada por todos os lados por uma população árabe numerosa, compacta e ousada, em cidades e vilarejos onde cada estrada leva a Jerusalém.

Os judeus tinham apenas uma e, em quase toda a sua extensão, esta atravessava áreas árabes, passando por montanhas e vales, de Abu Kebir, perto de Tel Aviv, a Lifta, na entrada de Jerusalém.

Com astúcia estratégica, o inimigo, desde o início, empregou sua força no esforço de separar Jerusalém de Tel Aviv e das planícies, de deter todo o tráfego judaico para a cidade; e isso enquanto o Mandato ainda estava em vigor, ainda em dezembro de 1947.

O Mandato se comprometeu a manter a liberdade de trânsito na estrada: suas promessas não foram mantidas, e, enquanto soldados britânicos guarneciam a Palestina, a fome e a espada ameaçavam a capital judaica. O Estado ainda estava distante quando percebemos que, a não ser que, sem auxílio, pudéssemos abrir um caminho até Jerusalém e ocupar um espaço suficiente de ambos os lados desse corredor, a cidade estava condenada e toda a nossa campanha estaria perdida.

Com a incursão de regulares árabes logo após a Proclamação do Estado[3], a ira concentrada do inimigo foi descarregada sobre Jerusalém, como fora nos dias do profeta Ezequiel: 'Pois o rei da Babilônia parará no local donde partem as duas estradas para sortear a escolha. Ele lançará a sorte com flechas, consultará os ídolos da família, examinará o fígado. Pela sua mão direita será sorteada Jerusalém, onde deverá preparar aríetes, dar ordens para a matança, soar o grito de guerra, montar aríetes contra as portas, construir uma rampa e levantar obras de cerco.'[4]

---

3. A proclamação de independência israelense, feita por Ben-Gurion em 14 de maio de 1948. (N.E.)
4. Ezequiel 21:21-22. (N.E.)

Em nossos dias, ao rei da Babilônia[5] se uniu o rei dos filhos de Amon[6], mas o exército e os defensores de Israel, seus construtores e engenheiros, seus guerreiros e trabalhadores, desafiaram os planos da Babilônia e de Amon; avançaram para a direita e para a esquerda, fizeram os invasores retrocederem e os dispersaram. Jerusalém foi libertada e se garantiu uma via de acesso ampla e imperturbada.

Assim, quando abril começou, a Guerra de Independência passou decididamente da defesa ao ataque. A Operação Nachshon, para desobstruir a estrada, foi lançada com a captura dos vilarejos árabes de Hulda, perto de onde estamos hoje, e Dir Muhsin, e culminou no assalto a Kastel, a grande colina – fortaleza perto de Jerusalém, onde Abdul Qader el-Husseini[7], talvez o único verdadeiro comandante entre os árabes da Palestina, sucumbiu em combate.

Jerusalém pôde respirar novamente, mas não por muito tempo: chegaram reforços de outros Estados árabes, e ela foi acossada uma segunda vez. Sobre ela o inimigo desferiu seus golpes mais violentos de maneira indiscriminada e cruel, noite e dia sem cessar. As armas britânicas, preparadas por atiradores britânicos, a bombardearam. Nossa coluna de socorro foi liderada por um galante e honrado judeu americano, o coronel David Michael Marcus.[8]

Infelizmente, ele não estava destinado a entrar na Jerusalém que veio libertar: na noite da primeira trégua, morreu nas montanhas da Judeia.

Aqui, no vale de Ayalon[9], as Forças de Defesa de Israel, que acabavam de se formar, fizeram seu primeiro ataque às linhas árabes em Latrun. No furgão estava a 7ª Brigada, recém-mobilizada, formada principalmente por homens que chegaram alguns dias antes, vindos dos campos

---

5. Uma cidade antiga na Mesopotâmia, ao sul da atual Bagdá. (N.E.)
6. Intimamente relacionado com os judeus, mas seu tradicional inimigo. (N.E.)
7. O guerrilheiro palestino Abdul Qader el-Husseini foi ferido mortalmente combatendo forças israelenses em Jerusalém, em abril de 1948. Após sua morte, as forças árabes recuaram. (N.E.)
8. O soldado judeu americano, brigadeiro-general David Michael Marcus, foi um oficial do Exército dos Estados Unidos que lutou por Israel e liderou a construção do caminho (conhecido como Estrada da Birmânia) pelas montanhas até Jerusalém. Ele foi morto acidentalmente por uma sentinela israelense perto de Jerusalém, poucas horas antes do cessar-fogo de 11 de junho de 1948. (N.E.)
9. Uma área estrategicamente importante de Israel (palco da luta de Davi contra Golias, entre muitas outras batalhas), situada entre Bet Guvrin e Latrun. (N.E.)

de detenção de Chipre.[10] Suas unidades, em um combate ousado, adentraram o vilarejo e o incendiaram, mas foram forçadas a recuar sob artilharia pesada. Uma brigada do Palmach[11], com bravura típica, reiniciou o ataque, mas também teve de se retirar, não ilesa. Assim, a Legião Árabe manteve o controle de Sha'ar Hagai[12], o portal a caminho do vale, e Jerusalém ficou encurralada.

Parecia que havíamos sido derrotados em Latrun, mas, na verdade, aquele combate salvou Jerusalém, mesmo antes de a primeira trégua lhe dar um breve respiro, pois havíamos forçado o inimigo a transferir grande parte de sua força da cidade para o vale. O bombardeio foi mais intermitente e os cidadãos se animaram a resistir até o fim. E mais: o combate nos deu um novo e livre acesso da costa até Jerusalém, margeando as montanhas.

No fim de maio, a 11ª Brigada tomou Beit Jiz[13] e Beit Susin[14], e o Palmach entrou em Zar'a[15], cidade natal de Sansão.[16] Essas ações esculpiram a linha de choque e bravura que chamamos de Estrada da Birmânia[17], para a libertação e a salvação de Jerusalém. Em seguida, ela foi retraçada, tornando-se um caminho mais fácil e mais adequado, já não um paliativo para situações de emergência, e sim uma conexão permanente e duradoura, margeada por um número cada vez maior de assentamentos que se unirão para formar uma ponte viva de homens e lavouras, ligando as principais zonas de ocupação e poder judaico no Estado à imperecível Jerusalém.

---

10. As autoridades britânicas controlando a Palestina haviam transportado alguns imigrantes judeus ilegais até campos de detenção em Chipre. (N.E.)
11. O primeiro regimento mobilizado de Haganah – a milícia judaica subterrânea. (N.E.)
12. O Portal do Vale, que leva a Jerusalém. (N.E.)
13. Um vilarejo árabe. (N.E.)
14. Uma aldeia árabe. (N.E.)
15. Uma cidade a oeste de Jerusalém, também conhecida como Zora. (N.E.)
16. Sansão foi um juiz e guerreiro hebreu que foi traído por sua amante Dalila, que o delatou para os filisteus. Ver Juízes 16. (N.E.)
17. O caminho construído através das montanhas que auxiliou a cidade sitiada de Jerusalém em 9 de junho de 1948 foi chamado de Estrada da Birmânia em referência à estrada construída por trabalho escravo de prisioneiros de guerra dos Aliados durante a Segunda Guerra Mundial. (N.E.)

David Ben-Gurion

Ao inaugurarmos hoje esta Estrada de Bravura, este caminho de libertação, recordemos, com a mais profunda gratidão, os milhares de soldados e trabalhadores que ajudaram em sua construção [...],

os batalhões de infantaria e os carros blindados, a artilharia e os engenheiros que a planejaram, os homens que assentaram as tubulações, os homens de Solel-Boneh[18], de Jerusalém e Tel Aviv, dos motoristas corajosos.

Eles tiveram uma participação digna de orgulho neste feito de combate e desenvolvimento, que será imortalizada nos eternos anais da Sião libertada, que será um monumento à bravura judaica no trabalho e na guerra, o passaporte, hoje e sempre, para a vitória. **"**

---

18. Uma operação de construção e obras públicas da Histadrut. (N.E.)

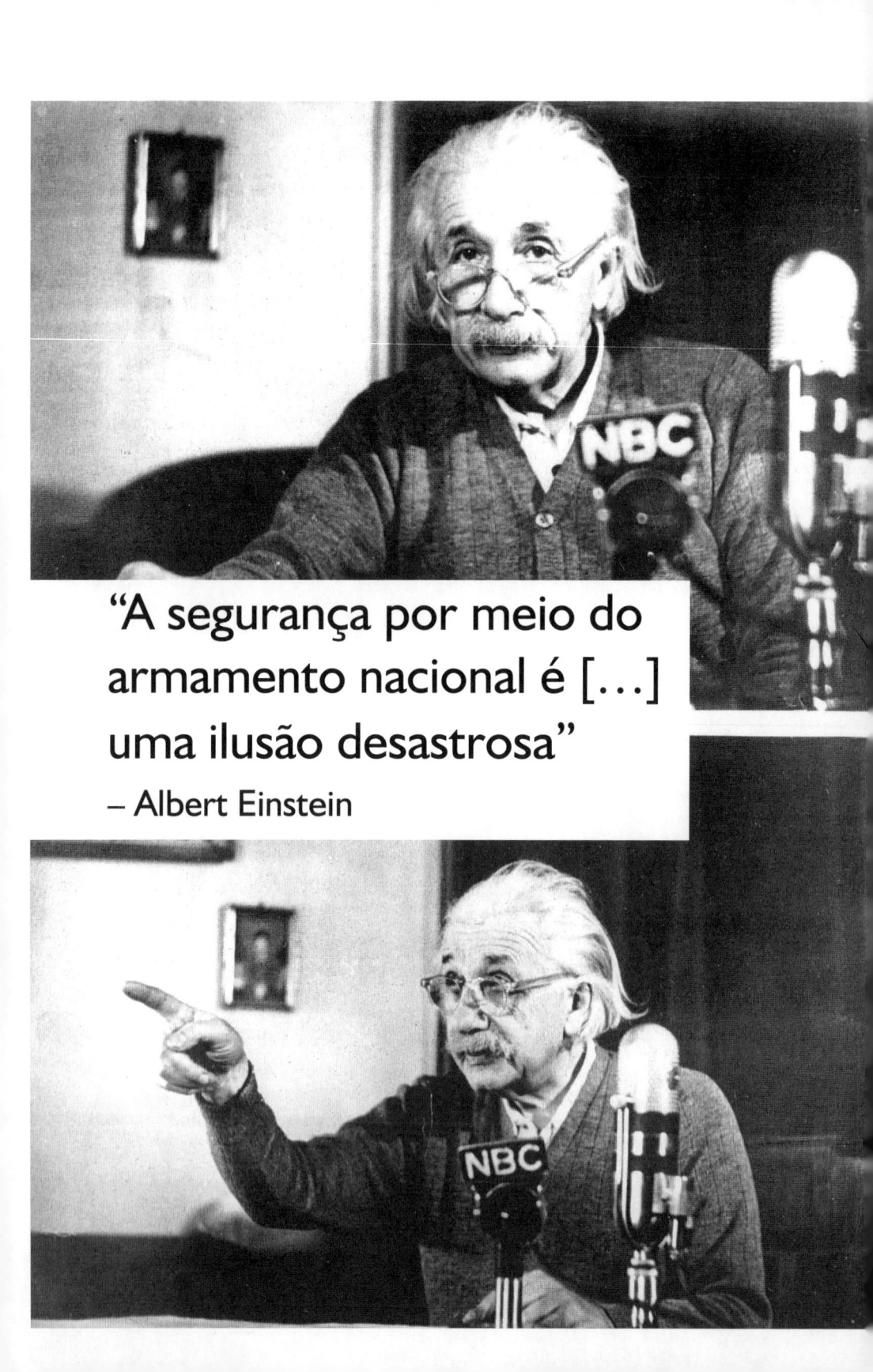

"A segurança por meio do armamento nacional é […] uma ilusão desastrosa"

– Albert Einstein

16
Albert Einstein
Cientista germano-suíço-americano

Albert Einstein (1879-1955) alcançou fama mundial por meio de suas teorias da relatividade especial e geral (1905 e 1916) e recebeu o Prêmio Nobel de Física de 1921. Ele figura ao lado de Galileu Galilei e Isaac Newton como um dos grandes nomes que contribuíram para a compreensão do universo, mas antes de 1930 sua melhor obra estava concluída. Após a ascensão de Adolf Hitler ao poder, ele deixou a Alemanha e, desde 1934, palestrou na Universidade de Princeton, em Nova Jersey, tornando-se cidadão americano e professor em Princeton em 1940. Em 1939, escrevera ao presidente Franklin D. Roosevelt alertando-o para a possibilidade de construir uma bomba atômica e, assim, ajudando a iniciar o esforço americano de produzir uma. Após a Segunda Guerra Mundial, no entanto, Einstein insistiu no controle internacional das armas atômicas.

"A segurança por meio do armamento nacional é [...] uma ilusão desastrosa"
19 de fevereiro de 1950, transmissão de TV, Princeton, Nova Jersey, EUA

Entre 1941 e 1962, Eleanor Roosevelt apresentou vários programas de rádio e de televisão. Estes incluíram um programa durante o qual Einstein, então com 71 anos, discutiu a questão da segurança nuclear.

Einstein escrevera a famosa carta ao marido dela, o presidente Roosevelt, em agosto de 1939. As pesquisas recentes na França e nos Estados Unidos, explicou, significavam que "talvez seja possível provocar uma reação nuclear em cadeia numa grande massa de urânio, por meio da qual grandes quantidades de energia [...] seriam geradas". A carta prosseguia: "Este novo fenômeno também levaria à construção de bombas". Einstein recomendara que o governo dos Estados Unidos mantivesse contato permanente com os físicos trabalhando nesse campo, insistira no financiamento para facilitar o progresso e alertara sobre indícios de que cientistas alemães estavam explorando a mesma área de pesquisa.

A carta de Einstein instara Roosevelt a apoiar os cientistas nucleares americanos. Seu trabalho, que se tornou conhecido como Projeto Manhattan, levou ao desenvolvimento das bombas que foram lançadas sobre o Japão em agosto de 1945. Einstein ficou horrorizado e, mais tarde, observou: "Eu poderia queimar meus dedos por ter escrito aquela primeira carta a Roosevelt". Ele passou grande parte de seus dez anos restantes fazendo campanhas em defesa do controle internacional das armas nucleares.

Embora Einstein fosse uma figura popular, com um perfil público brincalhão, seu pacifismo e seu socialismo – este último expressado em um famoso ensaio de 1949 – fizeram que ele fosse investigado pela Agência Federal de Investigação. Isso não desencorajou a sra. Roosevelt, de mente liberal, de lhe conceder uma plataforma para suas opiniões.

❝ Sou grato a você pela oportunidade de expressar minha convicção nesta questão política de extrema importância.

A ideia de obter segurança por meio do armamento nacional é, no estado atual da técnica militar, uma ilusão desastrosa. Da parte dos Estados Unidos, essa ilusão foi particularmente alimentada pelo fato de que este país foi o primeiro a conseguir produzir uma bomba atômica.

Parecia prevalecer a crença de que, no fim, foi possível alcançar superioridade militar decisiva.

Desse modo, todo adversário em potencial seria intimidado, e a segurança, tão ardentemente desejada por todos, proporcionada a nós e a toda a humanidade. A máxima que vínhamos seguindo durante estes últimos anos foi, resumidamente: segurança por meio de poder militar superior, a qualquer custo.

Essa atitude psicológica técnico-militar e mecanicista teve consequências inevitáveis. Cada ato em política externa é governado exclusivamente por um ponto de vista: como devemos agir a fim de alcançar a máxima superioridade sobre o adversário em caso de guerra? Estabelecendo bases militares em todos os pontos importantes estrategicamente possíveis no planeta. Armando e fortalecendo economicamente os aliados em potencial.

No interior do país: a concentração de um enorme poder financeiro nas mãos dos militares, a militarização dos jovens, a estrita supervisão da lealdade dos cidadãos – em particular, dos servidores públicos – por uma força policial que se torna mais ostentosa a cada dia. A intimidação de pessoas de pensamento político independente.[1] A doutrinação do público por meio do rádio, da imprensa, da escola. A restrição crescente da gama de informações públicas sob pressão do sigilo militar.

A corrida armamentista entre os EUA e a URSS, que originalmente se esperava que fosse uma medida preventiva, assume um caráter histérico.

De ambos os lados, os meios para a destruição em massa são aperfeiçoados com pressa febril, detrás dos respectivos muros de confidencialidade.

A bomba de hidrogênio[2] aparece no horizonte público como um objetivo provável e atingível. Seu desenvolvimento acelerado foi solenemente proclamado pelo presidente.[3]

Se bem-sucedido, o envenenamento radioativo da atmosfera e, portanto, a aniquilação de toda forma de vida na Terra terão sido trazidos para dentro da gama de possibilidades técnicas. O caráter fantasmagórico desse desenvolvimento reside em sua tendência aparentemente compulsória. É como se cada passo fosse a consequência inevitável do anterior.

No fim, sinaliza cada vez mais claramente a aniquilação geral.

Existe alguma forma de sair desse impasse criado pelo próprio homem? Todos nós, e particularmente aqueles que são responsáveis pela atitude dos EUA e da URSS, devemos perceber que podemos ter exterminado um inimigo externo,[4] mas fomos incapazes de nos livrar da mentalidade criada pela guerra.

É impossível alcançar a paz enquanto cada ação é tomada com um possível conflito futuro em mente. Portanto, o ponto de vista principal de toda ação política deve ser: o que podemos fazer para promover uma coexistência pacífica e até uma cooperação leal entre as nações?

---

1. Einstein se refere ao expurgo dos supostos comunistas da vida pública e das instituições americanas no início dos anos 1950, liderado pelo senador Joseph McCarthy (1908-1957). (N.E.)
2. A bomba de hidrogênio, desenvolvida no início dos anos 1950, foi uma forma mais sofisticada e devastadora de arma nuclear, derivando seu poder da fusão nuclear. (N.E.)
3. Harry S. Truman. (N.E.)
4. Einstein se refere às potências do Eixo da Segunda Guerra Mundial, principalmente à Alemanha, ao Japão e à Itália. (N.E.)

O primeiro problema é acabar com o medo e a desconfiança mútuos.

A renúncia solene à violência (não só com respeito aos meios de destruição em massa) é, sem dúvida, necessária.

Tal renúncia, no entanto, só pode ser efetiva se, ao mesmo tempo, for criado um organismo executivo e judiciário supranacional, com o poder de decidir questões de interesse imediato à segurança das nações. Até mesmo uma declaração das nações em favor de colaborar lealmente na concretização de tal 'governo mundial restrito' reduziria de maneira considerável o perigo iminente de uma guerra.

Em última análise, todo tipo de cooperação pacífica entre os homens é baseado primordialmente na confiança mútua e apenas num nível secundário em instituições como polícia e cortes de justiça. Isso é válido tanto para nações como para indivíduos. E a base da confiança é o dar e o receber leais. **"**

"Muitos abusos foram cometidos por ordens de Stalin, sem consideração a quaisquer normas do partido e da legalidade soviética. Stalin era um homem muito desconfiado, alimentava suspeitas doentias [...]"

– Nikita Khrushchev

17

Nikita Khrushchev
Político russo

Nikita Sergeyevich Khrushchev (1894-1971), que já havia trabalhado como guardador de rebanhos e chaveiro, entrou para o Partido Bolchevique em 1918 e ascendeu rapidamente na organização do partido. Em 1953, após a morte de Joseph Stalin, ele se tornou primeiro-secretário do Partido Comunista da União. Entre os acontecimentos que marcaram sua administração estão as rebeliões de Poznań em 1956, que ele reprimiu, a Revolução Húngara de 1956, que ele aniquilou, e a tentativa fracassada de instalar mísseis em Cuba (1962). Khrushchev se empenhou em elevar as ambições e o status da URSS no exterior, mas, ainda assim, foi deposto em 1964.

"O culto ao indivíduo e suas consequências nocivas"

25 de agosto de 1956, Moscou, Rússia

A famosa denúncia de Khrushchev a respeito de Stalin foi feita em uma sessão fechada, tarde da noite, no 20º Congresso do Partido Comunista da União Soviética, o primeiro a ocorrer desde a morte de Stalin em 1953.

Pouco mais de um ano antes, a Comissão Shvernik fora criada sob a liderança de Nikolai Shvernik, que fora chefe de Estado nominal durante a era Stalin. Sua missão era investigar a repressão sob o regime de Stalin e, em particular, o "Grande Expurgo" de 1937-1938, durante o qual pelo menos 1,5 milhão de membros do partido foram presos, muitos foram torturados e cerca de 680 mil foram executados.

Embora o relatório de Shvernik não tenha sido divulgado ao público, Khrushchev se baseou em muitas de suas revelações ao preparar este discurso. Aqui, Khrushchev foca em diversas áreas: o fato de Stalin ter se afastado dos princípios do marxismo-leninismo; sua confiança em um Estado policial intimidador; e sua vaidade: o "culto à personalidade" posteriormente foi usado como um termo eufemístico para se referir a todos os crimes de Stalin.

Nikita Khrushchev

O discurso durou mais de três horas: as partes mais importantes são apresentadas aqui. Apesar do sigilo, logo vazou para outros países do Bloco Oriental, pavimentando o caminho para a reconciliação com o marechal Josip Tito e seus comunistas iugoslavos em junho.

Não tardou muito para chegar ao Ocidente – possivelmente com o consentimento tácito das autoridades soviéticas –, aparecendo em um jornal americano posteriormente naquele mesmo ano. Só viria a ser publicado oficialmente na Rússia em 1989. A relação do Ocidente com Khrushchev foi quase sempre conflituosa, mas este discurso hoje é visto como um ponto decisivo na liberalização da Europa Oriental.

"Camaradas russos [...] muito se disse sobre o culto ao indivíduo e suas consequências nocivas.

Após a morte de Stalin, o comitê central do partido começou a adotar a política de explicar, de maneira concisa e consistente, que é inadmissível e alheio ao espírito do marxismo-leninismo[1] elevar uma pessoa, transformá-la em um super-homem, dotado de características sobrenaturais similares às de um deus. Um homem como esse supostamente sabe de tudo, vê tudo, pensa por todos, pode fazer qualquer coisa, é infalível em seu comportamento.

Tal crença a respeito de um homem – e especificamente a respeito de Stalin – foi cultivada entre nós durante muitos anos. O objetivo do presente relatório não é apresentar uma avaliação completa da vida e das atividades de Stalin. Com relação aos méritos de Stalin, um número suficiente de livros, panfletos e estudos já foi escrito enquanto ele era vivo. O papel de Stalin no preparo e na execução da revolução socialista, na guerra civil e na luta pela construção do socialismo em nosso país é universalmente sabido. Todos o conhecem muito bem.

Agora, estamos interessados em uma questão que tem enorme importância para o partido hoje e para o futuro – em como o culto à pessoa de Stalin vem crescendo gradativamente, o culto que se tornou, em certo momento específico, a fonte de toda uma série de perversões extremamente sérias e graves dos princípios do partido, da democracia do partido, da legalidade revolucionária [...]

---

1. Uma filosofia política socialista baseada nas obras de Karl Marx e Vladimir Ilitch Lenin. (N.E.)

A grande modéstia do gênio da revolução, Vladimir Ilitch Lenin, é conhecida. Lenin já havia enfatizado o papel do povo como criador da história, o papel condutor e organizacional do partido como um organismo vivo e criativo, e também o papel do comitê central [...]

Sempre inexorável no que concerne a princípios, Lenin nunca impôs suas opiniões aos trabalhadores por meio da força. Ele tentava convencer; explicava pacientemente seus pontos de vista. Lenin sempre observou com diligência que as normas da vida partidária fossem seguidas, que o estatuto do partido fosse cumprido, que os congressos partidários e as sessões plenárias do comitê central fossem realizados em intervalos regulares.

Além das grandes realizações de V. I. Lenin para a vitória dos camponeses e da classe trabalhadora, para a vitória de nosso partido e para a aplicação das ideias do comunismo científico à vida, sua mente aguçada também se expressou nisto: ele detectou em Stalin, no momento oportuno, as características negativas que posteriormente resultaram em graves consequências [...]

Como demonstraram os acontecimentos posteriores, a preocupação de Lenin era justificada. No primeiro período após a morte de Lenin, Stalin ainda prestou atenção a seus conselhos, mas depois começou a desconsiderar as sérias admoestações de Vladimir Ilitch. Quando analisamos a prática de Stalin com relação à direção do partido e do país; quando paramos para considerar tudo que Stalin perpetrou, devemos nos convencer de que os temores de Lenin eram justificados. As características negativas de Stalin, que na época de Lenin eram apenas incipientes, se transformaram, durante os últimos anos, em um grave abuso de poder por parte de Stalin, o que causou incontáveis danos ao nosso partido [...]

Stalin agia não por meio da persuasão, da explicação e da cooperação paciente com o povo, e sim impondo seus conceitos e exigindo submissão absoluta à sua opinião [...]

Stalin criou o conceito 'inimigo do povo'. Esse termo automaticamente tornou desnecessário que os erros ideológicos de um ou mais homens envolvidos em uma controvérsia fossem provados; esse termo tornou possível o uso da repressão mais cruel, violando todas as normas da legalidade revolucionária, contra qualquer pessoa que, de alguma forma, discordasse de Stalin, contra aqueles que fossem meramente suspeitos de intenção hostil, contra aqueles que tinham má reputação.

Esse conceito – 'inimigo do povo' – eliminou efetivamente a possibilidade de todo tipo de embate ideológico ou de exposição de opiniões pessoais sobre este ou aquele assunto, mesmo as de caráter prático. No geral, e na prática, a única prova de culpa usada, contra todas as normas da atual ciência legal, era a confissão do próprio acusado e, como demonstraram as investigações subsequentes, as confissões eram adquiridas por meio de pressões físicas contra o acusado.

Isso levou a violações gritantes da legalidade revolucionária e ao fato de que muitas pessoas inocentes, que no passado defenderam a linha do partido, tornaram-se vítimas [...]

Todos sabemos o quanto Lenin era irreconciliável com os inimigos ideológicos do marxismo, com aqueles que se desviavam da linha correta do partido. Mas, ao mesmo tempo, Lenin [...] alertava que tais pessoas deveriam ser educadas com paciência, sem a aplicação de métodos extremos [...] uma relação com o povo totalmente diferente daquela que caracterizou Stalin.

As características de Lenin – o trabalho paciente com as pessoas, educando-as de maneira meticulosa e obstinada, a capacidade de induzir as pessoas a segui-lo sem obrigá-las a isso, e sim submetendo-as à influência ideológica do todo coletivo – eram completamente alheias a Stalin. Ele descartou o método leninista de convencer e educar; abandonou o método de disputa ideológica, preferindo a violência administrativa, as repressões em massa e o terror [...]

Podemos dizer que Lenin não decidiu usar o meio mais severo contra os inimigos da Revolução nem mesmo quando realmente necessário? Não; não podemos dizer isso. Vladimir Ilitch exigiu que se agisse de maneira inflexível para com os inimigos da Revolução e da classe trabalhadora e, quando necessário, recorreu cruelmente a tais métodos.

Vocês se lembrarão das lutas de V. I. Lenin com revolucionários socialistas que organizaram a rebelião antissoviética[2], com os kulaks contrarrevolucionários em 1918 e com outros, quando Lenin, sem hesitar, usou os métodos mais extremos contra o inimigo. Mas Lenin usou tais métodos apenas contra os verdadeiros inimigos da classe, e não contra aqueles que se enganam, que erram, e a quem era possível liderar por meio da influência ideológica e até mesmo manter na liderança [...]

---

2. Em julho de 1918, revolucionários socialistas tentaram um golpe em Moscou, que foi chamado de rebelião antissoviética. Mais ou menos na mesma época, Lenin introduzira medidas repressivas contra camponeses proprietários de terras (kulaks), que vinham resistindo à redistribuição de suas riquezas e propriedades. (N.E.)

Stalin, por outro lado, usou métodos extremos e repressões em massa numa época em que a Revolução já era vitoriosa, quando o Estado soviético estava fortalecido, quando as classes exploradoras já haviam sido liquidadas e as relações socialistas tinham raízes sólidas em todas as etapas da economia nacional; quando nosso partido estava politicamente consolidado e havia se fortalecido tanto em termos numéricos como ideológicos [...]

Muitos abusos foram cometidos por ordens de Stalin, sem consideração a quaisquer normas do partido e da legalidade soviética. Stalin era um homem muito desconfiado, alimentava suspeitas doentias [...]

Essas suspeitas doentias criaram nele uma desconfiança geral, mesmo com relação a trabalhadores eminentes do partido que ele conhecera havia anos. Em tudo e em toda parte, ele via 'inimigos', 'duas caras' e 'espiões'. Tendo poder ilimitado, ele se permitia grandes caprichos e reprimia as pessoas tanto moral como fisicamente. Criou-se uma situação em que não se podia expressar a própria vontade [...]

Camaradas, o culto ao indivíduo adquiriu uma dimensão tão monstruosa principalmente porque o próprio Stalin, usando de todos os métodos concebíveis, apoiou a glorificação de sua pessoa. Isso é corroborado por muitos fatos. Um dos exemplos mais característicos da autoglorificação de Stalin e de sua falta de modéstia até mesmo elementar é a edição de sua *Breve biografia*, que foi publicada em 1948.[3]

Esse livro é uma expressão da lisonja mais dissoluta, um exemplo de como endeusar um homem, de como transformá-lo em um sábio infalível, 'o maior líder, sublime estrategista de todos os tempos e nações'.

Não precisamos dar exemplos das adulações repugnantes que recheiam esse livro. Tudo que precisamos dizer é que todas elas foram aprovadas e editadas por Stalin em pessoa. Algumas foram acrescentadas com sua própria caligrafia ao manuscrito do livro.

O que Stalin considerou essencial incluir nesse livro? Ele queria acalmar o ardor dos aduladores que estavam compondo sua *Breve biografia*? Não! Anotou exatamente os lugares onde considerou que o elogio a seus serviços era insuficiente. Aqui estão alguns exemplos caracterizando a atividade de Stalin que ele acrescentou de próprio punho [...]

Embora desempenhasse sua tarefa como líder do partido e do povo com habilidade consumada e desfrutasse do apoio irrestrito de todo o povo

---

3. A primeira *Breve biografia* foi publicada em 1927, atribuída ao secretário de Stalin, Ivan Tovstukha (1889-1935). Uma segunda edição revisada e ampliada apareceu em 1948. (N.E.)

soviético, Stalin nunca permitiu que seu trabalho fosse maculado pelo menor indício de vaidade, arrogância ou autoadulação.

Onde e quando um líder poderia elogiar tanto a si mesmo? Isso é digno de um líder do tipo marxista-leninista? Não. Precisamente contra isso Marx e Engels se posicionaram firmemente. Isso sempre foi durante condenado também por Vladimir Ilitch Lenin.

No rascunho de seu livro apareceu a seguinte frase: 'Stalin é o Lenin de hoje'. Essa frase pareceu muito débil para Stalin. Por isso, com sua própria caligrafia, ele a modificou: 'Stalin é o continuador digno da obra de Lenin, ou, como se diz em nosso partido, Stalin é o Lenin de hoje'. Vocês veem como está dito não pela nação, e sim pelo próprio Stalin [...]

Ou tomemos a questão dos Prêmios Stalin.[4]

[Movimento no salão.]

Nem mesmo os tsares criaram prêmios que batizaram com o próprio nome.

Stalin reconheceu como o melhor um texto do hino nacional da União Soviética que não contém uma palavra sequer sobre o Partido Comunista; contém, no entanto, o seguinte elogio sem precedentes a Stalin: 'Stalin nos criou sob o signo da lealdade ao povo. Ele nos inspirou a grandes esforços e realizações'.

Nessas linhas do hino, toda a atividade educativa, orientadora e inspiradora do grande Partido Leninista é atribuída a Stalin. Isso é, obviamente, um claro desvio do marxismo-leninismo, uma clara adulteração e diminuição do papel do partido. Devemos acrescentar, para sua informação, que o presidium do comitê central já aprovou uma resolução a respeito da composição de um novo texto do hino, que refletirá o papel do povo e o papel do partido.[5]

[Aplausos ruidosos e prolongados.]

E foi sem o conhecimento de Stalin que muitos dos maiores empreendimentos e cidades foram batizados com seu nome? Foi sem seu conhecimento que monumentos a Stalin foram erguidos em todo o país – estes 'memoriais

---

4. Introduzidos em 1939, os Prêmios Stalin pretendiam ser um equivalente soviético dos Prêmios Nobel. (N.E.)
5. Introduzido em 1944, o "Hino da União das Repúblicas Socialistas Soviéticas", de Alexander V. Alexandrov e Sergei V. Mikhalkov, foi o hino oficial da URSS até 1991. (N.E.)

aos vivos'? [...] Qualquer um que tenha visitado a região de Stalingrado deve ter visto a enorme estátua que está sendo construída lá, e isso num lugar que quase ninguém frequenta [...]

Devemos, com toda a seriedade, considerar a questão do culto ao indivíduo.

Não podemos deixar esse assunto sair do partido, especialmente não para a imprensa. É por essa razão que estamos considerando-o aqui em uma sessão fechada no congresso. Devemos conhecer os limites; não devemos dar munição ao inimigo; não devemos lavar nossa roupa suja diante de seus olhos [...]

Camaradas, devemos abolir decididamente o culto ao indivíduo, de uma vez por todas [...]

devemos tirar as conclusões adequadas tanto a respeito do trabalho prático como do teórico-ideológico. É necessário para esse propósito: primeiro, à maneira bolchevique, condenar e erradicar o culto ao indivíduo como alheio ao marxismo-leninismo e não consonante com os princípios da liderança do partido e as normas da vida partidária, e combater inexoravelmente todas as tentativas de trazer de volta essa prática de uma forma ou de outra [...]

Segundo, continuar, de maneira sistemática e consistente, o trabalho feito pelo comitê central do partido durante os últimos anos, um trabalho caracterizado por observação detalhada em todas as organizações do partido, da base ao topo, dos princípios leninistas de liderança partidária, caracterizados, acima de tudo, pelo princípio fundamental de liderança coletiva [...]

Terceiro, restaurar completamente os princípios leninistas da democracia socialista soviética, expressados na constituição da União Soviética, combater o capricho de indivíduos abusando de seu poder. O mal causado por tais atos que violam a legalidade do socialismo revolucionário, que se acumulou durante um longo tempo em consequência da influência negativa do culto ao indivíduo, deve ser corrigido completamente.

Camaradas, o 20º Congresso do Partido Comunista da União Soviética manifestou com uma nova força a unidade inabalável de nosso partido, sua coesão em torno do comitê central, seu desejo resoluto de realizar a grande tarefa de construir o comunismo.

[Aplausos estrondosos.]

E o fato de termos apresentado, em todas as suas ramificações, os problemas básicos de superar o culto ao indivíduo, que é alheio ao marxismo-leninismo, bem como o problema de liquidar suas consequências onerosas, é indício da grande força moral e política do nosso partido.

[Aplausos prolongados.]

Estamos absolutamente certos de que nosso partido, armado com as resoluções históricas do 20º Congresso, levará o povo soviético, pelo caminho leninista, a novos sucessos, a novas vitórias.

[Aplausos estrondosos e prolongados.]

Vida longa à bandeira vitoriosa do nosso partido – o leninismo!

[Aplausos estrondosos e prolongados, terminando em ovação em pé.]

"Este é um momento de ação"
– Anthony Eden

18

Anthony Eden
Estadista britânico

Robert Anthony Eden, posteriormente 1º conde de Avon (1897-1977), foi membro do Parlamento pelo Partido Conservador por Warwick e Leamington de 1923 a 1957, ocupando vários cargos no governo, entre os quais o de ministro de Relações Exteriores. Sucedeu Churchill como primeiro-ministro em 1955 e, em 1956, ordenou que forças britânicas e francesas ocupassem a zona do canal de Suez antes do exército israelense invasor. Sua ação foi condenada pela ONU e causou uma longa e acirrada controvérsia no Reino Unido, que não cessou quando ele ordenou a retirada. Com a saúde fragilizada, Eden renunciou abruptamente ao cargo em 1957. Considerado um dos estadistas mais experientes do mundo ocidental, ele visou principalmente à paz mundial com base no respeito à lei.

"Este é um momento de ação"
2 de novembro de 1956, transmissão de rádio e televisão, Londres, Inglaterra

Este discurso dirigido ao público britânico foi uma tentativa de Eden – agora primeiro-ministro – de justificar a intervenção militar no Egito durante a crise de Suez. O que torna o discurso memorável, no entanto, é o que ele escolheu não dizer. A crise começou quando o presidente egípcio, Gamal Abdel Nasser, nacionalizou o canal de Suez, previamente controlado por empresas britânicas e francesas. O Reino Unido e a França, temerosos de que Nasser pudesse evitar que os carregamentos de petróleo chegassem à Europa, fizeram um acordo secreto com Israel. Quatro dias antes do discurso de Eden, soldados israelenses invadiram o Egito e tomaram o controle da zona do canal.

Afirmando não ter conhecimento prévio da invasão, Eden anuncia planos de enviar forças britânicas para policiar um cessar--fogo entre os lados egípcio e israelense. No processo, é claro, o Reino Unido retomaria o controle do canal de Suez. Em tom conciliatório – concebido para apaziguar um país dividido a respeito do assunto –, ele argumenta que a intervenção era necessária para evitar que um "incêndio florestal" no Oriente Médio se espalhasse. Ele também reitera a comparação que o líder do Partido Trabalhista, Hugh Gaitskell, faz entre Nasser e Adolf Hitler e Benito Mussolini, um apelo ao patriotismo de um Reino Unido que havia travado e vencido a Segunda Guerra Mundial na década anterior. Em 5 e 6 de novembro, forças britânicas e francesas começaram sua ocupação da zona do canal, mas – em resposta à diplomacia norte-americana com relação à ameaça de intervenção soviética – se retiraram em dezembro, dando lugar a uma força pacificadora da ONU.

" Boa noite. Eu sei que vocês desejariam que eu, como primeiro-ministro, falasse nesta noite sobre o problema que está na cabeça de todos e dissesse a vocês o que aconteceu, o que o governo fez, e por que o fez [...]

Primeiro – o contexto.

Por dez anos, houve disputa e problema e tumulto no Oriente Médio. Repetidas vezes, as paixões foram inflamadas. Houve ataques e contra-ataques, tiroteios e mais tiroteios. Desde o armistício desconfortável de 1949 – entre Israel e os Estados árabes –, o Egito vem insistindo que ainda está em guerra com Israel. Repetidas vezes, a ONU tentou promover acordo e paz, mas, com toda a boa vontade do mundo, falhou. E o tempo todo, Deus sabe, este país trabalhou incansavelmente por um acordo.

Nós tentamos, por exemplo, provar nosso desejo de amizade com o Egito. Fizemos um acordo e nos retiramos da zona do canal. Fizemos outro acordo com o Egito com relação ao Sudão. Esperávamos que esses acordos levassem a um novo espírito em nossas relações com o Egito. Algumas pessoas dizem que fomos longe demais na reconciliação; que fomos fracos onde deveríamos ter sido fortes.

Bem, seja como for, nós certamente chegamos ao limite em nossos esforços de amizade. Todas essas aproximações amigáveis fracassaram. De nada adianta ignorar esse fato. Basta ler a própria declaração do governo egípcio – o que eles pretendem fazer. Suas palavras – não minhas. Deixem-me dar dois exemplos. O primeiro se refere a Israel. 'Não haverá estabilidade enquanto este pequeno Estado vil não for detido.' Um segundo exemplo vem de mais perto de casa. 'Não devemos, em circunstância alguma, perder de vista nosso objetivo: combater a serpente britânica e expeli-la completamente de nossas terras' – e 'terras', é claro, significa todo o Oriente Médio. Esse tem sido o espírito egípcio. A ameaça egípcia, proclamada aberta e publicamente.

Mas os fatos falam ainda mais alto do que as palavras. Nós vimos a compra de armamentos por trás da Cortina de Ferro[1]; e, no início de agosto – quando o coronel Nasser se apoderou do canal –, o sr. Gaitskell[2] chamou as ameaças a Israel de 'um claro indício de agressões futuras'. Ele prosseguiu: 'É tudo muito familiar – exatamente a mesma coisa que encontramos em Mussolini e em Hitler nos anos anteriores à guerra'. Palavras fortes, mas justificadas. Não é de admirar que Israel estivesse preocupado.

Então, há alguns dias, veio a entrada de soldados israelenses no Egito. Essa era uma situação perigosa? Poderia fazer com que um incêndio se alastrasse pelo Oriente Médio? Na visão do governo, sim. Poderia colocar em risco os interesses britânicos e internacionais? Sim.

Bem, é possível prosseguir argumentando sobre quem foi o agressor.

Foi Israel, porque atravessou a fronteira? Ou foi o Egito, por causa do que havia feito antes? Mas essa não é a verdadeira questão para nós. Se tomarmos distância, a primeira pergunta não é como começou, e sim como extinguir. O fato concreto e inescapável era que aqui havia uma situação propensa a inflamar todo o Oriente Médio, com tudo que isso poderia significar. Esse, na visão do governo, era o fato da situação – um fato duro, concreto. Uma realidade que nenhuma palavra poderia alterar.

Como governo, tivemos de lidar com o problema de que ação deveríamos tomar, pois temos nossos amigos franceses. O fardo dessa decisão era enorme, mas inevitável. Do fundo de nossas convicções, concluímos que este era o início de um incêndio florestal, de imenso perigo para a paz. Decidimos que era necessário agir, e agir depressa.

O que deveríamos fazer? Apresentamos a questão ao Conselho de Segurança. Deveríamos ter deixado que eles decidissem? Deveríamos ter nos contentado em esperar para ver se eles agiriam? Quanto tempo isso teria levado? [...]

---

1. A popularidade do termo "Cortina de Ferro" data de 1946, quando Winston Churchill o usou em um discurso nos EUA para descrever as partes da Europa sob influência soviética. Entretanto, seu criador foi o propagandista nazista Joseph Goebbels, que usou o termo "eiserner Vorhang" ("cortina de ferro") em um artigo de jornal em 1945. (N.E.)

2. O político inglês Hugh Gaitskell (1906-1963) foi líder do Partido Trabalhista de 1955 até sua morte. (N.E.)

Nós agimos prontamente e nos reportamos ao Conselho de Segurança, e acredito que logo ficará visível para todos que agimos de maneira correta e prudente.

Nossos amigos dentro e fora da Commonwealth não poderiam, pela própria natureza das coisas, ser consultados em tempo. Não se pode ter ação imediata e consulta extensa ao mesmo tempo. Mas nossos amigos estão vindo [...] para ver que agimos com coragem e rapidez, para lidar com uma situação que simplesmente não podia esperar.

Há duas coisas que eu pediria que vocês não se esqueçam. Nunca se esqueçam.

Não podemos permitir – não podíamos permitir – a propagação de um conflito no Oriente Médio; nossa sobrevivência como nação depende do petróleo, e praticamente três quartos do nosso petróleo vêm dessa parte do mundo.

Como afirmou um membro do Parlamento pelo Partido Trabalhista, manifestando-se em apoio ao governo, 'ficar sem petróleo' – eu o cito – 'ficar sem petróleo é ver nossas indústrias paralisarem e a fome tomar conta do povo'. [...]

A outra reflexão é esta. É pessoal. Durante toda a minha vida eu fui um homem pacífico, trabalhando pela paz, lutando pela paz, negociando pela paz. Fui um homem da Liga das Nações e da Organização das Nações Unidas, e ainda sou o mesmo homem, com a mesma convicção, a mesma devoção à paz. Eu não poderia ser outro – mesmo que quisesse, mas estou totalmente convencido de que a ação que tomamos é correta. [...]

Há momentos de coragem, momentos de ação. E este é um deles.

Em nome da paz, eu espero que tenhamos aprendido nossa lição. Nosso amor ardente pela paz, nossa intensa abominação da guerra muitas vezes nos refrearam de usar a força, mesmo em momentos em que sabíamos, em nossa cabeça, embora não em nosso coração, que seu uso era em nome da paz. E acredito com todo o coração, e intelecto – pois ambos são necessários –, que este é um momento de ação, efetiva e rápida. Sim, mesmo pelo uso de certa força para evitar a propagação do incêndio florestal; para evitar o horror e a devastação de uma guerra maior [...]

Nós sabemos que as forças israelenses capturaram o exército egípcio em Sinai. Também sabemos que a ONU, uma organização pela paz, está tentando promover o contato entre os dois lados para estabelecer os termos de rendição. Esperamos que essa organização seja capaz de garantir que todos os egípcios capturados regressem ao Egito. Certamente daremos a eles todo o apoio que pudermos nessa questão.

Ao que parece, Israel conseguiu destruir as bases em Sinai e em Gaza, nas quais comandos egípcios foram treinados para atacar Israel. Uma vez que as forças britânicas e francesas tenham ocupado os pontos estratégicos do canal, o governo de Sua Majestade garantirá que as forças israelenses se retirem de território egípcio.

Eu não tenho dúvida de que essa é sua intenção, mas eles não o farão se não estivermos lá para manter a paz, para dar as garantias necessárias e evitar uma repetição desses acontecimentos.

Então, finalmente, meus amigos, o que estamos tentando fazer? Em primeiro lugar, cessar a luta, separar os exércitos e garantir que não haja mais combate. Nós interviemos porque a ONU não foi capaz de fazê-lo em tempo. Se a ONU assumir essa ação policial, nós lhe daremos as boas-vindas. Com efeito, propusemos que fizesse isso. E ação policial significa não só acabar com o conflito agora como também trazer uma paz duradoura a uma área que, durante dez anos, viveu, ou tentou viver, sob a ameaça constante de guerra.

Até que haja forças da ONU lá, prontas para assumir,

[...] nós e os franceses devemos prosseguir com a tarefa, até que esta esteja concluída.

Tudo isso pode significar – tenhamos esperança e rezemos para que signifique – que o resultado será não só paz no Oriente Médio como também uma ONU fortalecida, com poder de agir, bem como de falar – uma força real pela paz no mundo.

Boa noite a todos vocês. "

"O dilema de nossa era, com suas possibilidades infinitas de autodestruição, é como sair do mundo dos armamentos para um mundo de segurança internacional, baseado na lei [...]"

– Dag Hammarskjöld

19

Dag Hammarskjöld

Estadista sueco

Dag Hjalmar Agne Carl Hammarskjöld (1905-1961) foi primeiro-ministro da Suécia (1951-1953) e se tornou secretário-geral da ONU em 1953. Hammarskjöld, que certa vez se descreveu como "curador dos segredos de 82 nações", exerceu um papel importante na configuração da Força de Emergência da ONU em Sinai e em Gaza em 1956 e trabalhou para a conciliação do Oriente Médio (1957-1958). Ele morreu em um acidente de avião perto de Ndola, na Zâmbia, em 1961 – alguns afirmam que em consequência de uma conspiração de assassinato – e foi agraciado postumamente com o Prêmio Nobel da Paz em 1961.

"Sem um reconhecimento dos direitos humanos, nunca teremos paz"

10 de abril de 1957, Nova York, EUA

O talento excepcional de Dag Hammarskjöld para a diplomacia foi colocado à prova durante os últimos anos de sua vida: de fato, se as teorias de conspiração forem verdadeiras, contribuiu para sua morte precoce. Como secretário-geral da ONU, ele teve relativamente pouco poder, mas como negociador era calmo, diplomático e eficaz. Pouco antes de fazer este discurso, ele ajudara a mitigar a crise de Suez, em que forças britânicas, francesas, israelenses e egípcias entraram em guerra pelo controle do canal, e a URSS ameaçou intervir. Ele também criara a força internacional de emergência para manter a paz.

Este discurso foi feito durante as celebrações do 50º aniversário do Comitê Judaico Americano. Esse fora um meio século devastador para os judeus, mas também fora marcado pelo estabelecimento de uma pátria judaica em Israel. Entretanto, Hammarskjöld se refere apenas brevemente à história judaica, preferindo usar seu discurso para explorar alguns dos princípios que nortearam sua luta por paz. Acima de tudo, ele enfatiza que a paz depende de um reconhecimento dos direitos humanos e que a tolerância é central aos objetivos da organização dele.

"Há quatro anos, fui nomeado a meu cargo atual, ao qual eu fora catapultado sem aviso prévio – com efeito, sem qualquer espécie de preparo anterior. Senti que era meu dever aceitá-lo, não por causa de qualquer sentimento de confiança em minha capacidade pessoal de superar as dificuldades que pudessem surgir, mas porque, sob as condições que então imperavam, eu me senti no dever de responder ao chamado que se apresentava a mim.

A situação com a qual me deparei logo no início se mostrou não ser única. Repetira-se várias vezes nos últimos anos, mais recentemente com relação a problemas no Oriente Médio. Outro dia, regressando da última visita à região em uma missão da ONU, li um livro de Arthur Waley[1] – certamente conhecido por muitos de vocês como um dos grandes intérpretes do pensamento e da literatura chinesa e como um dos grandes estudiosos judeus das letras humanas que enriqueceram de maneira tão esplêndida a nossa tradição cultural. Em sua obra, Waley cita o que um antigo historiador chinês tinha a dizer sobre o filósofo Sun Tzu[2] e seus seguidores, por volta de 350 a.C. Para alguém que trabalha na ONU, a citação soa familiar. É o seguinte:

Constantemente rejeitados, mas sem nunca desanimar, eles iam de estado em estado, ajudando as pessoas a resolverem suas diferenças, argumentando contra o ataque cruel e implorando pela supressão das armas, que a era em que viviam poderia ser salva desse estado de guerra contínua. Com esse fim, entrevistaram príncipes e discursaram para as pessoas comuns, em parte alguma obtendo grande sucesso, mas persistindo obstinadamente em sua tarefa, até que reis e homens do povo se cansaram de ouvi-los. Mas, decididos, eles continuaram a se impor sobre a atenção das pessoas.

Essa é a descrição de um grupo quixotesco, cujos esforços estão fadados ao fracasso? As palavras, com seu tom de frustração, podem nos levar a pensar que sim. No entanto, acredito que essa interpretação seria errada. O historiador nos conta sobre um grupo comprometido com uma luta que ele considera muito digna e que terá de continuar até que se alcance o sucesso [...]

Podemos aprender com sua atitude, tanto em nossos esforços para avançar rumo à paz como em nosso trabalho pelo reconhecimento universal dos direitos humanos.

---

1. O orientalista inglês Arthur Waley (1889-1966) traduziu vários textos chineses e japoneses e escreveu extensivamente sobre o Extremo Oriente. (N.E.)
2. O general e filósofo chinês Sun Tzu (c. 544-496 a.C.) é tradicionalmente reconhecido como o autor de Ping-fa (*A arte da guerra*), um tratado muitíssimo influente sobre tática militar, mas também sobre estratégias para manter a paz. (N.E.)

Dag Hammarskjöld

Sabemos que a questão da paz e a questão dos direitos humanos estão intimamente relacionadas. Sem um reconhecimento dos direitos humanos, nunca teremos paz, e é somente num contexto de paz que os direitos humanos podem se desenvolver plenamente.

De fato, o trabalho pela paz é basicamente um trabalho pelo mais elementar dos direitos humanos: o direito de todos a viver em segurança e sem medo.

Nós, portanto, reconhecemos como um dos primeiros deveres de um governo tomar medidas a fim de assegurar esse direito para seus cidadãos. Mas também reconhecemos como uma obrigação para a comunidade mundial emergente auxiliar os governos a salvaguardar esse direito humano fundamental sem ter de se trancar atrás do muro de armamentos.

O dilema de nossa era, com suas possibilidades infinitas de autodestruição, é como sair do mundo de armamentos para um mundo de segurança internacional, baseado na lei [...]

O esforço pode parecer vão. E se mostrará vão a não ser que nós, todos nós, mostremos a persistência de Sun Tzu e seus seguidores, e a não ser que povos e governos estejam dispostos a assumir riscos menores imediatos a fim de ter uma melhor chance de evitar o desastre final que nos ameaça se não formos capazes de dar um novo rumo aos acontecimentos.

A ONU se encontra em uma etapa difícil de seu desenvolvimento. Ainda é muito fraca para prover a segurança desejada por todos, embora seja forte e viva o bastante para apontar eficazmente a direção em que a solução deve ser buscada. Em sua fase atual, a organização pode parecer, aos olhos de muitos, um pregador que não pode impor a lei que predica ou pôr em prática o evangelho que interpreta. É compreensível se aqueles que têm essa impressão viram as costas com desconfiança ou crítica cínica, esquecendo-se de que os reveses nos esforços de implementar um ideal não provam que esse ideal está errado e ignorando também que no começo de grandes mudanças na sociedade humana sempre deve haver tal estágio de fragilidade ou aparente inconsistência.

É fácil dizer que não faz sentido predicar a lei se esta não puder ser aplicada. No entanto, fazer isso é se esquecer de que, se a lei é a lei inevitável do futuro, seria uma traição ao futuro não predicar a lei simplesmente por causa das dificuldades do presente.

De fato, como poderia se tornar uma realidade se aqueles que são responsáveis por seu desenvolvimento sucumbissem às dificuldades imediatas que surgem quando ela ainda é um elemento revolucionário na vida da sociedade?

A história do povo judaico oferece alguns dos exemplos mais magníficos de como os ideais e a lei podem ser levados à vitória por meio da afirmação corajosa de novos princípios universais, que os sábios consideram tolice quando são introduzidos em uma sociedade moldada segundo um padrão diferente.

Os pensamentos que tentei expressar se aplicam a praticamente todo o campo de atividades da ONU, mas em particular ao trabalho da organização pela implementação dos princípios da Carta nas áreas de segurança internacional e desarmamento e na área dos direitos humanos fundamentais. Aplicam-se, igualmente, à própria ONU como um experimento em organização internacional.

Mas um experimento não é uma tentativa, algo passageiro?

E a ONU não deveria ser considerada algo definido e duradouro?

Penso que é importante ser claro com relação a isso. Certamente as experiências e as conquistas da ONU tal como é hoje estão nos ajudando a construir o futuro. [...]

A ONU é, e deve ser, uma instituição viva, experimental, em evolução.

Se algum dia deixar de sê-lo, deve ser revolucionada ou dar lugar a uma nova abordagem.

O crescimento de instituições sociais é sempre um crescimento em que, passo a passo, a forma que atende adequadamente a necessidade é moldada por meio de seleção ou experiência. Portanto, um esforço que não tenha gerado todos os resultados esperados não fracassou se proporcionou uma experiência positiva na qual uma nova abordagem pode se basear. Uma tentativa que mostrou a possibilidade de progresso serviu à causa do progresso mesmo que tenha tido de ser renovada repetidas vezes, e em novas formas ou contextos a fim de produzir o sucesso total. Quando olhamos para as experiências da ONU nos últimos meses, podemos ter opiniões diferentes quanto à sensatez desta ou daquela postura em particular, e podemos ter dúvidas quanto aos resultados deste ou daquele passo. Mas acredito que todos podemos concordar sobre o valor e a importância histórica de certos avanços.

Em primeiro lugar, mostrou-se possível, em uma emergência, criar pela primeira vez uma força verdadeiramente internacional. Essa força, embora modesta em tamanho e, por razões constitucionais, também modesta em objetivo, abriu novos caminhos que, inevitavelmente, contarão em esforços futuros para preservar a paz e promover a justiça [...]

[...] Por mais profundamente lamentáveis que fossem os conflitos de opinião e interesses, não se deve esquecer que aqueles que hoje sentem que tiveram de se sacrificar para a manutenção de um princípio, em uma situação diferente, podem ser os primeiros a se beneficiar do fato de que o princípio foi mantido. Como indivíduos, sabemos que as leis que nos restringem também nos protegem. O mesmo é válido na vida internacional.

Momentos atrás eu me referi ao fato de que a paz duradoura não é possível sem o reconhecimento dos direitos humanos fundamentais e de que os direitos humanos não podem se desenvolver plenamente se não houver paz. A ONU não pode estipular a lei para a vida em nenhuma comunidade nacional. Essas leis têm de ser estabelecidas de acordo com a vontade do povo, como expressado nas formas indicadas por sua constituição escolhida.

Mas assim como a ONU pode promover a paz, também pode, em deliberações conjuntas, definir os objetivos de direitos humanos que devem ser as leis do futuro em cada nação. Independentemente da distância entre esses objetivos e a realidade cotidiana que encontramos em todo o mundo, não é vão, portanto, estabelecer os objetivos conforme eles se apresentam ao pensamento político mais maduro de nossa era.

Vocês definiram 'a busca da igualdade em casa e no exterior' como lema de seu aniversário. Interpretadas em um sentido amplo, essas palavras refletem um direito humano fundamental, igual em importância ao direito de viver em segurança e sem medo.

Os problemas subjacentes que fazem com que o Oriente Médio seja uma área tão conflituosa conferem peso especial à incumbência dos países-membros, na Carta, de 'praticar a tolerância'.

As palavras recém-citadas da Carta estão entre aquelas que vinculam seu texto a uma importante tradição ética. São, com frequência, negligenciadas: às vezes consideradas ornamentos vazios sem significância política, às vezes honradas apenas da boca para fora. No entanto, representam um elemento sem o qual a Carta e o sistema que ela cria se desintegrariam. Tanto o trabalho pela paz como o trabalho pelos direitos humanos devem ser ancorados e inspirados em uma abordagem geral que dá equilíbrio e substância aos resultados. A paz não pode ser estabelecida por razões egoístas; a igualdade não pode ser imposta como um conceito abstrato. De fato, as tentativas de fazer isso são responsáveis por alguns dos episódios mais sombrios da história.

> ***O trabalho pela paz deve ser animado pela tolerância, e o trabalho pelos direitos humanos, pelo respeito ao indivíduo.***

Um estudioso da evolução dos direitos humanos ao longo das décadas reconhecerá sua íntima relação com o desenvolvimento da tolerância inspirada pelo liberalismo intelectual ou, talvez com mais frequência, por conceitos éticos de origem religiosa.

Há quem tente associar o desenvolvimento dos direitos humanos unicamente com as ideias liberais que se tornaram predominantes na era do Iluminismo. No entanto, fazer isso significa, para mim, ignorar o contexto histórico dessas ideias. Também significa cortar nossos laços com uma fonte de força que necessitamos para que o trabalho pelos direitos humanos dê frutos e para conferir a esses direitos, quando estabelecidos, seu conteúdo espiritual apropriado.

Para alguns, a palavra 'tolerância' pode soar estranha em uma época de 'Guerra Fria' e de negociações 'de posições de força'; pode ter uma conotação de brandura ou conciliação. E, ainda assim, temos razões para acreditar que o que foi verdadeiro no passado já não o é? Não são os fracos, e sim os fortes que praticam a tolerância, e os fortes não enfraquecem sua posição ao mostrar tolerância. Ao contrário, só por meio da tolerância eles podem justificar sua força."

20

Harold Macmillan

Estadista britânico

Maurice Harold Macmillan, posteriormente 1º conde de Stockton (1894-1986), integrante do Partido Conservador, tornou-se membro do Parlamento pela cidade de Stockton-on-Tees em 1924. Nem sempre disposto a se conformar com as linhas do partido, ele permaneceu na bancada até 1940, quando assumiu uma sucessão de cargos no governo. Derrotado por uma maioria esmagadora do Partido Trabalhista em 1945, ele regressou posteriormente naquele mesmo ano para Bromley e manteve seu assento até se aposentar em 1964. Foi ministro do Interior (1951-1954), ministro de Defesa (1954-1955) e então ministro de Relações Exteriores até o fim de 1955, quando foi nomeado ministro do Tesouro. Com a renúncia de Anthony Eden em 1957, ele emergiu, nas palavras de R. A. Butler, como "o melhor primeiro-ministro que temos". Sendo um intelectual e um aristocrata, foi visto com desconfiança por muitos. Entretanto, seu expansionismo econômico no mercado interno, sua resolução nos assuntos externos, sua integridade e seu otimismo contagiante inspiraram confiança, e sua popularidade disparou. Em 1962, depois de alguns reveses eleitorais, ele realizou um drástico "expurgo" de seu governo, envolvendo sete ministros do Gabinete. Outros reveses se seguiram, incluindo o escândalo de Profumo[1] (1963), e problemas de saúde o levaram a renunciar, embora relutante, em 1963.

"A maior parte do nosso povo nunca esteve tão bem"

20 de julho de 1957, Bedford, Inglaterra

Neste ponto de sua carreira, a sorte política de Harold Macmillan estava em seu ápice. Como chanceler, ele fora apelidado "Supermac" pelo cartunista Vicky, após presidir uma economia britânica em franco

---

1. Célebre escândalo sexual que envolveu, em 1963, o ministro da Guerra de Harold Macmillan, John Profumo, que teve um caso com a modelo de 19 anos Christine Keeler, também amante do espião soviético Eugene Ivanov. (N.E.)

crescimento. Mas sua política colonial, que facilitou a independência em grande parte do que restou do Império Britânico, o tornou impopular com a direita de seu partido. E também o seu "conservadorismo unionista", cujas filosofias sociais e econômicas lembravam mais as políticas democráticas de Clement Attlee no pós-guerra do que qualquer plataforma conservadora anterior.

Mas, independentemente de suas questões com seu partido, Macmillan era popular no país como um todo. Tendo herdado um déficit de treze pontos nas urnas em sua eleição para a liderança do partido, ele venceria a eleição de 1959 com uma margem de sete pontos.

Porém, seu famoso discurso ao partido fiel de Bedford foi particularmente oneroso para Macmillan, em parte porque aborda o fim do Império. O que é tão impressionante sobre ele é o calmo pragmatismo que caracterizou sua política. Ele prosperou por seu credo bem conhecido: "Se as pessoas querem um senso de propósito, devem obtê-lo de seu arcebispo. Certamente, não devem obtê-lo de seus políticos".

" Pouco mais de seis meses se passaram desde que uma doença grave forçou Sir Anthony Eden a deixar o cargo. Para todos nós – seus amigos e colegas – esse foi, com efeito, um golpe cruel. Pois ele era dotado de duas grandes qualidades sem as quais nenhum político, por mais capaz ou brilhante que seja, pode aspirar ao nome de estadista. Estas são coragem e integridade. Ele tinha ambas, em um grau supremo [...]

Coube a mim ser seu sucessor; e devo lhes dizer que me sinto encorajado e inspirado pela lealdade e camaradagem que me foram mostradas durante esses seis meses [...]

Este encontro, devo lembrá-los, foi planejado originalmente para celebrar o jubileu do membro sênior de Bedfordshire. Alan Lennox-Boyd[2] serviu seu eleitorado por um mandato ininterrupto de 25 anos. Felizmente, ele ainda é um homem muito jovem, e um homem de imenso vigor. Ocupa, hoje, um dos cargos mais árduos e também mais importantes do Gabinete. Ele não

---

2. Alan Lennox-Boyd, posteriormente 1º visconde Boyd de Merton (1904-1983), tornou-se membro do Parlamento pelo distrito de Mid Bedfordshire em 1931 e, depois, ministro de Transportes e Aviação (1952-1954) e secretário de Estado para as Colônias (1954-1959). (N.E.)

se poupou. Suponho que não contou a vocês – mas eu contarei – que desde que se tornou secretário de Estado para as Colônias, há apenas três anos, ele viajou 130 mil quilômetros – mais de três vezes a volta ao mundo. Conquistou a admiração e o respeito de todos os líderes políticos e, de fato, de todos os povos de nossas colônias. E fez algo mais: conquistou sua afeição. Pessoas de todas as raças, religiões e cores passaram a vê-lo como amigo.

Isso me leva a dizer algo sobre mudanças e avanços que aconteceram no Império durante os anos recentes. Eu sei que há algumas pessoas que estão preocupadas com o que está acontecendo.

Falam, inclusive, da desintegração do Império. O Império está mudando; mas não está se desintegrando.

Em toda parte, os territórios coloniais estão dando passos rumo ao autogoverno. Mas devemos nos orgulhar disso, pois fomos nós que lhes ensinamos, que os colocamos no caminho. Nosso objetivo sempre foi liderar os povos coloniais pelo caminho do autogoverno dentro da Commonwealth [...]

Hoje, não há uma colônia sequer que não esteja pensando em seu futuro destino. As pessoas estão procurando novas fés e crenças, tentando se ajustar ao impacto repentino de novos pensamentos, ideias e invenções. Mas não devemos nos assustar com o que está acontecendo. Pois, afinal, a culpa é nossa.

De todas as forças políticas, a nova ascensão do nacionalismo é a mais poderosa, rápida e elementar. Também pode ser obstinada. Pode ser liderada; mas não pode ser controlada. Se tentarmos conduzi-la para trás, a levaremos ao comunismo. Nossa tarefa é guiar essas forças com empatia e compreensão. Ninguém se dedicou mais a essa tarefa do que o secretário de Estado para as Colônias. Ele é apoiado pelas autoridades esplêndidas de nosso excelente serviço colonial.

Na longa história do passado, o mundo viu a ascensão e a queda de grandes impérios.

Tenhamos orgulho disto – o Reino Unido é a única potência que, por vontade própria, empreendeu a tarefa de dar total independência a todas as partes de seu império à medida que estas se tornam capazes de gerenciar seus próprios negócios.

Este não é um crepúsculo; é a chegada de um novo amanhecer [...]

Mas, apesar de tudo isso, o Reino Unido é acusado de 'imperialismo' e 'colonialismo'. De fato, esses ataques se tornaram tão frequentes que 'colonialismo' quase passou a ser a vinheta da Rádio de Moscou e da 'Voz dos Árabes' no Cairo.

Comparemos nosso próprio registro com o de nossos acusadores comunistas. Embora, somente na Europa, 100 milhões de pessoas tenham sido totalmente absorvidas pelo bloco comunista após a guerra, mais de cinco vezes esse número na Ásia e na África foram ajudadas por governos deste país a conquistar a independência política. Consideremos agora os últimos meses – quatro milhões de cidadãos em Gana foram incorporados em uma nova nação livre, enquanto, para dez milhões de húngaros, a liberdade foi esmagada pelo Exército Vermelho [...]

Os países da Commonwealth e do império colonial procuram por liderança em muitas áreas.

Em primeiro lugar, defesa. Aqui estou feliz de lhes dizer que o sr. Christopher Soames[3], membro do Parlamento por Bedford, está fazendo um excelente trabalho em seu novo cargo. E, a propósito, seu condado de Bedford é, de fato, um condado muito satisfatório em termos políticos: todos os quatro membros apoiam o governo. Três deles estão no governo – dois no Gabinete – e o quarto é um deputado enérgico e dedicado. Nada de covardes aqui, nem entre os milhares que os enviam para a Câmara dos Comuns.

Em defesa, eu prossegui com a política iniciada pelo sr. Attlee e continuada pelos sirs Winston Churchill e Anthony Eden, e agora colhendo seus frutos. Isso quer dizer que estamos fazendo do Reino Unido uma potência atômica e nuclear. Este não é o momento para eu falar detalhadamente sobre defesa. Como vocês sabem, estamos dedicados a remodelar nossos serviços de defesa. Será uma tarefa longa e difícil. E, lembrem-se, do nosso sucesso depende o fim do alistamento militar obrigatório e o regresso às forças regulares ou voluntárias [...]

Desde que me lembro, este país tem sido fonte tradicional de capital para a Commonwealth e o Império. Durante as eras vitoriana e eduardiana, este chegou a cifras gigantescas. De fato, é ao capital britânico que não só a Commonwealth e as colônias como também grande parte do mundo – incluindo os Estados Unidos – devem as fundações de sua prosperidade.

---

3. Christopher Soames, posteriormente barão Soames (1920-1987), foi membro do Parlamento por Bedford de 1950 a 1966 e, em janeiro de 1957, havia mudado de um cargo ministerial de menor importância no ministério de Aeronáutica para um cargo similar no Almirantado. (N.E.)

No ponto culminante dessa operação – isto é, nos anos imediatamente anteriores à Primeira Guerra –, acredita-se que o Reino Unido tenha exportado cerca de sete por cento de sua receita nacional.

Agora, após duas guerras mundiais – e muitas outras solicitações de recursos que são absolutamente essenciais se quisermos nos manter à frente na corrida e manter nosso poder de investimento –, não podemos esperar fazer tanto. Mas ainda estamos nos saindo muito bem [...]

Nosso problema, hoje, é como fazer todas as coisas que queremos fazer. Nós queremos investir na Commonwealth.

Queremos melhorar as condições dos milhões de pessoas na Ásia e na África cujo padrão de vida é baixo demais – e, incidentalmente, se melhorarmos suas condições, melhoraremos os mercados para nossos produtos. Queremos reequipar nossas fábricas e fazendas com as plantas e máquinas mais modernas. Queremos manter e, se possível, melhorar nossos serviços sociais. E devemos, é claro, exercer nosso devido papel em defesa.

Todas essas coisas juntas configuram uma tarefa pesada que conseguimos realizar nos últimos seis anos [...] Nossas perspectivas gerais são boas. As perspectivas do balanço de pagamentos são favoráveis – ao que parece, teremos um superávit realmente vantajoso este ano [...]

Esse aumento nas receitas vem da produção crescente da maioria de nossas indústrias principais – aço, carvão, veículos motorizados –, e grande parte do aumento em produção está indo para exportações ou investimentos. Isso tudo é vantajoso. De fato, sejamos francos: a maior parte do nosso povo nunca esteve tão bem.

Andem pelo país, visitem as cidades industriais, visitem as fazendas, e vocês verão um estado de prosperidade que nunca vimos em toda a minha vida – e, de fato nem em toda a história deste país. O que está começando a preocupar alguns de nós é: 'É bom demais para ser verdade?' – ou talvez eu deva dizer: 'É bom demais para durar?'. Pois, em meio a toda essa prosperidade, há um problema que tem nos perturbado, de um modo ou de outro, desde a guerra. É o problema do aumento de preços.

Hoje, nossa preocupação constante é: os preços podem continuar inalterados enquanto, ao mesmo tempo, mantemos o pleno emprego numa economia em expansão? Podemos controlar a inflação? Esse é o problema do presente.

É verdade que os preços subiram menos desde que nós assumimos. É verdade que os salários, e as remunerações em geral, se mantiveram competitivos nessa corrida. Considerando a nação como um todo, se comparadas às de seis anos atrás, as receitas pessoais são quarenta por cento mais altas, e embora os preços tenham subido, subiram apenas vinte por cento. Li no *Daily Mirror* esta semana uma afirmação que dizia que as pessoas estão preocupadas com 'salários muito baixos frente a contas muito altas'. Independentemente do que mais for verdade, isso não é verdade. Os salários subiram muito mais do que os preços. Mas não devemos, e não pretendemos, permitir que esses fatos nos ceguem para os perigos [...]

No ano passado, quando eu era ministro do Tesouro, descrevi nossa posição como brilhante porém precária. Sempre deve haver um risco, e certamente é uma lição na vida não tirar proveito excessivo de uma vantagem. Se fizermos isso, podemos perder o maior benefício econômico e social que obtivemos desde a guerra – a segurança.

O Partido Conservador não é o partido de nenhuma classe nem seção. Governamos em nome de toda a nação [...]

e não podemos nos esquecer de que algumas seções do povo não partilharam dessa prosperidade geral.[4] São aqueles que vivem de rendimentos fixos, incluindo os que se aposentaram. Não podemos, como um partido nacional, ver seus interesses sacrificados. O governo tem um claro dever nessa questão, e pretendemos cumpri-lo [...]

No longo prazo, há apenas uma resposta à pergunta de 64 mil dólares[5]: aumentar a produção. Essa é a resposta. É onde reside a verdadeira esperança. É por isso que o ministro do Tesouro, em abril, deu novos incentivos por meio de impostos mais baixos. Essa tem sido nossa política desde 1951 – em seis de cada sete orçamentos, a carga tributária foi reduzida. A nação, hoje, está pagando 800 milhões de libras a menos por ano em impostos do que estaria pagando se os índices socialistas de 1951 tivessem sido mantidos.

Mas vocês sabem que o governo não pode fazer tudo isso sozinho.

É claro que medidas governamentais são necessárias e estão sendo tomadas. Mas isso, por si só, não pode resolver o problema. Esta é uma operação combinada. Estamos todos nessa – o governo, as indústrias, a população.

---

4. O "One Nation Conservatism" ["conservadorismo unionista"] de Macmillan promoveu a conexão e a harmonia entre diferentes classes sociais – em particular, entre a aristocracia e a classe trabalhadora. (N.E.)

5. *A pergunta de 64 mil dólares* era um jogo de televisão norte-americano que foi veiculado de 1955 a 1958. O termo entrou no linguajar popular de ambos os lados do Atlântico. (N.E.)

O que precisamos é contenção e bom senso: contenção nas demandas que fazemos, e bom senso no que se refere a como gastamos nossa renda. Mas a única forma de contenção que pode funcionar em uma sociedade livre é a autocontenção [...]

Este, então, é meu tema, e esta é minha mensagem para vocês. Uma Commonwealth em expansão, mudando, mas assumindo uma nova forma, descartando velhos métodos, mas se abrindo para grandes novas possibilidades; o Reino Unido no centro disso, recebendo a confiança de todos e honrado como líder natural. Um desenvolvimento material da Commonwealth para o qual o Reino Unido, entre todos os países do mundo, está fazendo a maior contribuição em dinheiro, e para o qual pode fazer contribuições cada vez maiores em experiência e habilidade técnica.

Nosso próprio país animado, determinado a manter uma taxa elevada de investimento, uma taxa elevada de poupança, e também determinado a dominar o perigo da inflação por meio de atividade crescente.

Então, em meados deste ano de 1957, somos senhores de nosso próprio destino. Está em nossas próprias mãos; com sabedoria, bom senso, confiança e camaradagem, podemos alcançar nosso propósito. Eu não tenho dúvida alguma de qual será o resultado. **"**

21
Patrice Lumumba
Político congolês

Patrice Hemery Lumumba (1925-1961) ajudou a formar o Mouvement National Congolais (MNC) [Movimento Nacional Congolês] em 1958 para desafiar o governo belga e, quando o Congo passou a ser uma república independente, ele se tornou seu primeiro-ministro (1960). Empenhou-se em um Congo unificado e se opôs à secessão da província de Katanga, então governada por Moïse Tshombe. Menos de três meses depois de assumir o poder, ele foi preso por seu próprio exército, entregue aos katangueses, brutalizado e finalmente assassinado em janeiro de 1961. Seu nome, no entanto, permanece importante como a personificação do nacionalismo africano e como um oponente da balcanização manipulada por ex-colônias e seus aliados.

"Um governo honesto, leal, forte, popular"
23 de junho de 1960, Léopoldville (hoje Kinshasa), Congo

Estas palavras representam um breve despertar de otimismo na história tempestuosa da política congolesa. Lumumba fez este discurso emocionado à Câmara Congolesa uma semana antes de a independência ser declarada oficialmente. Foi precedido pelo pronunciamento do Gabinete, em que Lumumba ocupava os cargos de primeiro-ministro e ministro de Defesa Nacional.

Em seu discurso, Lumumba elogia o governo à Câmara e expressa seu desejo de estabelecer a lei e a ordem. Ele também tenta posicionar o país como verdadeiramente independente, não alinhado aos Estados Unidos nem à URSS, embora reconheça a necessidade de apoio belga.

❝ Sr. Presidente, caros colegas, senhoras e senhores, a crise que ameaçou pôr em risco o futuro de nossa jovem nação felizmente foi resolvida, graças à sabedoria congolesa que todos os representantes eleitos mostraram diante do perigo que nos confrontou. Vocês foram os primeiros a demonstrar a todos que é nosso dever trazer união e solidariedade [...]

Hoje, na vitória, no triunfo, ainda somos unidos e unânimes: nossa nação inteira se alegra com isso.

Senhores, o governo no qual vocês estão prestes a votar é um governo honesto, leal, forte, popular, que representa a nação inteira, tendo sido escolhido por vocês para servir aos interesses da nossa pátria. Todos os membros da minha equipe e eu pedimos formalmente que este governo continue sendo um governo do povo, pelo povo e para o povo.[1]

Fortalecido por esse apoio popular, o governo se esforçará para manter o território nacional e sua unidade intactos e para protegê-lo de ataques de qualquer parte.

A vastidão do território e sua grande diversidade, no entanto, fazem com que certos passos sejam necessários. O governo vê essa situação de maneira realista. Devemos ser capazes de modificar as divisões administrativas do antigo regime por meios legais, de modo que cada cidadão possa encontrar felicidade entre seus pares.

Este governo se empenhará em estabelecer a lei e a ordem no país inteiro, sem hesitar; mas, ao avançar com essa tarefa, sempre respeitará os direitos inalienáveis do homem e do cidadão como um bem sagrado.

Este governo considera que seu primeiro dever é o de liderar as massas populares rumo à justiça social, ao bem-estar e ao progresso, evitando cuidadosamente aventuras que possam levar a catástrofes das quais desejamos poupar nosso povo. Não queremos ter relação alguma com novas formas de ditadura.

Este governo se esforçará para manter relações amistosas com todos os países estrangeiros, mas não sucumbirá às tentações de se unir a um ou outro dos blocos que hoje dividem o mundo entre si, como poderia fazer facilmente; também não hesitará em abraçar uma causa nobre e justa no plano internacional e na África em particular.

Senhores, em nome do governo do Congo, em nome do povo congolês e também na certeza de que estou falando em nome de todos os membros deste parlamento, agora me dirijo aos nossos amigos belgas em particular e o que tenho a lhes dizer é o seguinte: nos últimos três quartos de século, vocês criaram uma obra gigantesca neste país. Esta, certamente, nem sem-

---

1. Lumumba cita essas palavras do discurso de Abraham Lincoln em Gettysburg, de 19 de novembro de 1863. (N.E.)

pre foi imune a críticas, mas, agora que as atrocidades perpetradas durante as eleições estão chegando ao fim, devemos reconhecer que constitui a base inabalável sobre a qual construiremos juntos nossa nação [...]

Precisaremos, mais do que nunca, da ajuda dos belgas e de todos os homens de boa vontade; faremos o máximo para garantir que a cooperação que começa amanhã seja em benefício de todos. Asseguraremos que as missões religiosas sejam capazes de continuar seu apostolado, graças à liberdade de opinião e à liberdade religiosa que nossa Constituição garantirá. Os membros da antiga administração colonial agora entregaram seus poderes de governo aos congoleses, mas seu conselho e sua experiência continuarão sendo as garantias mais seguras de um governo sólido.

Por fim, vocês entenderão por que desejo concluir minhas palavras expressando a emoção avassaladora que sinto. Os membros do primeiro governo do Congo estão diante de uma tarefa grave, e todos estão bem cientes de sua complexidade. Estamos cara a cara com um país imenso, com potencialidades extraordinárias. Temos ao nosso lado um povo jovem, resoluto e inteligente, capaz de estar à altura de outras nações.

Somos privilegiados por estar iniciando nossa vida nacional ao mesmo tempo que outros países da África.

Este continente enorme está despertando e ansiando por um futuro melhor.

O povo congolês cumprirá seu destino por meio da unidade e da solidariedade.

Senhores, se esse destino será ou não feliz e verdadeiramente digno do nosso povo depende de cada um de nós, do nosso trabalho todos os dias de nossas vidas. Estou orgulhoso de ver o Congo, nossa terra natal, ocupar seu lugar nos escalões de povos livres.

Peço a vocês, caros irmãos, neste dia solene em que o Congo está conquistando sua independência total, em que um governo democrático está assumindo o poder, em que a justiça está sendo estabelecida, em que cada um de nós, de agora em diante, goza de liberdade pessoal absoluta, em que o sol finalmente saiu neste país para dissipar a longa escuridão do regime colonial, que ergam sua voz comigo:

Viva a independência do Congo! Viva o Congo unido! Viva a liberdade! 🙲

"Estamos no fim de uma era, e não só aqui em Cuba. Por mais que se diga o contrário, e que alguns esperançosos o pensem, a forma de capitalismo que conhecemos, na qual fomos criados e sob a qual sofremos, está sendo derrotada no mundo inteiro."

– Che Guevara

22
Ernesto "Che" Guevara
Líder revolucionário argentino

Ernesto Guevara de la Serna, apelidado Che (1928-1967), graduou-se em medicina na Universidade de Buenos Aires (1953). Depois de viajar por toda a América do Sul, ele se uniu ao movimento revolucionário de Fidel Castro no México (1955) e exerceu um papel importante na Revolução Cubana (1956-1959). Obteve cidadania cubana em 1959 e ocupou vários cargos no governo de Castro. Um ativista da revolução em outros lugares, incluindo a África, ele saiu de Cuba em 1965 para se tornar um líder guerrilheiro na América do Sul, e foi capturado e executado por tropas do governo na Bolívia, enquanto tentava fomentar uma revolta. Tornou-se um ícone da juventude de esquerda nos anos 1960.

"Para ser revolucionário, primeiro é preciso ter uma revolução"
19 de agosto de 1960, Havana, Cuba

As políticas repressivas e as dificuldades econômicas que marcaram o longo regime de Castro em Cuba diminuíram seu status de herói do povo. O mesmo não aconteceu com Che Guevara, seu braço direito, cuja boa aparência e morte precoce (aos 39 anos) criaram uma imagem romântica e duradoura.

Mas Che – cujo apelido é uma expressão argentina – foi mais do que simplesmente um belo rosto em um pôster. Enquanto estudava medicina, ele adquiriu uma compreensão aguçada de política, economia e ideologia marxista; mais tarde, tornou-se um expert em estratégia de guerrilha. Foi descrito pelo filósofo e escritor francês Jean-Paul Sartre como "o ser humano mais completo de nosso tempo".

Durante a revolução liderada por Castro, Guevara passou dois anos vivendo nas montanhas de Sierra Maestra, em Cuba, e ajudou a liderar o exército camponês rumo à vitória, derrubando o regime despótico do general Fulgencio Batista. Depois que Castro se instalou como primeiro-ministro, Cuba passou por rápidas mudanças socioeconômicas, forjando uma aliança com a URSS em desafio às sanções norte-america-

nas. Guevara encabeçou reformas revolucionárias, muitas vezes liderando pelo exemplo, e conquistou enorme afeição do povo cubano.

Este discurso foi feito para profissionais de medicina na Confederação Nacional de Trabalhadores de Cuba. Nele, Guevara relembra suas origens profissionais, mas relaciona todo o trabalho a princípios igualitários.

Ele era um orador exaltado, que invariavelmente usava uniforme verde e boina preta – mesmo ao discursar na Organização das Nações Unidas em 1964 – e fumava charuto constantemente, apesar de sua asma aguda. Testemunhas descrevem o "carisma" e o "senso moral" de seus discursos. Embora sua relação com Castro tenha se desgastado, ele ainda é considerado um herói nacional em Cuba.

"Quase todo mundo sabe que iniciei minha carreira como médico, há alguns anos. E quando comecei a me preparar para ser médico, quando comecei a estudar medicina, a maioria dos conceitos que tenho hoje como revolucionário estavam ausentes no armazém de meus ideais [...]

Depois de formado [...] eu comecei a viajar pela América[1] e a conheci inteira [...]

Conheci de perto a pobreza, a fome, as doenças, a incapacidade de tratar um filho por falta de recursos, o embrutecimento provocado pela fome e pelo castigo contínuo [...] E comecei a ver que havia coisas que, naquele momento, me pareceram quase tão importantes quanto me tornar um pesquisador famoso ou fazer uma contribuição significativa para a ciência médica: eu queria ajudar essas pessoas. [...]

[...] Percebi uma coisa fundamental: para ser médico revolucionário, ou para ser revolucionário, primeiro é preciso ter uma revolução. De nada serve o esforço isolado, o esforço individual, a pureza de ideais, o afã de sacrificar toda uma vida ao mais nobre dos ideais, se esse esforço se faz sozinho, solitário, em algum lugar distante da América, lutando contra os governos adversos e as condições sociais que não permitem avançar.

Para fazer revolução, é necessário isto que há em Cuba: que todo um povo se mobilize [...],

---

1. Guevara se refere à América Latina, cuja grande parte ele explorou de motocicleta com seu amigo Alberto Granado (1922-2011). (N.E.)

que aprenda, com o uso das armas e o exercício da unidade combatente, o que vale uma arma e o que vale a unidade do povo.

E agora chegamos ao núcleo do problema que temos diante de nós neste momento. Hoje, finalmente se tem o direito e até mesmo o dever de ser, acima de todas as coisas, um médico revolucionário, isto é, um homem que utiliza os conhecimentos técnicos de sua profissão a serviço da revolução e do povo. E então ressurgem as perguntas anteriores: como fazer, efetivamente, um trabalho de bem-estar social, como fazer para unir o esforço individual com as necessidades da sociedade?

[...] Em Cuba, está sendo criado um novo tipo de homem[2], que não podemos apreciar exatamente na capital, mas que se vê em cada canto do país. Aqueles de vocês que foram a Sierra Maestra em 26 de julho[3] devem ter visto duas coisas absolutamente desconhecidas: um exército com enxadas e picaretas, um exército que tem por orgulho máximo desfilar nas festas patrióticas da província de Oriente[4] com enxadas e picaretas em riste, enquanto os companheiros milicianos desfilam com seus fuzis.

Mas devem ter visto também algo ainda mais importante: devem ter visto crianças cuja constituição física faria pensar que têm oito ou nove anos, mas que têm, quase todas elas, treze ou catorze anos [...]

Nesta Cuba minúscula, com seus quatro ou cinco canais de televisão e suas centenas de estações de rádio, com todos os avanços da ciência moderna, quando essas crianças chegaram na escola pela primeira vez, à noite, e viram as lâmpadas elétricas, exclamaram que as estrelas estavam muito baixas naquela noite. E essas crianças, que alguns de vocês devem ter visto, estão aprendendo nas escolas coletivas habilidades que vão das primeiras letras a um ofício, e até mesmo a difícil ciência de ser revolucionárias.

Esses são os novos tipos humanos que estão nascendo em Cuba. Estão nascendo num lugar isolado, em pontos distantes da Sierra Maestra, e também nas cooperativas e nos centros de trabalho.

---

2. Central à filosofia política de Guevara foi a criação do El Hombre Nuevo ("O Homem Novo"), um comunista cubano que seria motivado por um espírito de coletivismo e esperaria recompensas morais em vez de materiais. Ele se empenhou em exemplificar essa doutrina ascética com sua própria conduta. (N.E.)

3. A primeira tentativa de Castro de derrubar Batista foi em 26 de julho de 1953. Na mesma data em 1959, Castro regressou ao cargo como primeiro-ministro, após uma breve renúncia, efetivamente expulsando o presidente Manuel Urritia seis meses depois de sua nomeação. Hoje os cubanos celebram o dia 26 de julho como um feriado nacional. (N.E.)

4. Até 1976, uma província no leste de Cuba, onde está situada a Sierra Maestra. (N.E.)

E tudo isso tem muito que ver com o assunto de nossa conversa de hoje, com a integração do médico, ou de qualquer outro trabalhador da medicina, no movimento revolucionário [...] O princípio no qual deve se basear o combate às doenças é a criação de um corpo robusto; mas não a criação de um corpo robusto pelo trabalho artístico de um médico sobre um organismo débil, e sim a criação de um corpo robusto com o trabalho de toda a coletividade, com base em toda essa coletividade social.

Algum dia, portanto, a medicina terá de se converter numa ciência que sirva para prevenir doenças, que sirva para orientar o público com relação a seus deveres médicos, e que só deve intervir em casos de extrema urgência, para realizar uma cirurgia ou algo que escape às características dessa nova sociedade que estamos criando [...]

Para esta tarefa de organização, como para todas as tarefas revolucionárias, se necessita, fundamentalmente, do indivíduo [...]

Estamos no fim de uma era, e não só aqui em Cuba. Por mais que se diga o contrário, e que alguns esperançosos o pensem, a forma de capitalismo que conhecemos, na qual fomos criados e sob a qual sofremos, está sendo derrotada no mundo inteiro [...] E essa mudança social tão profunda demanda mudanças igualmente profundas na estrutura mental das pessoas [...]

Uma forma de chegar ao cerne da questão médica é não só conhecer, não só visitar as pessoas que formam as cooperativas e os centros de trabalho como também verificar quais são as doenças que têm, quais são suas moléstias, quais têm sido seus sofrimentos crônicos durante anos, e qual foi a herança de séculos de repressão e de submissão total. O médico, o trabalhador médico, deve ir ao cerne de seu novo trabalho, que é o homem dentro da massa, o homem dentro da coletividade.

Sempre, não importa o que aconteça no mundo, o médico, por estar tão próximo de seu paciente, por conhecer as profundezas de sua psique, por ser aquele que ataca a dor e a alivia, desempenha um trabalho de valor inestimável e de grande responsabilidade na sociedade.

Há alguns meses, aqui em Havana, aconteceu de um grupo de médicos recém-formados não querer ir para as áreas rurais do país e exigir remuneração antes de concordar em fazê-lo. Do ponto de vista do passado, que isso ocorra é a coisa mais lógica no mundo; ou, pelo menos, é o que me parece, pois posso entender perfeitamente. A situação me traz de volta a memória do que eu era e do que pensava há alguns anos [...] o gladiador que se rebela, o lutador solitário que quer garantir um futuro melhor, condições melhores, e fazer valer a necessidade que as pessoas têm dele.

Mas o que aconteceria se, em vez desses rapazes, cujas famílias em geral puderam pagar por seus anos de estudo, outros de meios menos afortunados tivessem acabado de se formar e estivessem começando o exercício de sua profissão? [...]

O que teria acontecido, simplesmente, é que esses camponeses teriam corrido, imediatamente e com todo o entusiasmo, para ajudar seus irmãos; teriam solicitado os cargos de mais responsabilidade e de mais trabalho, para demonstrar que os anos de estudo que receberam não foram em vão. O que teria acontecido é o que acontecerá daqui a seis ou sete anos, quando novos estudantes, filhos da classe operária e da classe camponesa, receberem seus diplomas profissionais de todo tipo [...]

Nenhum de nós, nenhum do primeiro grupo que chegou no *Granma*[5], que assentou na Sierra Maestra e aprendeu a respeitar o camponês e o operário convivendo com ele, tinha vindo da classe operária ou camponesa. Naturalmente, houve aqueles que precisaram trabalhar, que conheceram certas privações na infância; mas fome, isso que se chama fome de verdade, era algo que nenhum de nós havia conhecido, e começamos a conhecer, transitoriamente, durante os dois longos anos na Sierra Maestra. E então várias coisas ficaram muito claras [...]

Compreendemos perfeitamente que a vida de um único ser humano vale um milhão de vezes mais que todas as propriedades do homem mais rico da Terra.

E aprendemos isso; nós, que não éramos filhos da classe operária nem da classe camponesa. E agora vamos dizer aos quatro ventos, nós, que éramos os privilegiados, que o resto das pessoas em Cuba não pode aprender também?

Sim, elas podem aprender: a Revolução, hoje, exige que se aprenda, exige que se compreenda bem que muito mais importante que uma boa remuneração é o orgulho de servir ao próximo; que muito mais definitivo, muito mais perene do que todo o ouro que se possa acumular é a gratidão de um povo. E cada médico, no círculo de sua ação, pode e deve acumular esse tesouro valioso, a gratidão do povo [...]

Veremos que as doenças nem sempre precisam ser tratadas, como são, em hospitais de grandes cidades. Veremos que o médico precisa ser também

---

5. A pequena embarcação sobrecarregada na qual Castro, Guevara e outros oitenta partiram do México em 25 de novembro de 1956, para começar a revolução em Cuba. (N.E.)

agricultor e plantar novos alimentos, e semear, com seu exemplo, o desejo de consumir novos alimentos, para diversificar a estrutura nutricional cubana, que é tão limitada, tão pobre, em um dos países agricolamente, e potencialmente também, mais ricos da terra.

Veremos, então, que a primeira coisa que temos de fazer não é ir até o povo e lhe oferecer nossa sabedoria, e sim demonstrar que vamos aprender com o povo, que juntos vamos realizar essa grande e bela experiência comum: construir uma nova Cuba [...]

Eu dizia a vocês que, para ser revolucionário, primeiro é preciso ter uma revolução. Nós já temos. Depois, é preciso conhecer as pessoas com quem vamos trabalhar [...]

[...] Os novos exércitos que estão sendo formados para defender o país devem ser exércitos com uma técnica diferente, e o médico terá uma enorme importância dentro dessa técnica do novo exército. Ele deve continuar sendo médico, que é uma das tarefas mais bonitas que há e uma das mais importantes na guerra [...] Deve imediatamente resolver os problemas dos necessitados de Cuba nos momentos de perigo. Mas as milícias também oferecem uma oportunidade de conviver, irmanados e igualados por um uniforme, com os homens de todas as classes sociais de Cuba.

Se nós trabalhadores da medicina – e permitam-me usar novamente um título que há tempos havia esquecido – usarmos essa nova arma de solidariedade, se conhecermos as metas, conhecermos o inimigo e conhecermos o caminho que temos de tomar, só nos falta conhecer a parte do caminho a ser percorrida a cada dia. E essa parte ninguém pode nos ensinar; essa parte é o caminho próprio de cada indivíduo. Agora que temos todos os elementos para marchar rumo ao futuro, recordemos a frase de Martí[6]: 'A melhor maneira de dizer é fazer'.

***E marchemos, então, rumo ao futuro de Cuba.* 99**

---

6. O poeta e jornalista cubano José Martí (1853-1895) se tornou a figura central do movimento pela independência. Ele foi um dos líderes da Segunda Guerra de Independência contra a Espanha, mas foi morto durante sua primeira batalha. Ainda hoje é celebrado como um herói nacional cubano, de maneira quase tão onipresente quanto o próprio Che. (N.E.)

"Ich bin ein Berliner"
– John F. Kennedy

23
John F. Kennedy
Estadista norte-americano

John Fitzgerald Kennedy (1917-1963) foi eleito à Câmara dos Representantes dos Estados Unidos como um democrata de Massachusetts em 1946, obteve um assento no Senado em 1952 e, no ano seguinte, casou-se com Jacqueline Lee Bouvier (1929-1994). Conquistou o título presidencial em 1960, sendo o primeiro católico e, aos 43 anos, a pessoa mais jovem a ser eleita presidente. Implementou um programa legislativo, o "New Frontier" ["Nova Fronteira"], que visava a ampliar os direitos civis e criar fundos para a educação, assistência médica para os idosos e o programa espacial, embora grande parte disso tenha emperrado no Congresso. Enfrentou uma série de crises na política externa, incluindo a invasão malsucedida à Baía dos Porcos na Cuba de Fidel Castro (abril de 1961), a construção do Muro de Berlim (agosto de 1961) e a Crise dos Mísseis em Cuba (outubro de 1962). Em 22 de novembro de 1963, foi assassinado com um tiro de fuzil enquanto era conduzido por Dallas, no Texas, em um carro conversível. Embora as conquistas legislativas de sua breve administração tenham sido modestas, seu martírio permitiu que seu sucessor e vice-presidente, Lyndon B. Johnson, promovesse as reformas sociais da "Grande Sociedade" como seu legado.

"Ich bin ein Berliner"
26 de junho de 1963, Berlim Ocidental, Alemanha Ocidental

Kennedy partiu dos Estados Unidos em junho de 1963 para uma viagem diplomática por cinco nações na Europa Ocidental. A Alemanha Ocidental foi o primeiro desses países, e Berlim – situada na Alemanha Oriental, mas dividida nas metades oriental e ocidental pelo muro recém-construído – era seu destino mais esperado.

A Alemanha Oriental havia erguido o muro em agosto de 1961 para evitar que trabalhadores qualificados escapassem para a Alemanha Ocidental, mais próspera, e ameaçassem a viabilidade de sua economia. A estrutura de concreto, repleta de torres de vigilância, minas e armas posicionadas, tinha mais de 4,5 metros de altura em algumas partes e se estendia por cerca de 160 quilômetros pelo perímetro de Berlim Ocidental.

Uma multidão de 120 mil berlinenses animados se reuniu para ouvir Kennedy falar nos degraus da Schöneberger Rathaus, a prefeitura de Berlim Ocidental, perto do muro. Seu discurso, mais tarde, causou sorrisos irônicos, já que, em algumas partes da Alemanha (embora não em Berlim), ein Berliner é um bolinho similar a um sonho recheado. No entanto, diversão era a última coisa na cabeça do público: eles consideravam o discurso de Kennedy um importante incentivo moral e uma mensagem de desafio a seus vizinhos comunistas.

" Estou orgulhoso de vir a esta cidade como convidado de seu ilustre prefeito[1], que simbolizou em todo o mundo o espírito de combate da Berlim Ocidental. E estou orgulhoso de visitar a República Federal com seu ilustre chanceler[2], que por tantos anos comprometeu a Alemanha com a democracia e a liberdade e o progresso, e de vir aqui na companhia de meu compatriota, o general Clay[3], que esteve nesta cidade durante seus grandes momentos de crise e virá novamente sempre que necessário.

Há dois mil anos, a declaração mais orgulhosa era 'civis Romanus sum'.[4] Hoje, no mundo da liberdade, a declaração mais orgulhosa é 'Ich bin ein Berliner'. Agradeço a meu intérprete por traduzir meu alemão!

Há muitas pessoas no mundo que realmente não compreendem, ou dizem não compreender, qual é a grande questão entre o mundo livre e o mundo comunista. Que venham a Berlim. Há algumas que dizem que o comunismo é a onda do futuro. Que venham a Berlim. E há algumas que dizem, na Europa e em outros lugares, que podemos trabalhar com os comunistas. Que venham a Berlim. E há, ainda, algumas poucas que dizem que é verdade

---

1. O estadista alemão Willy Brandt (1913-1992) foi prefeito de Berlim de 1957 a 1966 e posteriormente chanceler da República Federal da Alemanha, de 1969 a 1974. (N.E.)
2. O estadista alemão Konrad Adenauer (1876-1967) foi chefe de governo da República Federal da Alemanha de 1949 a 1963. (N.E.)
3. O soldado norte-americano general Lucius D. Clay (1897-1978) foi diretor de assuntos civis na Alemanha após a Segunda Guerra Mundial. (N.E.)
4. Latim: "Eu sou um cidadão romano". (N.E.)

que o comunismo é um sistema maligno, mas que nos permite progredir economicamente.

Lass' sie nach Berlin kommen. Que venham a Berlim.

A liberdade tem muitas dificuldades e a democracia não é perfeita, mas nunca tivemos de levantar um muro para conter nosso povo, para impedi-lo de nos deixar. Quero dizer, em nome dos meus compatriotas, que vivem a muitos quilômetros do outro lado do Atlântico, que estão muito distantes de vocês, que eles têm o maior orgulho de ter podido compartilhar com vocês, mesmo à distância, a história dos últimos dezoito anos.

Eu não conheço nenhuma cidade que tenha sido cercada por dezoito anos e ainda viva com a vitalidade e a força, e a esperança e a determinação da cidade de Berlim Ocidental.

Embora o muro seja a demonstração mais óbvia e vívida dos fracassos do sistema comunista, para o mundo inteiro ver, nós não ficamos nem um pouco satisfeitos com isso, pois é, como disse o prefeito de vocês, uma ofensa não só contra a história, mas contra a humanidade, separando famílias, dividindo maridos e mulheres e irmãos e irmãs, e dividindo um povo que deseja estar unido.

O que é verdadeiro acerca desta cidade é verdadeiro acerca da Alemanha:

[...] a paz real e duradoura na Europa nunca poderá ser garantida enquanto para um em cada quatro alemães lhe for negado o direito elementar dos homens livres, o de fazer uma escolha livre.

Em dezoito anos de paz e boa-fé, esta geração de alemães conquistou o direito de ser livre, incluindo o direito de unir suas famílias e sua nação em uma paz duradoura, com boa vontade para com todos os povos. Vocês vivem numa ilha defendida de liberdade, mas sua vida é parte do todo.

Então eu peço a vocês, ao encerrar este discurso, que ergam os olhos para além dos perigos de hoje, em direção às esperanças de amanhã; para além da mera liberdade desta cidade de Berlim, ou de seu país, a Alemanha, em direção ao avanço da liberdade em toda parte; para além do muro, em direção ao dia de paz com justiça; para além de si e de nós, em direção a toda a humanidade.

A liberdade é indivisível, e, quando um homem é escravizado, todos não são livres. Quando todos forem livres, poderemos ansiar pelo dia em que esta cidade será una, e este país e este grande continente da Europa serão parte de um mundo de paz e esperança. Quando esse dia chegar, e chegará, o povo de Berlim Ocidental poderá ficar satisfeito com o fato de que esteve na linha de frente durante quase duas décadas.

> *Todos os homens livres, onde quer que vivam, são cidadãos de Berlim [...]*

e, portanto, como um homem livre, eu me orgulho de dizer: 'Ich bin ein Berliner'. **"**

"Eu tenho um sonho"
– Martin Luther King

24
Martin Luther King

Pastor protestante norte-americano e líder do movimento pelos direitos civis

Logo depois que Martin Luther King Jr. (1929-1968) se tornou pastor da Igreja Batista da Dexter Avenue em Montgomery, Alabama, Rosa Parks (1913-2005) foi presa por se recusar a ceder seu assento em um ônibus a um passageiro branco. Isso desencadeou o boicote aos ônibus de Montgomery (1955-1956), e King obteve proeminência nacional como seu líder corajoso e eloquente. Em 1957, ele fundou a Conferência da Liderança Cristã do Sul, que organizou atividades pelos direitos civis em todo o país. Um orador brilhante, King galvanizou o movimento e, em 1963, liderou a Marcha sobre Washington, onde fez o famoso discurso "Eu tenho um sonho". Inspirado no exemplo de Mahatma Gandhi, ele abraçou uma filosofia de não violência e resistência pacífica. Os esforços de King foram fundamentais para garantir a aprovação da Lei de Direitos Civis de 1964 e a Lei de Direito de Voto de 1965. Ele foi assassinado em Memphis, Tennessee, durante uma missão pelos direitos civis.

"Eu tenho um sonho"
28 de agosto de 1963, Washington, D.C., EUA

Um dos discursos mais famosos, comoventes e inspiradores do século XX, este discurso foi o ponto alto da Marcha sobre Washington por Trabalho e Liberdade. A ideia, concebida pelo líder negro Philip Randolph (1889-1979), foi resultado da cooperação entre a Associação Nacional para o Progresso das Pessoas de Cor, o Congresso de Igualdade Racial e a própria Conferência da Liderança Cristã do Sul, entre outras. Os organizadores esperavam que a marcha acelerasse a aprovação da Lei de Direitos Civis do presidente John F. Kennedy.

King fez este discurso – que foi transmitido na televisão e publicado nos jornais – da escadaria do Lincoln Memorial para cerca de 250 mil pessoas, um quinto das quais eram brancas. A primeira metade, na qual ele estivera trabalhando até as quatro horas da madrugada anterior, é salpicada de alusões bíblicas e políticas – à Proclamação de Emancipação de Lincoln e à Declaração de Independência, entre outros textos – para construir a defesa da liberdade e igualdade para os afro-americanos. A segunda parte, incrivelmente, foi improvisada: King tomou a brilhante decisão de que comunicar seu sonho de harmonia racial o conectaria com sua audiência no nível mais profundo.

“Estou feliz por me unir a vocês hoje nesta que entrará para a história como a maior demonstração a favor da liberdade na história do nosso país.

[*Gritos e aplausos.*]

Há cem anos, um grande americano, em cuja sombra simbólica nos encontramos hoje,[1] assinou a Proclamação de Emancipação. Esse decreto importante veio como um grande raio de luz de esperança para milhões de escravos negros que foram marcados a ferro nas chamas de uma injustiça fulminante. Veio como um feliz amanhecer para pôr fim à sua longa noite de cativeiro.

Mas, cem anos depois, o negro ainda não é livre.

Cem anos depois, a vida do negro ainda está tristemente tolhida pelas algemas da segregação e pelas correntes da discriminação. Cem anos depois, o negro ainda vive numa ilha solitária de pobreza em meio a um vasto oceano de prosperidade material.

[*Aplausos.*]

Cem anos depois, o negro ainda definha nas margens da sociedade americana e se percebe um exilado em sua própria terra. E por isso viemos aqui hoje, para dramatizar uma condição vergonhosa.

Em certo sentido, viemos à capital da nossa nação para descontar um cheque. Quando os arquitetos da nossa república escreveram as magníficas palavras da Constituição e da Declaração de Independência, eles estavam assinando uma nota promissória da qual todo americano seria herdeiro. Essa nota era uma promessa de que todos os homens – sim, negros e brancos – teriam garantidos os direitos inalienáveis à vida, à liberdade e à busca da felicidade.

É óbvio, hoje, que a América não pagou essa nota promissória no que concerne aos seus cidadãos de cor. Em vez de honrar essa obrigação sagrada,

---

1. King se refere a Abraham Lincoln. (N.E.)

a América deu ao povo negro um cheque que foi devolvido com a anotação 'fundos insuficientes'.

[Gritos e aplausos.]

Mas nós nos recusamos a acreditar que o banco da justiça está falido. Nós nos recusamos a acreditar que há fundos insuficientes nos grandes cofres de oportunidade desta nação. E por isso viemos descontar este cheque, um cheque que nos dará, quando o apresentarmos, as riquezas da liberdade e a segurança da justiça.

[Gritos e aplausos.]

Também viemos a este lugar sagrado para recordar à América a clara urgência do agora.

Este não é o momento de se dar ao luxo de manter a calma ou de tomar o remédio tranquilizante do gradualismo. *[Gritos e aplausos.]* Este é o momento de tornar reais as promessas de democracia. Este é o momento de sair do vale escuro e desolado da segregação para o caminho ensolarado da justiça racial. Este é o momento de tirar nossa nação das areias movediças de injustiça racial para a rocha sólida da fraternidade. Este é o momento de fazer da justiça uma realidade para todos os filhos de Deus.

Seria fatal para a nação negligenciar a urgência do momento. Este verão sufocante de legítimo descontentamento do negro não passará enquanto não chegar um outono revigorante de liberdade e igualdade. Mil novecentos e sessenta e três não é um fim, mas um começo. Aqueles que acreditavam que o negro precisava extravasar e agora ficará contente terão um rude despertar se o país voltar à normalidade.

[Gritos e aplausos.]

Não haverá descanso nem tranquilidade na América enquanto ao negro não forem concedidos seus direitos de cidadão. Os turbilhões da revolta continuarão a abalar os alicerces do nosso país até emergir o dia luminoso da justiça.

Mas isso é algo que devo dizer ao meu povo, que se encontra no caloroso limiar que leva ao palácio de justiça. No processo de obter o lugar que nos é de direito, não devemos ser culpados de atos errados. Não procuremos satisfazer nossa sede de liberdade bebendo da taça de ódio e amargura.

[Gritos e aplausos.]

Devemos sempre conduzir nossa luta no plano mais elevado da dignidade e da disciplina. Não devemos permitir que nosso protesto criativo se degenere em violência física.

Repetidas vezes, teremos de nos erguer às alturas majestosas de combater força física com força espiritual.

A nova militância maravilhosa que envolveu a comunidade negra não deve nos levar a desconfiar de todas as pessoas brancas, pois muitos dos nossos irmãos brancos, como demonstra a sua presença aqui hoje, estão conscientes de que seu destino está atado ao nosso destino. *[Gritos e aplausos.]* E estão conscientes de que sua liberdade está intrinsecamente ligada à nossa liberdade. Não podemos caminhar sozinhos.

E, à medida que caminhamos, devemos assumir o compromisso de sempre marchar para a frente. Não podemos recuar. Há quem pergunte aos defensores dos direitos civis: 'Quando vocês estarão satisfeitos?'. Jamais poderemos estar satisfeitos enquanto o negro for vítima dos horrores impronunciáveis da brutalidade policial. Jamais poderemos estar satisfeitos enquanto nosso corpo, exausto com a fadiga da viagem, não puder obter alojamento nas pousadas das beiras de estrada e nos hotéis das cidades.

[Gritos e aplausos.]

Não poderemos estar satisfeitos enquanto um negro no Mississippi não puder votar e um negro em Nova York acreditar que não tem nada pelo que votar. Não, não estamos satisfeitos e

[...] *não estaremos satisfeitos enquanto a justiça não correr como as águas, e a retidão, como uma corrente poderosa.*[2]

Estou ciente de que alguns de vocês vieram até aqui após muitas dificuldades e tribulações. Alguns de vocês acabaram de sair de celas pequenas de prisão. Alguns de vocês vieram de áreas onde sua busca por liberdade os deixou lastimados pelas tempestades da perseguição e abatidos pelos ventos da brutalidade policial. Vocês são veteranos do sofrimento criativo. Continuem a trabalhar com a fé de que o sofrimento injusto é redentor.

Voltem para o Mississippi, voltem para o Alabama, voltem para a Carolina do Sul, voltem para a Geórgia, voltem para a Louisiana, voltem para as favelas e os guetos das nossas cidades do Norte, sabendo que, de algum modo, esta situação pode e será mudada. Não chafurdemos no vale do desespero. Hoje, eu digo a vocês, meus amigos – *[gritos e aplausos]*, embora enfrentemos as dificuldades de hoje e de amanhã, eu ainda tenho um sonho. É um sonho profundamente enraizado no sonho americano.

---

2. Ver Amós 5:24. (N.E.)

Eu tenho um sonho de que um dia esta nação se erguerá e viverá o verdadeiro significado da sua crença: 'Consideramos estas verdades evidentes por si mesmas, que todos os homens são criados iguais'.

[Gritos e aplausos.]

Eu tenho um sonho de que um dia, nas colinas vermelhas da Geórgia, os filhos de ex-escravos e os filhos de ex-donos de escravos poderão se sentar juntos à mesa da fraternidade. Eu tenho um sonho de que um dia até mesmo o estado do Mississippi, um estado sufocado pelo calor da injustiça, sufocado pelo calor da opressão, será transformado em um oásis de liberdade e justiça. Eu tenho um sonho de que meus quatro filhos pequenos um dia viverão em um país onde não serão julgados pela cor de sua pele, e sim pelo conteúdo de seu caráter. Hoje, eu tenho um sonho.

[Gritos e aplausos.]

Eu tenho um sonho de que um dia, no Alabama, com seus racistas cruéis, com seu governador cuspindo palavras de interposição e anulação[3] – um dia, bem lá no Alabama, meninos negros e meninas negras poderão dar as mãos a meninos brancos e meninas brancas como irmãos e irmãs. Hoje, eu tenho um sonho.

[Gritos e aplausos.]

Eu tenho um sonho de que um dia todos os vales serão levantados, todos os montes e colinas serão aplanados; os terrenos acidentados se tornarão planos; as escarpas serão niveladas. A glória do Senhor será revelada e, juntos, todos a verão.[4]

Essa é a nossa esperança.

Essa é a fé com a qual voltarei para o Sul. Com essa fé, poderemos esculpir na montanha de desespero uma pedra de esperança. Com essa fé, poderemos transformar as discórdias dissonantes do nosso país em uma bela sinfonia de fraternidade. Com essa fé, poderemos trabalhar juntos, rezar juntos, lutar juntos, ser presos juntos, defender a liberdade juntos, sabendo que um dia seremos livres.

[Aplausos.]

Esse será o dia, esse será o dia em que todos os filhos de Deus poderão cantar com novo significado:

---

3. O político norte-americano John M. Patterson foi governador do Alabama de 1958 a 1963. Seu mandato foi marcado por oposição ao Movimento pelos Direitos Civis. (N.E.)

4. Ver Isaías 40:4-5. (N.E.)

'Meu país é teu,
Doce terra de liberdade,
De ti eu canto: Terra onde meus pais morreram,
Terra do orgulho dos peregrinos,
Que, de cada encosta, a liberdade ressoe!'[5]

 E, se a América quiser ser uma grande nação, isso precisa se tornar realidade. Então, deixemos que a liberdade ressoe dos cumes prodigiosos de New Hampshire. Que a liberdade ressoe das montanhas majestosas de Nova York. Que a liberdade ressoe dos elevados montes Alleghenies da Pensilvânia. Que a liberdade ressoe dos picos nevados das Rochosas do Colorado. Que a liberdade ressoe das encostas curvilíneas da Califórnia. Mas não só isso; que a liberdade ressoe da Stone Mountain da Geórgia. Que a liberdade ressoe da Lookout Mountain do Tennessee. Que a liberdade ressoe de cada montanha e colina do Mississippi.

Que, de cada encosta, a liberdade ressoe.

[Gritos e aplausos.]
 E quando isso acontecer, quando deixarmos que a liberdade ressoe, quando deixarmos que ressoe de cada vilarejo e de cada aldeia, de cada estado e de cada cidade, conseguiremos fazer chegar mais depressa o dia em que todos os filhos de Deus – negros e brancos, judeus e gentios, protestantes e católicos – poderão dar as mãos e cantar as palavras da antiga canção espiritual negra: 'Livres, finalmente! Livres, finalmente! Graças a Deus Todo-Poderoso, somos livres, finalmente'.
 [Gritos e aplausos estrondosos.] ""

---

5. O hino "America (My Country, 'Tis of Thee)", cantado na melodia de "God Save the Queen". (N.E.)

"As mãos do Tio Sam estão manchadas de sangue, manchadas com o sangue do homem negro neste país. Ele é o maior hipócrita da Terra."

– Malcolm X

25

Malcolm X

Líder norte-americano pelos direitos civis

Enquanto cumpria pena de prisão por roubo aos vinte e poucos anos, Malcolm X, originalmente Pequeno Malcolm, posteriormente el-Hajj Malik el-Shabazz (1925-1965), caiu sob a influência de Elijah Muhammad (1897-1975), líder do movimento Nação do Islã. Ele abraçou o islamismo, mudou de nome e, após ser libertado em 1952, tornou-se o principal discípulo de Muhammad; expandiu muitíssimo o grupo de seguidores da organização e se tornou o porta-voz mais eficaz do Black Power. Em 1964, tendo sido expulso da Nação do Islã, Malcolm fundou a Organização para a Unidade Afro-Americana, dedicada à aliança de negros americanos e outros povos não brancos. A postura extrema de Malcolm e a natureza inflamadora de sua oratória atraíram muitos negros dos guetos urbanos do Norte, mas foram rebatidas com críticas por parte de líderes moderados do movimento pelos direitos civis. Em fevereiro de 1965, Malcolm morreu depois de tomar quinze tiros no Audubon Ballroom no Harlem, na cidade de Nova York.

"O voto ou a bala"

3 de abril de 1964, Cleveland, Ohio, EUA

Este discurso poderoso é uma resposta aos acontecimentos devastadores de sua época – como Malcolm X afirma aqui, 1964 "ameaça ser o ano mais explosivo que a América já testemunhou". Na corrida para as eleições presidenciais em novembro, havia um desejo urgente entre os afro-americanos de que o presidente Lyndon B. Johnson garantisse a aprovação da legislação de direitos civis proposta pelo presidente John F. Kennedy antes de ser assassinado. Isso foi expresso, em parte, na recusa crescente de muitas pessoas negras em aceitar o programa de protesto não violento endossado por Martin Luther King.

Também em 1964 veio a própria ruptura de Malcolm com a Nação do Islã e uma mudança em sua postura, em reconhecimento de que a luta por igualdade estava passando da esfera política para a econômica.

> *Malcolm insta por reivindicações em vez de concessões; no lugar do sonho de King de uma harmonia multirracial, ele descreve um "pesadelo" de segregação e maus-tratos – ao qual a única resposta, segundo insiste, deve ser a unidade negra e a ação negra. Malcolm tomou emprestado o termo "o voto ou a bala" do líder abolicionista oitocentista Frederick Douglass, mas suas raízes estão no cerne da história norte-americana e da guerra anticolonial de libertação da Inglaterra.*

" Sr. moderador, irmão Lomax[1], irmãos e irmãs, amigos e inimigos – porque simplesmente não posso acreditar que todos aqui são amigos, e não quero deixar ninguém de fora. A questão hoje, como a entendo, é 'A revolta dos negros e para onde seguimos?' ou 'O que fazer?'. Em meu humilde entendimento, as alternativas são o voto ou a bala [...]

[...] Eu não estou aqui esta noite para discutir minha religião. Não estou aqui para tentar mudar sua religião. Não estou aqui para argumentar nem discutir nada sobre o que divergimos, porque é hora de superar nossas diferenças e perceber que é melhor para nós, em primeiro lugar, entender que temos o mesmo problema, um problema em comum, um problema que fará da sua vida um inferno, independente de você ser batista, ou metodista, ou muçulmano, ou nacionalista. Independente de você ser educado ou iletrado, independente de morar na avenida ou no beco, sua vida será um inferno, assim como a minha. Estamos todos no mesmo barco e seremos todos submetidos ao mesmo inferno, pelo mesmo homem. Por acaso ele é um homem branco [...]

Todos nós sofremos aqui, neste país, opressão política nas mãos do homem branco. [...]

Agora, ao falar dessa forma, isso não significa que somos contra os brancos, e sim que somos contra a exploração, somos contra a degradação, somos contra a opressão. E se o homem branco não quiser que sejamos contra ele, que pare de nos oprimir e nos explorar e nos degradar [...]

Se temos diferenças, deixemos nossas diferenças em casa. Ao sairmos às ruas, que não tenhamos nada sobre o que discutir até que tenhamos aca-

---

1. O acadêmico e escritor norte-americano Louis Lomax (1922-1970). (N.E.)

bado de discutir com o homem. Se o falecido presidente Kennedy pôde se reunir com Khrushchev e comercializar um pouco de trigo[2], nós certamente temos mais em comum uns com os outros do que Kennedy e Khrushchev tinham um com o outro.

Se não fizermos alguma coisa depressa, penso que vocês terão de concordar que seremos forçados a usar o voto ou a bala. É um ou outro em 1964. Não é que o tempo esteja se esgotando – o tempo já se esgotou!

Mil novecentos e sessenta e quatro ameaça ser o ano mais explosivo que a América já testemunhou.

O ano mais explosivo. Por quê? É um ano político. É o ano em que todos os políticos brancos estarão de volta na chamada comunidade negra, seduzindo a vocês e a mim por alguns votos. O ano em que todos os malandros políticos brancos estarão de volta na sua comunidade e na minha com suas promessas falsas, alimentando nossas esperanças para depois defraudá-las, com seus truques e suas traições, com as falsas promessas que não pretendem cumprir. Enquanto nutrem essas insatisfações, isso só pode levar a uma coisa: uma explosão. E agora temos em cena, na América de hoje, o tipo de homem negro – sinto muito, irmão Lomax – que simplesmente não tem intenção alguma de continuar oferecendo a outra face [...]

Eu não sou político, nem mesmo estudante de política; de fato, não sou estudante de praticamente nada. Não sou democrata. Não sou republicano, e nem sequer me considero americano. Se vocês e eu fôssemos americanos, não haveria problema. Esses branquelos[3] que acabaram de chegar, eles já são americanos; os polacos[4] já são americanos; os refugiados italianos já são americanos. Tudo que veio da Europa, tudo que tenha olhos azuis, já é americano. E, embora vocês e eu já estivéssemos aqui, nós ainda não somos americanos.

Bem, eu não sou do tipo que gosta de se iludir. Eu não vou me sentar à sua mesa e ver você comer, com meu prato vazio, e dizer que sou um comensal. Sentar-se à mesa não faz de você um comensal, a não ser que você coma algo do que está no prato. Estar aqui na América não faz de você americano. Nascer aqui na América não faz de você americano. Porque, se o nascimento fizesse de você americano, você não precisaria de legislação; você não precisaria de emendas na Constituição; você não estaria enfrentando os obstrucio-

---

2. Em junho de 1963, Kennedy combinou de vender 250 milhões de dólares em trigo excedente à União Soviética para aliviar uma escassez do alimento. (N.E.)
3. No original, *honkies*: um termo pejorativo para pessoas brancas. (N.E.)
4. Um termo pejorativo para imigrantes poloneses. (N.E.)

nistas dos direitos civis agora mesmo em Washington, D.C. Eles não têm de aprovar leis de direitos civis para tornar um polaco americano.

Não, eu não sou americano. Eu sou um dos 22 milhões de negros que são vítimas do americanismo.

Um dos 22 milhões de negros que são vítimas da democracia, que não passa de hipocrisia disfarçada [...]

Esses 22 milhões de vítimas estão despertando. Estão abrindo os olhos. Estão começando a ver o que só costumavam olhar. Estão se tornando politicamente maduros [...]

[...] Quando Kennedy e Nixon concorreram à presidência, a disputa foi tão acirrada que tiveram de recontar os votos.[5] Bem, o que isso significa? Significa que quando os brancos estão divididos de maneira equânime, e os negros formam um bloco próprio de votos, cabe a eles determinar quem vai assumir a Casa Branca e quem vai ficar na casinha do cachorro.

Foi o voto do negro que colocou a administração atual em Washington, D.C. O seu voto, o seu voto estúpido, o seu voto ignorante, o seu voto desperdiçado, colocou em Washington uma administração que resolveu aprovar todo tipo de legislação imaginável, deixando vocês por último e, como se isso não bastasse, criando empecilhos à aprovação da lei de direitos civis.

E os seus líderes e os meus têm a audácia de andar por aí aplaudindo e falando do progresso que estamos fazendo. E do bom presidente que temos. Se ele não foi bom no Texas, certamente não pode ser bom em Washington, D.C. [...][6]

E esses líderes negros têm a audácia de ir tomar café na Casa Branca com um texano, um branquelo[7] sulista – isso é tudo que ele é – e então vir dizer a vocês e a mim que ele vai ser melhor para nós porque, como é do Sul, sabe como lidar com os sulistas. Que tipo de lógica é essa? Então que

---

5. Na eleição presidencial de 1960, Nixon ganhou de Kennedy por uma pequena margem no voto popular, mas, sob o sistema de colégio eleitoral, Kennedy foi eleito com uma clara vantagem. A recontagem foi realizada em onze estados. (N.E.)

6. Após o assassinato de Kennedy, ele foi sucedido pelo vice-presidente Lyndon B. Johnson, um texano, que de fato introduziu reformas para combater a pobreza. Ele também contratou a primeira secretária afro-americana da Casa Branca, Gerri Whittington (1931-1993), que, consequentemente, tornou-se uma celebridade. (N.E.)

7. No original, *cracker*: termo pejorativo para se referir a pessoas brancas das zonas rurais do sul dos Estados Unidos. (N.T.)

Eastland[8] seja presidente, ele também é do Sul. Deve ser mais capaz de lidar com eles do que Johnson.

Na administração atual, eles têm, na Câmara dos Representantes, 257 democratas e apenas 177 republicanos. Controlam dois terços dos votos da Câmara. Por que não podem aprovar algo que ajudará a vocês e a mim? No Senado, há 67 senadores que são do Partido Democrata. Apenas 33 deles são republicanos. Ora, os democratas têm esse governo na mão, e foram vocês que o puseram na mão deles.

E o que eles lhes deram em troca? Quatro anos de mandato, e só agora estão se dedicando a alguma legislação de direitos civis [...] Eles conseguem o voto de todos os negros e, depois disso, os negros não recebem nada em troca. Tudo que eles fizeram ao chegar a Washington foi dar empregos importantes para alguns poucos negros importantes. Esses negros importantes não precisavam de empregos importantes; eles já tinham emprego. Isso é camuflagem, é trapaça, é traição, é fachada [...]

É por isso que, em 1964, é hora de vocês e eu amadurecermos politicamente e percebermos para que serve o voto; o que esperamos obter quando votamos; e que, se não votarmos, acabará numa situação em que teremos de recorrer à bala. É o voto ou a bala [...]

Vocês não precisam enfrentar unicamente o empregador, é o próprio governo, o governo da América, que é responsável pela opressão e exploração e degradação do povo negro neste país. E vocês devem jogar isso no colo deles. Este governo falhou com os negros. Esta chamada democracia falhou com os negros. E todos esses liberais brancos definitivamente falharam com os negros [...]

Considerem as pessoas que estão nesta plateia agora mesmo. Elas são pobres. Somos todos pobres como indivíduos. Individualmente, nosso salário semanal não dá para quase nada. Mas se considerarmos o salário de todos aqui coletivamente, encherá uma porção de cestas. É muita riqueza. Se puderem recolher os salários apenas das pessoas aqui presentes durante um ano, vocês serão ricos – mais do que ricos. Sob essa ótica, pensem em quão rico se tornou o Tio Sam não com este punhado, mas com milhões de pessoas negras. Sua mãe e seu pai, e minha mãe e meu pai, que não trabalhavam uma jornada de oito horas, e sim de sol a sol, e trabalhavam por nada, tornando rico o homem branco, tornando rico o Tio Sam. Este é o nosso investimento. Esta é a nossa contribuição: o nosso sangue.

---

8. O político norte-americano James O. Eastland (1904-1986) foi um senador democrata do Mississippi, em 1941 e de 1943 a 1978. Ele foi notório por suas visões abertamente racistas e antissemitas e sua oposição ao Movimento pelos Direitos Civis. (N.E.)

Nós demos não só nossa mão de obra gratuita como também nosso sangue. Cada vez que ele convocava às armas, éramos os primeiros a vestir uniforme. Morremos em cada campo de batalha em que o homem branco esteve. Fizemos um sacrifício maior do que qualquer pessoa na América de hoje. Fizemos uma contribuição maior, e recebemos menos [...]

Posso fazer uma pausa aqui para sinalizar uma coisa. Sempre que vocês forem atrás de algo que lhes pertence, quem quer que os esteja privando do direito de obtê-lo é um criminoso. Entendam isso. Sempre que forem atrás de algo que é seu, estão reivindicando um direito legítimo. E quem quer que se empenhe em privá-los desse direito está infringindo a lei, é um criminoso. E isso foi determinado pela decisão da Suprema Corte. A Suprema Corte proibiu a segregação.

O que significa que a segregação é contra a lei.

O que significa que um segregacionista está infringindo a lei. Um segregacionista é um criminoso. Não se pode rotulá-lo de outra maneira. E, quando vocês protestam contra a segregação, a lei está do seu lado. A Suprema Corte está do seu lado.

Agora, quem é que se opõe a que vocês façam valer a lei? O próprio departamento de polícia. Com cassetetes e cães policiais. Sempre que vocês protestam contra a segregação, quer se trate da educação segregada, da moradia segregada ou de qualquer outra coisa, a lei está do seu lado, e qualquer um que se puser no seu caminho já não é a lei. Eles estão infringindo a lei; não são representantes da lei.

Cada vez que vocês protestam contra a segregação e um homem tem a audácia de soltar um cão policial em cima de vocês, matem o cachorro, matem-no, estou lhes dizendo, matem o cachorro. Eu digo, ainda que me ponham na cadeia amanhã, matem o cachorro. Assim vocês colocarão um fim nisso. Agora, se esses brancos aqui não quiserem ver esse tipo de ação, saiam e digam ao prefeito para ordenar que o departamento de polícia prenda seus cachorros. Isso é tudo que vocês têm de fazer. Se não fizerem isso, alguém o fará.

Se vocês não adotarem esse tipo de postura, seus filhos crescerão e olharão para vocês e pensarão: 'Que vergonha'. Se não adotarem uma postura firme – eu não digo sair e ser violentos; mas ao mesmo tempo vocês jamais devem ser não violentos, a não ser que se deparem com não violência. Eu sou não violento com aqueles que são não violentos comigo. Mas, quando vocês despejam essa violência em cima de mim, então eu fico louco e já não sou responsável pelos meus atos. E é assim que todo negro deve ficar.

Sempre que souberem que estão dentro da lei, dentro de seus direitos, dentro de seus direitos morais, de acordo com a justiça, morram por aquilo em que acreditam. Mas não morram sozinhos. Que sua morte seja recíproca.

Isto é o que igualdade significa. O que é bom para um é bom para o outro [...]

As mãos do Tio Sam estão manchadas de sangue, manchadas com o sangue do homem negro neste país.

Ele é o maior hipócrita da Terra. Ele tem a audácia – sim, ele tem – imagine-o posando como líder do mundo livre. Do mundo livre! E vocês aqui cantando 'We Shall Overcome'. Expandam a luta pelos direitos civis para o nível dos direitos humanos. Levem-na às Nações Unidas, onde nossos irmãos africanos podem jogar seu peso do nosso lado, onde nossos irmãos asiáticos podem jogar seu peso do nosso lado, onde nossos irmãos latino-americanos podem jogar seu peso do nosso lado, e onde 800 milhões de chineses estão lá sentados esperando para jogar seu peso do nosso lado.

Que o mundo saiba o quanto as mãos dele estão manchadas de sangue. Que o mundo saiba da hipocrisia que ele praticou aqui. Que seja o voto ou a bala. Que ele saiba que deve ser o voto ou a bala. **"**

"Talvez este seja o fato menos compreendido da história política americana: a enorme violência velada contra as mulheres neste país atualmente."

– Betty Friedan

26
Betty Friedan
Escritora feminista norte-americana

Elizabeth Naomi Friedan, nascida Goldstein (1921-2006), foi a fundadora e primeira presidente da Associação Nacional para as Mulheres (1966) e liderou a Greve Nacional das Mulheres por Igualdade (1970). Seu livro *A mística feminina* (1963), um best-seller, analisou o papel das mulheres na sociedade norte-americana e articulou suas frustrações.

"A hostilidade entre os sexos nunca foi pior"
Janeiro de 1969, Chicago, Illinois, EUA

O fermento sociopolítico que se disseminou pelos Estados Unidos durante os anos 1960 viu uma explosão de atividade feminista. Em A mística feminina, Friedan descrevera "o problema que não tem nome", o descontentamento de um grupo articulado de mulheres educadas em universidades sublimando sua própria vida intelectual, econômica e emocional para viver indiretamente através do marido e dos filhos.

Essa também foi uma época de conservadorismo pós-guerra, quando o aborto era ilegal e métodos contraceptivos confiáveis não estavam prontamente disponíveis, nem mesmo para mulheres casadas. Na primeira conferência nacional sobre as leis de aborto, que assentou as bases para a Associação Nacional para a Revogação das Leis de Aborto, Friedan deu este discurso, que intitulou "Direito civil de uma mulher".

Seu discurso é enérgico, mas não intimidador, defendendo a hipótese de que uma revolução sexual, levando à igualdade absoluta entre homens e mulheres, só seria possível se as mulheres fossem capazes de controlar sua própria vida reprodutiva. Intrínseco a isso era o "direito de escolha da mulher" – um termo que possivelmente ela cunhou.

Friedan posteriormente tentou fazer com que o direito das mulheres de controlar sua própria fertilidade fosse garantido na Constituição. Proposta em 1971, a Emenda por Direitos Iguais teria colocado um fim à discriminação baseada no gênero. Foi aprovada por ambas as câmaras do Congresso, mas não conseguiu ser ratificada por três quartos dos estados, sendo, portanto, derrotada por uma pequena margem.

❝ Esta é a primeira conferência decente que já foi feita sobre aborto, porque é a primeira conferência em que a voz das mulheres está sendo ouvida e decididamente ouvida [...]

Somente uma voz precisa ser ouvida sobre a questão de se uma mulher parirá um filho ou não, e esta é a voz da própria mulher [...],

de sua própria consciência, de sua escolha consciente. Então, e somente então, as mulheres superarão sua definição de objetos sexuais para conquistar a pessoalidade e a autodeterminação [...]

Ontem, algo obsceno aconteceu na cidade de Nova York. Um Comitê da Legislatura Estadual organizou audiências sobre a questão do aborto. Mulheres como eu pediram para testemunhar. Disseram-nos que o testemunho era apenas mediante convite. Uma única uma mulher foi convidada para testemunhar sobre a questão do aborto no Estado de Nova York: uma freira católica.

Todas as outras vozes eram de homens. É obsceno que os homens, quer sejam legisladores ou padres ou mesmo reformadores benevolentes a favor do aborto, sejam os únicos ouvidos sobre a questão do processo reprodutivo e do corpo das mulheres, sobre o que acontece com as pessoas que de fato dão à luz os filhos nesta sociedade.

O direito da mulher de controlar seu processo reprodutivo deve ser estabelecido como um direito civil básico, inalienável, a não ser negado nem restringido pelo Estado – assim como o direito da consciência individual e religiosa é considerado um direito particular inalienável tanto na tradição americana como na constituição americana.

É assim que devemos abordar todas as questões que regem o aborto, o acesso ao controle de natalidade e os métodos contraceptivos. Não venham me falar de reforma do aborto. Reforma do aborto é algo sonhado por homens, talvez homens de bom coração, mas eles só podem pensar de seu ponto de vista masculino [...] Que direito eles têm de dizer? Que direito um homem tem de dizer a uma mulher: 'Você precisa ter este filho'? Que direito um Estado tem de dizer? Este é um direito da mulher, não uma questão técnica necessitando da sanção do Estado, ou a ser debatida em termos de tecnicidades – elas são todas irrelevantes.

Esta questão só pode ser confrontada em termos da dignidade e pessoalidade básica da mulher, que é definitivamente violada se ela não tiver o direito de controlar seu próprio processo reprodutivo.

É um tanto notável o que aconteceu no pouco mais de um ano durante o qual algumas de nós começamos a falar sobre aborto nestes termos [...] O Estado de Nova York estava tendo uma convenção constitucional, e Larry Lader[1] me convidou para o encontro de todos os diferentes grupos [...] que estavam trabalhando na reforma da lei de aborto.

Eu disse, nós vamos à convenção institucional do Estado de Nova York demandando uma Declaração de Direitos para as mulheres, e vamos demandar que esteja escrito na Constituição que o direito de uma mulher controlar seu processo reprodutivo deve ser estabelecido como um direito civil, um direito a não ser negado nem restringido pelo Estado. A maioria das pessoas à mesa, pessoas trabalhando na reforma da lei de aborto, eram homens. Eles olharam para mim absolutamente horrorizados, como se eu estivesse louca [...]

Se eu me intimidasse facilmente, eu teria me retirado discretamente. Mas eu disse, bem, vocês talvez estejam certos, mas, no que diz respeito a nós, essa é a única maneira pela qual vale a pena falar sobre aborto; vamos demandar isso e ver o que acontece. Quando saí, algumas mulheres que estavam sentadas à mesa em silêncio vieram até mim e disseram: 'Nós gostaríamos de ajudar'. Então, para minha surpresa, comecei a ouvir pastores e membros da ADA[2] e da ACLU[3] e outros começarem a expressar a mesma posição, em termos de direito básico da mulher [...]

As mulheres, embora sejam quase visíveis demais como objetos sexuais neste país, são pessoas invisíveis.

---

1. O candidato norte americano Lawrence "Larry" Lader (1920-2006) escreveu o livro *Aborto* (1966) e foi um dos fundadores da Associação Nacional para a Revogação das Leis de Aborto, em 1969. (N.E.)
2. Americans for Democratic Action [Americanos pela Ação Democrática], fundada em 1947 para promover uma agenda política liberal. (N.E.)
3. American Civil Liberties Union [União Americana pelas Liberdades Civis], fundada em 1920 para defender os direitos civis. (N.E.)

Assim como o negro era o homem invisível, as mulheres são as pessoas invisíveis que têm uma participação nas decisões importantes do governo, da política, da igreja – que não só cozinham o jantar da igreja, mas pregam o sermão; que não só procuram os códigos postais[4] e endereçam os envelopes, mas tomam decisões políticas; que não só fazem o dever de casa da indústria, mas tomam algumas das decisões executivas. Mulheres, acima de tudo, que afirmam o que será de sua própria vida e personalidade, e já não escutam nem sequer permitem que especialistas masculinos definam o que é ou não é 'feminino'.

A essência da difamação das mulheres é nossa definição como objetos sexuais [...] Estou dizendo que as mulheres devem ser libertadas do sexo? Não. O que estou dizendo é que o sexo só será libertado para ser um diálogo humano, que o sexo só cessará de ser uma piada suja e grosseira e uma obsessão nesta sociedade, quando as mulheres se tornarem pessoas ativas e autodeterminadas, libertadas para uma criatividade que vá além da maternidade, para uma criatividade humana plena.

Estou dizendo que as mulheres devem ser libertadas da maternidade? Não. O que estou dizendo é que a maternidade só será um ato humano feliz e responsável quando as mulheres forem livres para, com plena escolha consciente e plena responsabilidade humana, tomar as decisões de se tornar mães. Então, e somente então, elas serão capazes de abraçar a maternidade sem conflito, quando forem capazes de se definir não apenas como mães de alguém, não apenas como servas de seus filhos, não apenas como receptáculos de procriação, mas como pessoas para quem a maternidade é uma parte da vida escolhida livremente [...] Então, e somente então, a maternidade cessará de ser uma maldição e uma corrente para os homens e para os filhos.

A hostilidade entre os sexos nunca foi pior. A imagem das mulheres em obras teatrais, filmes e romances vanguardistas, e por trás das comédias familiares na televisão, é que as mães são monstros canibalescos devoradores de homens, ou então Lolitas[5], objetos sexuais – e objetos nem mesmo de impulso heterossexual, mas de sadomasoquismo. Esse impulso – a punição das mulheres – é um fator muito mais importante na questão do aborto do que se admite.

---

4. O Plano de Melhora de Zoneamento implementou códigos postais em todo o território dos Estados Unidos em 1963 para melhorar a eficiência do serviço postal. (N.E.)

5. A Lolita original aparece num romance de mesmo nome (1955) do romancista russo Vladimir Nabokov (1899-1977). Uma garota de doze anos que foge com o padrasto de meia-idade, a personagem se torna um sinônimo de fantasias masculinas sobre a disponibilidade sexual de garotas pubescentes. (N.E.)

A maternidade é uma desgraça quase por definição, ou pelo menos em parte, uma vez que as mulheres são forçadas a ser mães – e apenas mães – contra sua vontade.

Como uma célula cancerígena vivendo por meio de outra célula, as mulheres hoje são forçadas a viver demais por meio de seus filhos e maridos [...]

Talvez este seja o fato menos compreendido da história política americana: a enorme violência velada contra as mulheres neste país atualmente. Como todas as pessoas oprimidas, as mulheres vêm descontando essa violência em seu próprio corpo, em todas as mazelas com as quais importunam os médicos e os psicanalistas. Inadvertidamente, e de maneiras sutis e insidiosas, elas vêm descontando essa violência, também, em seus filhos e maridos, e às vezes eles não são tão sutis [...]

Estou dizendo que as mulheres têm de ser libertadas dos homens? Que os homens são o inimigo? Não. O que estou dizendo é que

[...] os homens só serão verdadeiramente libertados para amar as mulheres e para ser plenamente eles próprios quando as mulheres forem libertadas para ter participação plena nas decisões de sua vida e da sociedade.

Enquanto isso não acontecer, os homens carregarão o fardo culposo do destino passivo que forçaram sobre as mulheres, do ressentimento suprimido, da esterilidade do amor quando este não é entre duas pessoas felizes e plenamente ativas, mas tem em si o elemento de exploração [...]

Os homens têm, dentro de si, enormes capacidades que têm de reprimir e temer a fim de corresponder à imagem de masculinidade obsoleta, brutal, do Ernest Hemingway[6] caçador de ursos, do soldado prussiano, do napalm sobre todas as crianças no Vietnã, do bangue-bangue. Os homens não têm o direito de admitir que às vezes têm medo. Não têm o direito de expressar sua própria sensibilidade, sua própria necessidade de ser passivos às vezes, e não sempre ativos. Os homens não têm o direito de chorar. Então eles são apenas semi-humanos, assim como as mulheres são apenas semi-humanas, até que possamos dar este próximo passo. Todos os fardos e responsabilidades que se espera que os homens carreguem sozinhos fazem com que eles, penso eu, se

---

6. O romancista norte-americano Ernest Hemingway (1899-1961) era famoso por seu machismo e entusiasmo por caça. (N.E.)

ressintam do pedestal das mulheres, embora esse pedestal possa ser um fardo para as mulheres.

Esta é a verdadeira revolução sexual. Não as manchetes baratas nos jornais sobre em que idade meninos e meninas vão para a cama juntos e se eles fazem isso com ou sem o benefício do casamento. Isso é o de menos. A verdadeira revolução sexual é que as mulheres emerjam da passividade, do ponto onde são as vítimas mais fáceis para todas as seduções, o desperdício, a devoção a falsos deuses em nossa sociedade afluente, para a autodeterminação plena e a dignidade plena. E que os homens emerjam do estágio em que são senhores brutos inadvertidos para a humanidade sensível e completa [...]

Se finalmente pudermos ser pessoas completas, não só as crianças nascerão e serão criadas com mais amor e responsabilidade do que hoje, como nós nos libertaremos dos confins daquela pequena família suburbana estéril para nos relacionarmos uns com os outros em termos de todas as dimensões possíveis de nossa personalidade – masculino e feminino, como camaradas, como colegas, como amigos, como amantes [...]

É crucial, portanto, que vejamos esta questão do aborto como mais do que um avanço quantitativo, mais do que um avanço politicamente útil.

A revogação das leis de aborto não é uma questão de utilidade política. É parte de algo maior. É histórico que estejamos nos dirigindo, este fim de semana, àquele que é, talvez, o primeiro confronto nacional de homens e mulheres [...]

Neste confronto, estamos criando um marco importante nesta maravilhosa revolução que começou muito antes de qualquer um de nós aqui ter nascido e que ainda tem um longo caminho pela frente. Assim como as pioneiras, de Mary Wollstonecraft[7] a Margaret Sanger[8], nos deram a consciência que nos trouxe de várias direções até aqui, também nós aqui presentes – ao mudarmos os próprios termos do debate sobre o aborto para afirmarmos o direito da mulher de escolher e definir os termos de nossa própria vida – fazemos as mulheres avançarem ainda mais rumo à plena dignidade humana. Hoje, nós fizemos história [...] **””**

---

7. A escritora inglesa Mary Wollstonecraft (1759-1797) foi uma pioneira na luta pelos direitos das mulheres, e sua obra, que inclui *Thoughts on the Education of Daughters* [Pensamentos sobre a educação de filhas] (1787) e *A Vindication of the Rights of Woman* [Reivindicação dos direitos da mulher] (1792), é hoje considerada precursora do feminismo. (N.E.)

8. A ativista norte-americana Margaret Sanger, nascida Higgins (1879-1966), fundou a Liga Americana para o Controle da Natalidade em 1921. (N.E.)

27
Edward Heath
Estadista britânico

Edward Richard George Heath, também chamado Ted Heath, posteriormente Sir Edward Heath (1916-2005), entrou para o Parlamento em 1950, um dos novos intelectuais conservadores de R. A. Butler. Eleito líder do Partido Conservador em julho de 1965, ele liderou a oposição até que, ao vencer a eleição geral de 1970, se tornou primeiro-ministro. No começo de 1973, o Reino Unido finalmente aderiu à Comunidade Europeia, o que Heath considerou sua maior realização. Após um longo confronto com o sindicato de mineiros em 1973, os conservadores perderam a eleição geral de fevereiro de 1974 por uma pequena margem, sendo a derrota confirmada por outra eleição em outubro de 1974. Em 1975, ele foi substituído por Margaret Thatcher.

"Uma Europa livre, democrática, segura e feliz"
2 de janeiro de 1973, Londres, Inglaterra

A entrada do Reino Unido na Comunidade Europeia em 1º de janeiro de 1973 foi um triunfo pessoal para Edward Heath. Quando seu predecessor Harold Macmillan percebeu o erro que o Reino Unido cometera ao se recusar a entrar para a Comunidade Econômica Europeia em 1957, Heath liderou a equipe de negociação que se candidatou à filiação em 1961, a qual foi vetada pela França. Mas ele nunca perdeu de vista sua ambição, e quando a Câmara dos Comuns votou por uma maioria de 112 a favor de entrar na Comunidade Europeia em outubro de 1971, ele celebrou tocando Bach no órgão. Mas a condição de membro da CE foi e continuava sendo uma questão profundamente divisora: em fevereiro de 1972, os Comuns aprovaram, em segunda leitura, o Projeto de Lei das Comunidades Europeias, por apenas oito votos.

Onze meses depois da segunda leitura do Projeto de Lei das Comunidades Europeias, Heath estava mais uma vez exultante, como demonstra este discurso feito em um jantar em Hampton Court, oferecido pelo Conselho Britânico do Movimento Europeu. Ao contrário dos futuros líderes dos partidos Trabalhista e Conservador, ele não tinha es-

crúpulos sobre os objetivos políticos e sociais, e também econômicos, da Comunidade Europeia, "cujo escopo se ampliará pouco a pouco até cobrir praticamente todo o campo do esforço humano coletivo".

As atitudes divergentes para com a Europa continuaram a ser uma característica dos futuros governos conservadores e, em 2016, realizou-se um referendo para determinar se o Reino Unido deveria permanecer ou não na União Europeia (como agora é chamada). O resultado – não previsto pela maioria dos analistas – foi a favor da saída. Alguns viram Heath como um comunicador desajeitado e sem carisma, mas este discurso demonstra seu senso de idealismo e seu otimismo.

" Sr. Presidente, estou encantado por poder responder a um brinde proposto com tanta eloquência por um europeu[1] que trouxe para esta causa uma compaixão, determinação e convicção pessoal que admiramos profundamente. É adequado que ele esteja aqui conosco esta noite, enquanto celebramos a entrada britânica na Comunidade [...]

Muitos trabalharam com ele por este resultado, mas reconhecemos com gratidão sua própria contribuição pessoal, que foi tão considerável [...]

Há 25 anos, na primeira reunião do Movimento Europeu[2] em Haia, Sir Winston Churchill esperava ansiosamente o dia em que 'homens e mulheres de cada país pensarão em si mesmos tanto como europeus quanto como pertencentes à sua terra natal, e aonde quer que vão nesse vasto domínio, sentirão verdadeiramente: 'Aqui estou em casa'.

Esta noite, quando nos reunimos na véspera do festival 'Fanfare for Europe' para marcar a entrada britânica na Comunidade, estamos a um passo de fazer do sonho de Churchill uma realidade.

É apropriado que, aqui, para celebrar este grande evento, estejam presentes não só muitos britânicos notáveis como também um grande número de nossos companheiros europeus. Nós damos as boas-vindas a todos vocês – representantes diplomáticos de outros países da Comunidade, presidentes

---

1. O tecnocrata agrícola holandês Sicco Mansholt (1908-1995) foi presidente da Comissão Europeia de 1972 a 1973. (N.E.)
2. Uma associação estabelecida em 1948 para trabalhar pela unificação da Europa. (N.E.)

de instituições da Comunidade e estadistas seniores da Comunidade, os 'Pais da Europa'.

A ampliação da Comunidade finalmente ocorre no 25º aniversário do Movimento Europeu. Esse movimento proporcionou grande parte do ímpeto rumo à unidade europeia, e eu gostaria de prestar homenagem ao seu trabalho ao longo destes anos.

O Movimento Europeu reuniu pessoas de contextos políticos, sociais e profissionais muito diferentes, que são unidas em sua crença de que o futuro do Reino Unido deve ser de parceria com nossos vizinhos europeus.

Em particular, eu gostaria de agradecer ao Conselho Britânico do Movimento Europeu por seu trabalho ao preparar o caminho para a entrada do Reino Unido na Comunidade.

O significado, para o povo britânico, de nossa filiação à Comunidade é, e com razão, uma preocupação de muitos neste país. Eu gostaria de prestar homenagem a todos os jornalistas e outros responsáveis pela mídia pública que fizeram tanto nos últimos dias para garantir, por meio de suas contribuições na imprensa, no rádio e em outros meios, que o verdadeiro significado de nossa filiação seja compreendido.

Esta noite, nos reunimos num palácio concebido e construído pelo cardeal Wolsey[3], um estadista que lutou contra os problemas da Europa em uma época em que o nacionalismo estava em ascensão em todo o continente. Wolsey procurou promover os interesses de sua igreja, seu país e seu rei – mas, ao mesmo tempo, tentou manter sob controle as rivalidades nacionais que ameaçavam destruir o ideal medieval de uma Europa que era essencialmente una.

As forças da divisão se mostraram poderosas demais. Wolsey perdeu sua posição, perdeu seu palácio, teve sorte de não perder a cabeça. A Europa entrou em quatro séculos de rivalidade cruel, que em cada fase atingiu seu clímax numa guerra destrutiva.

Agora, em 1973, podemos afirmar justamente que desde o fim da última guerra houve outra grande transformação na história da Europa. Pois

[...] desde 1945 a história da Europa tem sido, essencialmente, uma história de reconciliação e não de rivalidade. Nessa história, a fundação da Comunidade Europeia foi um marco.

---

3. O clérigo e político inglês cardeal Thomas Wolsey (c. 1475-1530) foi o principal ministro de Henrique VIII entre 1515 e 1529. (N.E.)

A ampliação, ontem, dessa Comunidade – de seis para nove membros – foi outro marco de igual importância [...]

Fomos acostumados, durante esses anos, a ouvir a Comunidade ser descrita como o Mercado Comum. Espero que esse seja um hábito que hoje possamos abandonar. Certamente, o mercado unido é um fato de enorme importância. Mas é apenas o primeiro passo numa jornada que nos levará muito além de questões de comércio e taxas alfandegárias. Pois o que estamos construindo é uma Comunidade cujo escopo se ampliará pouco a pouco até cobrir praticamente todo o campo do esforço humano coletivo.

Acredito que a verdadeira importância da reunião de cúpula do último outono foi precisamente esta. Conseguimos concordar sobre as diretrizes para este progresso rumo a uma Comunidade mais ampla.

Conseguimos mostrar como, numa área após outra, pudemos nos reunir como vizinhos para alcançar, por meio da cooperação, os muitos objetivos que temos em comum e que não poderíamos esperar realizar isoladamente. Uma de nossas decisões mais importantes no encontro foi que devemos trabalhar urgentemente para a construção de uma política externa europeia. Acredito que esse não é um luxo para nossa Comunidade, e sim uma clara necessidade.

É uma necessidade se considerarmos nossas relações com os Estados Unidos. Penso que todos nós aqui presentes esta noite reconhecemos o papel que os Estados Unidos desempenharam para tornar possível a criação desta nova Comunidade. Não estou pensando especialmente na ajuda econômica dada à Europa após a guerra, por mais vultosa e oportuna que essa tenha sido. Estou pensando na política consistente de sucessivas administrações que defenderam que a união da Europa era um interesse fundamental dos Estados Unidos – um interesse que superava a competição cada vez maior e os desacordos ocasionais com a política norte-americana em que uma Europa unida estava fadada a se envolver.

Nesse âmbito, podemos ver mais claramente quão artificial é a distinção entre política externa e política econômica. Nosso objetivo na Europa deve ser aumentar nossa força, e nossa Comunidade de propósitos, em todo o campo de políticas. Nosso objetivo deve ser que a Europa possa emergir como uma parceira válida para os Estados Unidos ao fortalecer perspectivas de paz e prosperidade em todo o mundo [...]

Uma política comum é igualmente necessária em nossas negociações com a União Soviética e com a Europa Oriental. Podemos ver claramente que toda a relação entre a Europa Ocidental e a Oriental está, mais uma vez, em um estado de fluxo. Nós damos as boas-vindas ao progresso que já foi feito pelo governo federal alemão ao construir um melhor relacionamento com seus vizinhos. Sabemos que, no decurso de 1973, haverá mais decisões importantes a serem tomadas.

Nosso objetivo pode ser definido de maneira simples. É permitir que a Europa Ocidental e a Oriental façam progresso sem serem detidas por suspeitas mútuas ou pela ameaça de guerra. Tenho certeza de que só teremos sucesso nesse propósito se nós, na Europa Ocidental, nos pronunciarmos com uma só voz e agirmos com a mesma energia. Os membros da Comunidade, com sua experiência de sucesso sem precedentes nas políticas de reconciliação, têm uma contribuição importante a fazer para um melhor relacionamento com a Europa Oriental.

Pois nosso objetivo final é construir uma Europa não só próspera como livre, democrática, segura e feliz [...]

A tarefa política que temos diante de nós é tão ambiciosa como qualquer outra já empreendida por um grupo de nações atuando juntas. E engloba cada um dos aspectos de nossas responsabilidades como governos e como líderes de sociedades políticas democráticas. Essa tarefa requer que satisfaçamos as necessidades e as ambições de nossos cidadãos.

Todos nós, membros da Comunidade, estamos cada vez mais preocupados em corrigir os defeitos e as injustiças da sociedade moderna.

À medida que a indústria avança rumo à maior prosperidade que esperamos, impõe novos fardos a todos nós. Somente nos últimos anos nos tornamos totalmente cientes dos efeitos da atividade industrial nessa escala: a destruição da paisagem, a poluição da atmosfera, o envenenamento de rios e estuários [...] Para interromper isso, precisamos agir juntos [...]

Há mais uma expectativa, ainda mais difícil de satisfazer. Em todas as nações da Europa Ocidental, e particularmente entre nossos cidadãos jovens, notamos – e aplaudimos – a demanda crescente de que os países mais ricos trabalhem de maneira mais eficaz para ajudar os países menos desenvolvidos, em sua luta para criar condições de vida compatíveis com o amor-próprio e a dignidade humana [...]

Os prêmios a serem conquistados por meio da ação comum são enormes. Há o prêmio da paz. Há o prêmio da prosperidade. Há o prêmio de construir na Europa uma sociedade que corresponderá mais fielmente às esperanças dos povos que representamos. Esses foram os objetivos que inspiraram os fundadores do Movimento Europeu. Hoje podemos ver que já não são sonhos distantes. São prêmios que hoje se encontram ao nosso alcance. Devemos mostrar a imaginação e a força de propósito para fazer com que sejam nossos. **"**

"Em toda organização, o homem no topo deve assumir a responsabilidade. A responsabilidade, portanto, pertence a este gabinete. Eu a aceito."

— Richard M. Nixon

28

Richard M. Nixon
Político norte-americano

Depois de exercer a profissão de advogado, Richard Milhous Nixon (1913-1994) serviu na Marinha dos Estados Unidos (1942-1946) e então concorreu ao Congresso pelo Partido Republicano na Califórnia. Sua franqueza destemida e seu brilhantismo tático alavancaram sua carreira política, e ele foi um membro proeminente no Comitê Nacional de Atividades Antiamericanas. Tornou-se candidato republicano à presidência em 1960, perdendo para John F. Kennedy por uma pequena diferença, mas prosseguiu para vencer a eleição presidencial de 1968 por uma margem estreita. Em 1972, foi reeleito por uma grande maioria. Em junho de 1972, houve uma invasão à sede do Comitê Nacional Democrata no edifício Watergate, em Washington, na qual a equipe da reeleição de Nixon foi rapidamente implicada. Durante a investigação oficial que se seguiu, Nixon perdeu credibilidade. Em 9 de agosto de 1974, depois que vários membros importantes de seu governo foram revelados culpados de envolvimento no escândalo de Watergate, ele renunciou, evitando, assim, a ameaça de impeachment.

"Não pode haver encobrimento na Casa Branca"
30 de abril de 1973, transmissão de Washington, D.C., EUA

O escândalo de Watergate começou em 17 de junho de 1972, quando a polícia prendeu cinco homens que haviam invadido a sede do Partido Democrata no edifício Watergate em Washington, D.C. Eles logo foram associados ao Comitê do Partido Republicano para a Reeleição do Presidente.

Nixon pode não ter tido conhecimento prévio da invasão – cujos perpetradores invadiram três semanas antes para instalar aparelhos de escuta –, mas logo percebeu que isso poderia minar suas chances de reeleição. Ele, portanto, ordenou que o FBI interrompesse as investigações, subornou os cinco arrombadores e instruiu seu conselheiro especial, John Dean, a ocultar qualquer envolvimento da administração.

No início de 1973, no entanto, a conspiração de ocultamento foi revelada. O Washington Post já havia noticiado o escândalo, e em feve-

reiro se instaurou um comitê especial no Senado para investigar o caso. Em audiências televisionadas, Dean acusou Nixon de estar envolvido no encobrimento. Nixon respondeu demitindo Dean; três outros assistentes renunciaram em seguida.

Neste discurso, transmitido do Salão Oval da Casa Branca às nove horas da noite, ele anunciou essas renúncias e proclamou sua inocência. Nixon fez uma demonstração de liderança, aceitando a responsabilidade pelos erros ainda que não tenham sido cometidos por ele e olhando além do escândalo, para os "grandes objetivos" de paz, oportunidade, decência e civilidade. Mais tarde, ele seria forçado a renunciar em decorrência do caso.

"Boa noite. Quero falar com vocês esta noite, de coração, sobre um assunto de profundo interesse para todos os americanos.

Nos últimos meses, membros da minha administração e funcionários do Comitê para a Reeleição do Presidente, incluindo alguns dos meus amigos mais próximos e assistentes de maior confiança, foram acusados de envolvimento naquele que veio a ser conhecido como Caso Watergate. Isso inclui acusações de atividade ilegal durante e antes da eleição presidencial de 1972 e acusações de que as autoridades responsáveis participaram de esforços para encobrir essa atividade ilegal.

O resultado inevitável dessas acusações foi levantar sérias questões sobre a integridade da própria Casa Branca.

Esta noite quero abordar essas questões.

Em 17 de junho, enquanto estava na Flórida tentando ter alguns dias de descanso após minha visita a Moscou,[1] eu soube, pelos noticiários, da invasão de Watergate. Fiquei horrorizado com essa ação ilegal e sem sentido, e fiquei chocado de saber que funcionários do comitê de reeleição aparentemente estavam entre os culpados. Imediatamente, ordenei que as autoridades governamentais competentes realizassem uma investigação. Em 15 de setembro, como vocês devem se lembrar, sete acusados foram indiciados no caso.

---

1. Em maio de 1972, Nixon visitou Moscou para assinar tratados de limitação de armamentos com a URSS. (N.E.)

Conforme prosseguiam as investigações, perguntei várias vezes aos que estavam conduzindo a investigação se havia algum motivo para pensar que membros da minha administração estivessem envolvidos de alguma forma. Recebi reiteradas garantias de que não estavam [...]

Até março deste ano, continuei convencido de que as negações eram verdadeiras e de que as acusações de envolvimento de funcionários da Casa Branca eram falsas. Os comentários que fiz durante esse período, e os comentários feitos por meu secretário de imprensa em meu nome, se basearam nas informações que nos foram fornecidas na época em que fizemos esses comentários. No entanto, chegaram até mim novas informações que me persuadiram de que havia uma possibilidade real de que algumas dessas acusações fossem verdadeiras, insinuando, ainda, que houvera um esforço para ocultar os fatos do público, vocês, e de mim.

Em consequência, em 21 de março, eu assumi pessoalmente a responsabilidade de coordenar novas investigações sobre o assunto, e pessoalmente ordenei que aqueles que conduziam as investigações reunissem todos os fatos e os reportassem diretamente a mim, bem aqui neste escritório.

Mais uma vez, ordenei que todas as pessoas no governo ou no comitê de reeleição cooperassem totalmente com o FBI, os promotores e o grande júri. Também determinei que qualquer pessoa que se recusasse a cooperar em dizer a verdade seria convidada a renunciar ao cargo. E, com a adoção de regras sólidas que preservariam a separação constitucional básica de poderes entre o Congresso e a Presidência, determinei que os funcionários da Casa Branca aparecessem e testemunhassem voluntariamente sob juramento perante a comissão do Senado que estava investigando o Watergate.

Eu estava convencido de que deveríamos investigar o caso a fundo e de que a verdade deveria ser completamente revelada – independente de quem estivesse envolvido [...]

Independente do que tenha parecido ser o caso antes, independente das atividades impróprias que ainda possam ser descobertas em conexão com todo esse assunto sórdido, quero que o povo americano, quero que vocês saibam, sem sombra de dúvida, que, durante meu mandato como presidente, a justiça será buscada de maneira correta, completa e imparcial, não importa quem esteja envolvido.

Este cargo é uma confiança sagrada e estou determinado a ser digno dessa confiança.

Richard M. Nixon

Olhando para o histórico deste caso, surgem duas perguntas. Como isso pode ter acontecido? De quem é a culpa?

Os analistas políticos observaram corretamente que, durante meus 27 anos na política, eu sempre insistia em administrar minhas próprias campanhas para o cargo.

Mas 1972 apresentou uma situação muito diferente. Tanto na política interna como na política externa, 1972 foi um ano de decisões crucialmente importantes, de negociações intensas, de novas direções vitais, particularmente ao trabalhar rumo ao objetivo que tem sido minha preocupação primordial durante toda a minha carreira política: o objetivo de trazer paz à América, paz ao mundo.

Foi por isso que decidi, quando a campanha de 1972 se aproximou, que a presidência deveria vir em primeiro e a política, em segundo. No maior grau possível, portanto, procurei delegar as operações de campanha, retirar as decisões cotidianas relativas à campanha do gabinete da presidência e da Casa Branca. Também, como vocês se lembram, limitei severamente meu próprio número de aparições na campanha.

De quem, então, é a culpa pelo que aconteceu neste caso?

Por ações criminosas específicas cometidas por indivíduos específicos, aqueles que as cometeram devem, é claro, assumir a responsabilidade e pagar a pena.

Pelo fato de que supostas ações impróprias aconteceram dentro da Casa Branca ou dentro da organização da minha campanha, o caminho mais fácil para mim seria culpar aqueles a quem deleguei a responsabilidade de administrar a campanha. Mas isso seria algo covarde a se fazer.

Eu não colocarei a culpa em subordinados – em pessoas cujo zelo excedeu seu discernimento e que podem ter agido errado por uma causa que acreditam profundamente ser correta.

Em toda organização, o homem no topo deve assumir a responsabilidade. A responsabilidade, portanto, pertence a este gabinete. Eu a aceito. E prometo a vocês esta noite, deste gabinete, que farei tudo que estiver em meu alcance para garantir que os culpados sejam levados à justiça e que tais abusos sejam expurgados de nossos processos políticos nos anos vindouros, muito depois de eu ter deixado este gabinete.

Algumas pessoas, devidamente alarmadas diante dos abusos ocorridos, dirão que Watergate demonstra a bancarrota do sistema político americano. Eu acredito precisamente no contrário. Watergate representou uma série de atos ilegais e maus julgamentos por um número de indivíduos. Foi o sistema que trouxe os fatos à luz e que levará os culpados à justiça – um sistema que, neste caso, incluiu um grande júri determinado, promotores honestos, um juiz corajoso, John Sirica[2], e uma imprensa livre e vigorosa.[3]

É essencial, agora, depositarmos nossa fé nesse sistema – e especialmente no sistema judicial. É essencial deixarmos o processo judicial prosseguir, respeitando as salvaguardas que são estabelecidas para proteger os inocentes assim como condenar os culpados. É essencial, ao reagir aos excessos de outros, não cometermos excessos nós mesmos. Também é essencial não ficarmos tão distraídos por acontecimentos como este a ponto de negligenciarmos o trabalho vital que temos diante de nós, diante desta nação, diante da América, em um momento de importância crucial para a América e para o mundo.

Desde março, quando eu soube que o caso Watergate poderia, de fato, ser muito mais sério do que eu fora levado a acreditar, este tem cobrado demais do meu tempo e da minha atenção. O que quer que se possa revelar no caso agora, quaisquer que sejam as ações do grande júri, qualquer que seja o resultado de eventuais processos, devo agora, mais uma vez, voltar toda a minha atenção para as tarefas maiores deste gabinete, e é o que farei. Devo isso a este importante cargo que ocupo, e devo isso a vocês – ao meu país [...] Há trabalho vital a ser feito rumo ao nosso objetivo de uma estrutura duradoura de paz no mundo – trabalho que não pode esperar, trabalho que devo fazer [...]

Quando penso neste gabinete – no que ele significa – penso em todas as coisas que quero realizar por esta nação, em todas as coisas que quero realizar por vocês.

Na véspera de Natal, durante meu terrível suplício pessoal do novo bombardeio do Vietnã do Norte[4] – que depois de doze anos de guerra final-

---

2. O advogado norte-americano John Sirica (1904-1992) foi o juiz presidente da Corte Distrital para o distrito de Columbia. Ele presidiu o processo dos arrombadores e posteriormente exigiu que Nixon entregasse suas gravações de conversas na Casa Branca. (N.E.)

3. Nixon se refere à reportagem investigativa dos jornalistas Bob Woodward (1943-) e Carl Bernstein (1944-), do *Washington Post*, que receberam informação vazada sobre o escândalo de uma fonte conhecida apenas como "Garganta Profunda". Em 2005, sua identidade foi revelada como W. Mark Felt (1913-2008), um alto funcionário do FBI no início dos anos 1970. (N.E.)

4. Em 18 de dezembro de 1972, Nixon ordenou uma nova campanha de bombardeio contra o Vietnã do Norte, com o codinome Operação Linebacker II. Durou doze dias e resultou na morte de 1,6 mil vietnamitas do Norte e noventa aviadores norte-americanos. (N.E.)

mente ajudou a trazer paz à América com honra – eu me sentei um pouco antes da meia-noite. Escrevi alguns dos meus objetivos para meu segundo mandato como presidente. Deixem-me ler para vocês.

'Tornar possível para nossos filhos, e para os filhos de nossos filhos, viver em um mundo de paz.

'Fazer deste país, mais do que nunca, uma terra de oportunidade – de igual oportunidade, oportunidade plena para cada americano.

'Gerar empregos para todos os que podem trabalhar e ajuda generosa para os que não podem.

'Estabelecer um clima de decência e civilidade, em que cada pessoa respeita os sentimentos e a dignidade e os direitos do próximo, concedidos por Deus.

'Fazer desta uma terra em que cada pessoa possa ousar sonhar, possa viver seu sonho – não em medo, mas em esperança – orgulhosa de sua comunidade, orgulhosa de seu país, orgulhosa do que a América significa para si e para o mundo.'

Esses são grandes objetivos. Acredito que podemos, que devemos trabalhar por eles. Podemos alcançá-los. Mas não podemos alcançar esses objetivos se não nos dedicarmos a outro objetivo.

Devemos manter a integridade da Casa Branca, e essa integridade deve ser real, não transparente. Não pode haver encobrimento na Casa Branca.

Devemos reformar nosso processo político, livrando-o não só das violações da lei como também da terrível violência coletiva e de outras táticas de campanha injustificáveis que com demasiada frequência foram praticadas e demasiado prontamente foram aceitas no passado, incluindo aquelas que podem ter sido a resposta de um lado aos excessos ou supostos excessos do outro lado. Um erro não justifica o outro.

Estou na vida pública há mais de um quarto de século. Como qualquer outra vocação, a política tem pessoas boas e ruins. E eu digo a vocês, a grande maioria na política – no Congresso, no governo federal, no governo estadual – são pessoas boas. Eu sei que pode ser muito fácil, sob as pressões intensas de uma campanha, mesmo as pessoas bem-intencionadas caírem em táticas obscuras, racionalizarem isso com a justificativa de que o que está em risco é de tal importância para a nação que o fim justifica os meios. E nossos dois grandes partidos foram culpados de tais táticas no passado.

Nos últimos anos, entretanto, os excessos da campanha que ocorreram em todos os lados forneceram uma grave demonstração de até onde essa falsa doutrina pode nos levar.

A lição é clara: a América, em suas campanhas políticas, não deve cair novamente na armadilha de deixar o fim, por mais grandioso que seja, justificar os meios.

Eu insto os líderes de ambos os partidos políticos, insto os cidadãos, todos vocês, em toda parte, a trabalharmos juntos rumo a um novo conjunto de normas, regras e procedimentos para garantir que as eleições futuras sejam o mais isentas possível de tais abusos. Esse é o meu objetivo. Peço a vocês que me ajudem a fazer dele o objetivo da América. **"**

"Trago numa mão o fuzil de um revolucionário e na outra um ramo de oliveira"

– Yasser Arafat

29
Yasser Arafat
Político e líder de resistência palestino

Yasser Arafat, cujo nome real é Mohammed Abed Ar'ouf (1929-2004), foi um dos fundadores do grupo de resistência Al Fatah em 1956. Em 1969, o grupo Al Fatah, de Arafat, obteve o controle da Organização pela Libertação da Palestina (OLP; fundada em 1964) e ele foi reconhecido como seu líder (embora não fosse universalmente popular). A organização foi reconhecida formalmente pela Organização das Nações Unidas em 1974. Sob liderança de Arafat, o objetivo original da OLP – criar um Estado secular em toda a ex-Palestina – foi modificado para o de estabelecer um Estado independente no interior do território. Em 1993, Arafat e o primeiro-ministro israelense, Yitzhak Rabin, negociaram um acordo de paz nos Estados Unidos (assinado no Cairo, em 1994), sob o qual Israel se retirava de Jericó e da Faixa de Gaza.

Arafat regressou como líder de um Estado palestino (1994) e, em 1995, negociou uma retirada israelense do West Bank. A paz, no entanto, se mostrou cada vez mais frágil, e em 2003 Arafat era amplamente considerado incapaz de controlar a militância árabe. Ele morreu em novembro de 2004, de uma doença de natureza controversa.

"Trago numa mão o fuzil de um revolucionário e na outra um ramo de oliveira"

13 de novembro de 1974, Cidade de Nova York, EUA

Yasser Arafat foi o primeiro representante de uma organização não governamental a ser convidado a discursar na Assembleia Geral da ONU. Ele apareceu na sede da organização em Nova York usando um turbante kaffiyeh, *com seu coldre em volta da cintura. Embora seja improvável que houvesse uma arma no coldre, o efeito foi notável. Em 1972, a Organização Setembro Negro – que, segundo se acreditava, estava associada com a OLP – havia assassinado onze atletas israelenses nas Olimpíadas de Verão de Munique.*

Neste discurso, Arafat atribuiu os problemas do Oriente Médio ao imperialismo e ao sionismo. Estes, segundo afirma, conspiraram na partilha de terras palestinas após a Declaração de Balfour (1917), pela qual o ministro de Relações Exteriores do Reino Unido, Arthur Balfour, expressou apoio britânico para o estabelecimento de uma pátria judaica na Palestina. Arafat procura legitimar os membros da OLP como revolucionários, reiterando os temas de causa justa e luta legítima, e lembra a seus ouvintes que muitos deles alcançaram a independência por meio de guerras coloniais similares. Sua repetição da palavra "exílio" também encontra ecos na história judaica de exílio e diáspora. Arafat encerra seu discurso com uma ameaça velada de mais violência.

Apesar disso, a maior parte da plateia o ovacionou de pé. Um ano depois, a Resolução 3.237 concedeu à OLP status de observadora na ONU. Foi a primeira organização não governamental a ser reconhecida dessa forma.

❝ Sr. Presidente, agradeço a você por ter convidado a Organização pela Libertação da Palestina para participar desta sessão plenária da Assembleia Geral da ONU. Esta é uma ocasião muito importante [...]

Nosso mundo aspira à paz, justiça, igualdade e liberdade. Deseja que as nações oprimidas, hoje curvadas sob o peso do imperialismo, possam conquistar sua liberdade e seu direito de autodeterminação. Espera colocar as relações entre os países em condições de igualdade, coexistência pacífica, respeito mútuo pelos assuntos internos uns dos outros, soberania na segurança nacional, independência e unidade territorial com base na justiça e no benefício mútuo [...]

Um grande número de povos, incluindo os do Zimbábue, da Namíbia, da África do Sul e da Palestina, entre muitos outros, continuam sendo vítimas de opressão e de violência [...] É imperativo que a comunidade internacional apoie esses povos em sua luta, na defesa de suas causas justas, na conquista de seu direito de autodeterminação [...]

[Mas] apesar das longas crises mundiais, apesar inclusive das forças sombrias de retrocessos e erros desastrosos, vivemos uma época de mudanças gloriosas.

Uma velha ordem está desmoronando diante de nossos olhos, à medida que o imperialismo, o colonialismo, o neocolonialismo e o racismo, cuja principal forma é o sionismo, perecem inelutavelmente.

Somos privilegiados de poder testemunhar uma grande onda da história fazendo os povos avançarem para um novo mundo que eles criaram. Nesse mundo, as causas justas triunfarão. Disso estamos convencidos.

A questão da Palestina pertence a essa perspectiva de emergência e luta [...] Presentes neste mesmo momento em nosso meio estão aqueles que, enquanto ocupam nossa casa, enquanto seu gado come nossos pastos e enquanto suas mãos colhem os frutos de nossas árvores, afirmam, ao mesmo tempo, que somos espíritos desencarnados, ações sem presença, sem tradições nem futuro [...]

Pois há, entre vocês – e aqui me refiro aos Estados Unidos da América e a outros similares –, aqueles que abastecem livremente nosso inimigo com aviões e bombas e todo tipo de arma assassina. Assumem posições hostis contra nós, distorcendo deliberadamente a verdadeira essência do problema. Tudo isso é feito não só à nossa custa, como à custa do povo norte-americano e da amizade que continuamos a esperar que possa ser cimentada entre nós e esse grande povo, cuja história de luta em nome da liberdade nós honramos e saudamos.

Não posso, agora, abrir mão desta oportunidade de apelar, desta tribuna, diretamente para o povo norte-americano, pedindo que dê seu apoio a nosso povo heroico e combatente. Peço, de todo o coração, que endossem o certo e a justiça, que se lembrem de George Washington[1], o heroico Washington, cujo propósito era a liberdade e a independência de sua nação; de Abraham Lincoln[2], defensor dos pobres e destituídos; e também de Woodrow Wilson[3], cuja doutrina dos Catorze Pontos continua sendo apoiada e venerada pelo nosso povo [...]

---

1. George Washington (1732-1799) foi o primeiro presidente dos Estados Unidos, de 1789 a 1797. (N.E.)

2. Abraham Lincoln (1809-1865) foi o 16º presidente dos Estados Unidos, de 1861 a 1865. Ele é amplamente considerado um dos ex-presidentes mais importantes, que conduziu a abolição da escravatura e aprimorou a união federal. (N.E.)

3. Woodrow Wilson (1856-1924) foi o 28º presidente dos Estados Unidos, de 1913 a 1921. Em janeiro de 1918, ele lançou seus "Catorze Pontos, um programa para a paz mundial". (N.E.)

Como nossa discussão da questão da Palestina foca em raízes históricas, nós o fazemos porque acreditamos que toda questão que hoje atrai o interesse do mundo deve ser vista radicalmente, no verdadeiro sentido da palavra, se quisermos vislumbrar uma solução real [...] As raízes da questão palestina remontam aos últimos anos do século XIX – em outras palavras, ao período que chamamos de era do colonialismo e do povoamento, como hoje sabemos. Esse é precisamente o período durante o qual o sionismo nasceu como plano; seu objetivo era a conquista da Palestina por imigrantes europeus, assim como os europeus colonizaram, e com efeito invadiram, a maior parte da África [...]

Da mesma forma que o colonialismo e seus demagogos dignificaram suas conquistas, pilhagens e ataques sem limites contra os nativos da África apelando para uma missão 'civilizadora e modernizadora', também as ondas de imigrantes sionistas disfarçaram seu propósito ao conquistar a Palestina [...]

A teologia sionista foi usada contra nosso povo palestino: o propósito era não só estabelecer a colonização de povoamento ao estilo ocidental como também arrancar os judeus de suas várias terras natais e, subsequentemente, apartá-los de seus países de origem. O sionismo é uma ideologia que é imperialista, colonialista, racista; é profundamente reacionário e discriminatório; se une ao antissemitismo em seus princípios retrógrados – sendo, portanto, o outro lado da mesma moeda. Pois quando o que é proposto é que os seguidores da fé judaica, independentemente de sua residência nacional, não devem lealdade à sua residência nacional nem vivem em pé de igualdade com os outros cidadãos não judeus – quando isso é proposto, ouvimos o antissemitismo sendo proposto.

Então, o movimento sionista se aliou diretamente ao colonialismo mundial num ataque comum à nossa terra. Permitam-me, agora, apresentar uma seleção de verdades históricas sobre essa aliança.

A invasão judaica da Palestina começou em 1881. Antes de começar a chegar a primeira grande onda de imigrantes, a Palestina tinha uma população de meio milhão; a maior parte da população era muçulmana ou cristã, e apenas 20 mil eram judeus. Cada segmento da população desfrutava da tolerância religiosa característica de nossa civilização. A Palestina era então uma terra verdejante, habitada principalmente por um povo árabe dedicado a construir sua vida e enriquecer dinamicamente sua cultura nativa.

Entre 1882 e 1917, o movimento sionista assentou cerca de 50 mil judeus europeus em nossa terra. Para fazer isso, recorreu à trapaça e ao engodo a fim de implantá-los em nosso meio. Seu sucesso ao fazer o Reino Unido emitir a Declaração de Balfour[4] mais uma vez demonstrou a aliança entre o sionismo e o imperialismo. Além disso, ao prometer ao movimento sionista o que não lhe cabia dar, o Reino Unido mostrou o quão opressor era o domínio do imperialismo.

Tal como então era constituída, a Liga das Nações abandonou nosso povo árabe, e os compromissos e as promessas de Wilson não deram em nada. À guisa de um mandato, o imperialismo britânico foi cruelmente imposto sobre nós, para permitir que os invasores consolidassem seus ganhos em nossa pátria [...]

Em 1947, o número de judeus havia chegado a 600 mil; eles possuíam cerca de seis por cento das terras aráveis palestinas. O número deve ser comparado com a população da Palestina, que na época era de 1,25 milhão.

Em consequência do conluio entre a potência mandatária e o movimento sionista e com o apoio de alguns países, esta Assembleia Geral, cuja história recém começava, aprovou uma recomendação para partilhar nossa pátria palestina [...] Quando rejeitamos essa decisão, nossa posição foi equivalente à da mãe natural que se recusou a permitir que o rei Salomão cortasse o filho ao meio quando a mãe não natural reivindicou o filho para si e concordou com seu desmembramento.

Além disso, embora a resolução de partilha concedesse aos colonos 54 por cento das terras da Palestina, sua insatisfação com a decisão os levou a travar uma guerra de terror contra a população civil árabe [...] Eles construíram seus próprios assentamentos e colônias nas ruínas de nossas fazendas e nossos pomares.

As raízes da questão palestina residem aqui. Suas causas não derivam de um conflito entre duas religiões ou dois nacionalismos. Tampouco é um conflito de fronteira entre Estados vizinhos. É a causa de um povo privado de sua terra natal, disperso e desarraigado, e vivendo principalmente no exílio e em campos de refugiados.

Com o apoio de potências imperialistas e colonialistas, [Israel] conseguiu ser aceito como membro da Organização das Nações Unidas. Mais tarde, conseguiu fazer com que a questão palestina fosse excluída da agenda

---

4. A famosa "Declaração" de Arthur Balfour foi uma carta de 1917 em que ele afirmava que "o governo de Sua Majestade vê com bons olhos o estabelecimento, na Palestina, de um lar nacional para o povo judeu". (N.E.)

da ONU e iludir a opinião pública mundial apresentando nossa causa como um problema de refugiados necessitados da caridade de benfeitores ou do assentamento em uma terra que não é sua.

Não satisfeita com tudo isso, a entidade racista, fundada sobre o conceito imperialista-colonialista, transformou-se numa base de imperialismo e num arsenal de armamentos.

Isso lhe possibilitou assumir seu papel de subjugar o povo árabe e de cometer agressões contra eles, a fim de satisfazer suas ambições de mais expansão em terras palestinas e outras terras árabes. Além dos muitos casos de agressão cometidos por essa entidade contra os Estados árabes, ela iniciou duas guerras em grande escala, em 1956 e 1967, colocando em perigo a segurança e a paz mundial.

Em consequência da agressão sionista em junho de 1967, o inimigo ocupou o Sinai egípcio até o canal de Suez. O inimigo ocupou as colinas de Golã na Síria, além de toda terra palestina a oeste do Jordão. Todos esses avanços levaram à criação, em nossa área, do que passou a ser conhecido como o 'problema do Oriente Médio'. A situação se agravou ainda mais por causa da persistência do inimigo em manter sua ocupação ilegítima e consolidá-la, estabelecendo, assim, uma cabeça de ponte para o golpe do capitalismo mundial contra nossa nação árabe [...]

A quarta guerra irrompeu em outubro de 1973, trazendo para o inimigo sionista a bancarrota de sua política de ocupação e expansão e de sua confiança no conceito de poder militar. Apesar de tudo isso, os líderes da entidade sionista estão longe de ter aprendido alguma lição com sua experiência. Estão se preparando para a quinta guerra, recorrendo mais uma vez à linguagem da superioridade militar, da agressão, do terrorismo, da subjugação e, finalmente, sempre à guerra em suas negociações com os árabes [...]

Sendo um filho de Jerusalém, eu aprecio, por mim e pelo meu povo, as belas memórias e as imagens vívidas da fraternidade religiosa que foi a marca de nossa cidade sagrada antes de sucumbir à catástrofe [...] Nossa revolução não foi motivada por fatores raciais nem religiosos. Seu alvo nunca foi o judeu como pessoa, e sim o sionismo racista e a agressão indisfarçável. Nesse sentido, a nossa também é uma revolução em nome do judeu como ser humano. Estamos lutando para que judeus, cristãos e muçulmanos possam viver em igualdade, gozando dos mesmos direitos e assumindo os mesmos deveres, livres de discriminação racial ou religiosa.

Nós distinguimos entre o judaísmo e o sionismo. Embora mantenhamos nossa oposição ao movimento sionista colonialista, respeitamos a fé judaica. Hoje, quase um século após a ascensão do movimento sionista, desejamos alertar sobre seu perigo crescente para os judeus do mundo, para nosso povo árabe e para a segurança e a paz mundiais [...]

Aqueles que nos chamam de terroristas querem evitar que a opinião pública descubra a verdade sobre nós e veja a justiça em nosso rosto [...]

A diferença entre o revolucionário e o terrorista reside na razão pela qual cada um deles luta. Pois

[...] quem defende uma causa justa e luta pela liberdade e para libertar sua terra dos invasores, dos colonos e dos colonialistas, não pode ser chamado terrorista [...]

Esta é verdadeiramente uma causa válida e justa, consagrada pela Carta das Nações Unidas e pela Declaração Universal dos Direitos Humanos. Quanto aos que lutam contra as causas justas, os que travam guerra para ocupar, colonizar e oprimir outros povos, esses são os terroristas [...]

Seu terrorismo se alimentou de ódio e esse ódio foi dirigido até mesmo contra a oliveira em meu país, que é um símbolo de orgulho e que os lembrou dos habitantes nativos da terra, um lembrete vivo de que a terra é palestina – por isso, eles tentaram destruí-la [...] Seu terrorismo atingiu até mesmo nossos lugares sagrados em nossa amada e pacífica Jerusalém. Eles se empenharam em desarabizá-la e fazê-la perder seu caráter muçulmano e cristão ao desalojar seus habitantes e anexá-la [...]

Será preciso lembrar esta assembleia das numerosas resoluções adotadas por ela condenando agressões israelenses cometidas contra países árabes, violações israelenses de direitos humanos e os artigos da Convenção de Genebra, bem como as resoluções pertencendo à anexação da cidade de Jerusalém e sua restauração a seu status anterior? A única descrição para esses atos é que são atos de barbarismo e terrorismo. E ainda assim os racistas e colonialistas sionistas têm a audácia de descrever a luta justa de nosso povo como terror. Poderia haver distorção mais flagrante da verdade do que essa?

[...] Eu sou um rebelde, e a liberdade é a minha causa. Eu sei muito bem que muitos de vocês aqui presentes um dia ocuparam exatamente a mesma posição de resistência que ocupo hoje e a partir da qual devo lutar. Vocês, um dia, tiveram de transformar sonhos em realidade por meio de sua luta [...] Por que, então, eu não deveria sonhar e ter esperança? Pois uma revolução não é a concretização de sonhos e esperanças? Então, trabalhemos juntos para que meu sonho possa se concretizar, para que eu possa regressar do exílio com meu povo, lá na Palestina, para viver com este revolucionário judeu e seus companheiros, com este padre árabe e seus irmãos, em um só Estado democrático onde cristãos, judeus e muçulmanos vivam em justiça, igualdade, fraternidade e progresso. Esse não é um sonho nobre? [...] Em minha capacidade formal como presidente da Organização pela Libertação da Palestina e líder da revolução palestina, eu rogo para que vocês acompanhem nosso povo em sua luta para conquistar seu direito de autodeterminação [...]

Hoje eu trago numa mão o fuzil de um revolucionário e na outra um ramo de oliveira.

Não deixem o ramo de oliveira cair da minha mão. Eu repito: não deixem o ramo de oliveira cair da minha mão. **" "**

"Uma dama não volta atrás"
– Margaret Thatcher

30

Margaret Thatcher

Estadista britânica

Margaret Hilda Thatcher, nascida Roberts, posteriormente baronesa Thatcher (1925-2013), foi eleita membro do Parlamento por Finchley em 1959 e entrou para o gabinete paralelo[1] em 1967. No governo de Edward Heath (1970-1974), ela foi secretária de Estado de Educação e Ciência. Foi eleita líder do Partido Conservador em 1975 e se tornou primeira-ministra em maio de 1979. Em sua primeira administração, ela reduziu a inflação, mas o desemprego aumentou. Sua popularidade foi impulsionada pela recaptura das Ilhas Malvinas após a invasão argentina de 1982, e ela foi reeleita em junho de 1983. Durante seu segundo mandato, deu grande ênfase à economia de mercado. A economia continuou a crescer durante sua segunda administração, mas sua postura rígida foi impopular em vários distritos. Ela regressou para um terceiro mandato em 1987. No cenário internacional, estabeleceu uma estreita amizade com o presidente norte-americano Ronald Reagan, ganhou a admiração do presidente soviético Mikhail Gorbachev e conquistou reputação por ajudar a pôr um fim à Guerra Fria. Após 1989, sua liderança do partido foi desafiada e, em novembro de 1990, ela renunciou. Grande parte de seu legado econômico se tornou consenso entre os partidos políticos britânicos depois que Tony Blair se tornou líder do Partido Trabalhista em 1994.

"Uma dama não volta atrás"

10 de outubro de 1980, Brighton, Inglaterra

O discurso de abertura de Margaret Thatcher à conferência do Partido Conservador de 1980, cujo trecho intermediário é reproduzido aqui, foi uma provocação às críticas fora e dentro do partido que atacaram as políticas anti-inflacionárias de seu governo, culpando-as pelo aumento do desemprego. Embora reconhecesse a "tragédia humana" dos 2 milhões de desempregados no Reino Unido, ela insistiu que a inflação

---

1. No sistema Westminster, grupo formado por representantes da oposição, cuja função é fazer críticas construtivas ao governo em exercício e apresentar propostas alternativas. (N.T.)

baixa oferecia a única esperança real de prosperidade no longo prazo. Medidas adicionais, segundo insinuou, estavam freando o desperdício das autoridades locais e dos serviços nacionalizados – medidas que Thatcher implementaria gradativamente durante seus onze anos no cargo, limitando o poder das autoridades locais e privatizando as empresas de serviços.

 A fala mais famosa do discurso – e uma das mais memoráveis de sua carreira – foi uma resposta direta aos analistas que estavam prevendo que Thatcher seria forçada a "voltar atrás" em sua política econômica, como o governo de Edward Heath fizera em 1972. Entretanto, um momento igualmente revelador – no que concerne ao estado de ânimo nacional e ao temperamento da primeira-ministra – ocorreu antes no discurso, quando manifestantes invadiram a sala de conferência, gritando "Fora, conservadores! Queremos empregos!". Thatcher respondeu aos aplausos estrondosos: "Tudo bem, está chovendo lá fora. Eu esperava que eles quisessem entrar. Não podemos culpá-los; sempre é melhor onde os conservadores estão".

❝ O nível de desemprego em nosso país hoje é uma tragédia humana. Deixem-me esclarecer para além de qualquer dúvida: estou profundamente preocupada com o desemprego. A autoestima e a dignidade humana são minadas quando homens e mulheres são condenados à ociosidade. O desperdício dos bens mais preciosos de um país – o talento e a energia de seu povo – faz com que o governo tenha o dever moral de procurar uma cura real e duradoura.

Se eu pudesse apertar um botão e resolver genuinamente o problema do desemprego, vocês acham que eu não apertaria esse botão neste instante?

 Alguém imagina que exista o menor ganho político em deixar este desemprego continuar, ou que exista alguma religião econômica obscura que exige esse desemprego como parte de seu ritual? Este governo está seguindo a única política que dá alguma esperança de trazer nosso povo de volta ao emprego real e duradouro [...]

Eu sei que há outra preocupação concreta afetando muitos de nosso povo.

Embora eles aceitem que nossas políticas são corretas, sentem, lá no fundo, que o fardo de as realizar está caindo muito mais pesadamente sobre o setor público do que sobre o setor privado. Dizem que o setor público está gozando de vantagens, enquanto o setor privado está arcando com os prejuízos e, ao mesmo tempo, mantendo as pessoas no setor público com salários e pensões melhores do que os deles.

Devo dizer a vocês que partilho dessa preocupação e entendo o ressentimento. É por isso que eu e meus colegas dizemos que aumentar o gasto público leva embora o dinheiro e os recursos que a indústria necessita para se manter em atividade, quem dirá se expandir. Gastos públicos mais elevados, longe de curar o desemprego, podem ser o próprio veículo que elimina postos de trabalho e causa falências nos negócios e no comércio. É por isso que alertamos as autoridades locais de que, uma vez que os impostos sobre a propriedade frequentemente são o maior imposto com que a indústria se depara hoje, o aumento deles pode prejudicar os negócios locais. Os conselhos locais devem, portanto, aprender a cortar custos da mesma maneira que as empresas têm de fazer.[2]

É por isso que enfatizo que, se aqueles que trabalham no setor público tomam para si grandes aumentos salariais, deixam menos para ser gasto em equipamento e novas construções. Isso, por sua vez, priva o setor privado dos pedidos que necessita, sobretudo algumas das indústrias nas regiões mais pressionadas. Aqueles no setor público têm o dever para com aqueles no setor privado de não receber salários tão altos a ponto de causar o desemprego de outros. É por isso que assinalamos que, cada vez que acordos de aumentos salariais em monopólios nacionalizados resultam em cobranças mais altas de telefone, eletricidade, carvão e água, podem levar as empresas a encerrarem suas atividades e custar o emprego de outras pessoas.

Se gastar dinheiro como água fosse a resposta para os problemas do nosso país, hoje não teríamos problemas.

Se alguma nação já gastou, gastou, gastou e gastou, foi a nossa. Hoje esse sonho acabou. Todo esse dinheiro não nos levou a lugar algum, mas ainda tem de vir de algum lugar.

---

2. O "teto tributário", que limitou o direito dos conselhos locais de aumentar o imposto sobre a propriedade, tornou-se uma questão contenciosa durante a primeira administração de Thatcher. (N.E.)

Aqueles que nos instam a aliviar o aperto, a gastar ainda mais dinheiro indiscriminadamente na crença de que isso ajudará os desempregados e os pequenos empresários, não estão sendo amáveis nem compassivos nem gentis. Não estão sendo amigos dos desempregados nem dos pequenos negócios. Estão nos pedindo para fazer, novamente, aquilo que causou os problemas desde o início. Afirmamos isso repetidas vezes.

Sou acusada de fazer sermão sobre isso. Suponho que seja uma maneira crítica de dizer 'bem, sabemos que isso é verdade, mas precisamos nos queixar de alguma coisa.' Eu não me importo com isso. Mas me importo com o futuro da livre-iniciativa, dos empregos e das exportações que ela gera e da independência que traz ao nosso povo. Independência? Sim, mas sejamos claros sobre o que queremos dizer com isso. Independência não significa se abster de todas as relações com os outros. Uma nação pode ser livre, mas não permanecerá livre por muito tempo se não tiver amigos nem alianças. Pelo mesmo raciocínio, um indivíduo precisa ser parte de uma comunidade e sentir que é parte dela. Isso não se resume à chance de garantir seu sustento e o de sua família, por mais essencial que isso seja.

É claro, nossa visão e nossos objetivos vão muito além dos argumentos complexos da economia, mas, se não entendermos bem a economia, negaremos ao nosso povo a oportunidade de partilhar dessa visão e ver além dos horizontes estreitos da necessidade econômica.

Sem uma economia saudável, não podemos ter uma sociedade saudável. Sem uma sociedade saudável, a economia não se manterá saudável por muito tempo.

Mas não é o Estado que cria uma sociedade saudável. Quando o Estado fica poderoso demais, as pessoas se sentem cada vez menos importantes.

O Estado exaure a sociedade, não só de sua riqueza como também de iniciativa, de energia, de vontade de melhorar e inovar, bem como de preservar o que é melhor.

Nosso objetivo é deixar as pessoas sentirem que podem fazer cada vez mais diferença. Se não pudermos confiar nos instintos mais profundos do nosso povo, não devemos estar na política. Alguns aspectos de nossa sociedade atual realmente ofendem esses instintos.

As pessoas decentes querem fazer um bom trabalho, sem ser restringidas nem dissuadidas de fazer bom uso de seu dinheiro. Elas acreditam que a honestidade deve ser respeitada, e não ridicularizada. Veem o crime e a violência como uma ameaça não só à sociedade como também ao seu próprio modo de vida disciplinado. Querem poder criar seus filhos nessas crenças, sem o temor de que seus esforços serão frustrados diariamente em nome do progresso ou da livre expressão. De fato, é nisso que consiste a vida familiar.

Não há abismo entre gerações numa família unida e feliz.

As pessoas anseiam ser capazes de confiar em alguns padrões geralmente aceitos. Sem eles, não temos uma sociedade, temos uma anarquia sem propósito. Uma sociedade saudável tampouco é criada por suas instituições. Grandes escolas e universidades não fazem uma grande nação; grandes exércitos também não. Somente uma grande nação pode criar e envolver grandes instituições – de aprendizado, de cura, de progresso científico. E uma grande nação é a criação voluntária de seu povo – um povo composto de homens e mulheres cujo orgulho de si mesmos é baseado no conhecimento do que podem dar a uma comunidade da qual, por sua vez, podem se orgulhar.

Se nosso povo puder sentir que é parte de uma grande nação e estiver preparado para desejar os meios para mantê-la grande, uma grande nação seremos, e continuaremos sendo. Então, o que pode nos impedir de alcançar isso? O que, então, se coloca em nosso caminho? A perspectiva de outro inverno de desesperança?[3] Suponho que possa ser isso.

Mas prefiro acreditar que certas lições foram aprendidas com a experiência, que estamos chegando, lenta e dolorosamente, a um outono de compreensão. E espero que este seja seguido de um inverno de bom senso.

Para os que esperam, com a respiração suspensa, por este bordão adorado pela mídia, o termo 'voltar atrás', tenho apenas uma coisa a dizer: 'Voltem vocês, se quiserem. Uma dama não volta atrás'.[4] **"**

---

3. No inverno de 1978-1979, o governo trabalhista de James Callaghan enfrentou uma série de greves do setor público, deixando o país, em vários momentos, sem serviços de coleta de lixo, de bombeiro e de correio. Esse período, que levou à derrota do Partido Trabalhista na eleição geral de 1979, ficou conhecido como "inverno da desesperança", um termo tirado da primeira frase de *Ricardo III* (c. 1592), de William Shakespeare. (N.E.)

4. No original, *"The lady's not for turning"*. Essa frase brinca com o título da obra teatral em verso *The Lady's Not for Burning* (1949), do dramaturgo inglês Christopher Fry (1907-2005). (N.E.)

"Acredito que o comunismo é outro capítulo triste e grotesco na história humana cujas últimas páginas estão sendo escritas bem agora. Acredito nisso porque a origem de nossa força na busca pela liberdade humana não é material, e sim espiritual."

– Ronald Reagan

31
Ronald Reagan
Político norte-americano

Um ator de sucesso em Hollywood, Ronald Wilson Reagan (1911-2004) se interessou pela política quando foi presidente do Screen Actors' Guild (1947-1952), um sindicato de atores dos Estados Unidos, e se aproximou cada vez mais do republicanismo, em particular após seu casamento em 1952 com a abastada atriz Nancy Davis (1921-2016). Ele entrou para o Partido Republicano em 1962 e, em 1966, foi eleito governador da Califórnia, um cargo que ocupou até 1972. Em 1980, após duas tentativas anteriores, foi indicado pelo partido como candidato à presidência, derrotando com clara vantagem o presidente Jimmy Carter (1924-). Sobreviveu a uma tentativa de assassinato em 1981 e garantiu a reeleição por uma margem recorde em 1984. Seu programa de redução de impostos e financiamento de déficit trouxe uma rápida recuperação econômica entre 1983 e 1986, enquanto, na arena internacional, ele se tornou adepto da *détente*, presidindo quatro reuniões de cúpula com o líder soviético Mikhail Gorbachev e assinando um tratado pela eliminação de forças nucleares de alcance intermediário. Apelidado "o grande comunicador", pelo modo desenvolto como lidava com a mídia, Reagan tinha um relacionamento único e populista com a "grande América" e deixou o cargo como uma figura imensamente popular.

"Os impulsos agressivos de um império do mal"
8 de março de 1983, Orlando, Flórida, EUA

> *Entre as prioridades de Reagan quando ele chegou ao poder estava a restauração da primazia moral e militar dos Estados Unidos; para isso, ele autorizou grandes aumentos nos gastos com defesa e seguiu uma agenda social conservadora.*
>
> *Este discurso, feito na convenção anual da Associação Nacional de Evangélicos, é um claro reflexo dos principais objetivos de Reagan: a primeira metade (omitida aqui) falou da importância do cristianismo na vida norte-americana e discutiu moralidade sexual e aborto; a segunda metade rejeita as conclamações para que os Estados Unidos congelassem*

seu arsenal nuclear e, famosamente, descreve a União Soviética como um "império do mal".

O discurso, e essa frase em particular, dividiram opiniões no mundo inteiro. As autoridades soviéticas ficaram enfurecidas – uma resposta oficial declarou que a administração de Reagan só era "capaz de pensar em termos de confronto e anticomunismo lunático e belicoso". Outros, no entanto, consideraram que, ao introduzir a noção de "mal" na Guerra Fria, Reagan afirmara a autoridade moral e renovara a confiança dos Estados Unidos.

Anos depois, Reagan declarou acerca deste discurso: "Foi retratado como uma espécie de declaração desinformada e ultraconservadora [...] [mas] o sistema soviético intencionalmente subjugou, assassinou e brutalizou seu próprio povo [...] Um sistema que permitiu isso não é do mal?"

" Durante minha primeira conferência de imprensa como presidente, em resposta a uma pergunta direta, eu observei que, como bons marxistas-leninistas, os líderes soviéticos declararam aberta e publicamente que a única moralidade que reconhecem é a que promoverá sua causa, que é a revolução mundial. Penso que devo esclarecer que eu estava apenas citando Lenin, seu líder, que, em 1920, disse que eles repudiavam toda moralidade que proceda de ideias sobrenaturais – esse é o nome que dão à religião – ou ideias que estejam fora das concepções de classe. A moralidade está totalmente subordinada aos interesses da luta de classes. E tudo que é necessário para a aniquilação da velha ordem social exploradora e para a união do proletariado é moral.

Bem, eu penso que a recusa de muitas pessoas influentes em aceitar esse fato elementar da doutrina soviética ilustra uma relutância histórica em enxergar as potências totalitárias tal como são. Nós vimos esse fenômeno nos anos 1930. Também o vemos com frequência em nossos dias.

Isso não significa que devamos nos isolar e nos recusar a procurar um entendimento com eles. Pretendo fazer tudo que puder para persuadi-los de nosso intento pacífico, para lembrá-los de que foi o Ocidente que se recusou a usar seu monopólio nuclear nos anos 1940 e 1950 para expansão territorial e que hoje propõe uma redução de cinquenta por cento em mísseis balísticos estratégicos e a eliminação de toda uma classe de mísseis nucleares de alcance intermediário em bases terrestres.

Mas, ao mesmo tempo, deve-se fazer com que eles entendam que jamais comprometeremos nossos princípios e normas.

[...] Jamais abdicaremos de nossa liberdade. Jamais abandonaremos nossa crença em Deus.

E jamais deixaremos de buscar uma paz genuína. Mas não podemos garantir nenhuma dessas coisas que a América defende por meio da solução proposta por alguns, o chamado congelamento nuclear.

A verdade é que, hoje, um congelamento seria uma fraude muito perigosa, pois é meramente a ilusão de paz. A realidade é que devemos encontrar a paz por meio da força.

Eu concordaria com um congelamento se pudéssemos congelar as aspirações globais dos soviéticos. Um congelamento no nível atual de armas eliminaria qualquer incentivo para que os soviéticos negociem seriamente em Genebra[1] e praticamente acabaria com nossas chances de alcançar as importantes reduções de armamentos que propusemos. Em vez disso, por meio do congelamento, eles alcançariam seus objetivos [...]

Há alguns anos, ouvi um jovem pai, um homem eminente no mundo do entretenimento, dirigindo-se a uma grande audiência na Califórnia. Foi durante a época da Guerra Fria, e o comunismo e nosso próprio modo de vida estavam muito presentes na cabeça das pessoas. E ele estava falando desse assunto. Mas, de repente, eu o ouvi dizer: 'Eu amo minhas filhas mais do que tudo'.

E disse a mim mesmo: 'Ah, não. Não pode ser. Não diga isso'. Mas eu o havia subestimado.

Ele prosseguiu: 'Eu preferiria ver minhas filhas morrerem agora, ainda acreditando em Deus, do que vê-las crescer sob o comunismo e um dia morrer sem acreditar em Deus.'

Havia milhares de jovens naquela plateia. Eles se levantaram gritando de alegria. Reconheceram no mesmo instante a verdade profunda no que ele acabara de dizer, com relação ao físico e à alma e ao que era verdadeiramente importante.

Sim, oremos pela salvação de todos aqueles que vivem na obscuridade totalitária – oremos para que eles descubram a alegria de conhecer Deus.

---

1. Em 1983, ocorreram em Genebra, na Suíça, negociações entre a URSS e os EUA para a redução das armas nucleares de alcance intermediário. Os soviéticos se retiraram dessas discussões em 23 de novembro daquele ano. (N.E.)

Mas, até que não o façam, estejamos cientes de que, enquanto eles pregarem a supremacia do Estado, declararem sua onipotência sobre o indivíduo e preverem a dominação de todos os povos na Terra, serão o foco do mal no mundo moderno.

Foi C. S. Lewis[2] quem, em suas inesquecíveis *Cartas de um diabo a seu aprendiz*, escreveu: 'Hoje, os maiores males não são cometidos naqueles sórdidos 'antros de crime' que Dickens adorava retratar. Sequer são cometidos em campos de trabalho forçado e campos de concentração. Nestes, vemos seu resultado final. São concebidos e sistematizados (acionados, secundados, executados e registrados) em escritórios limpos, acarpetados, aquecidos e bem iluminados, por homens silenciosos de colarinho branco, unhas cortadas e bem barbeados, que não precisam erguer a voz'.

Bem, porque esses 'homens silenciosos' não 'erguem a voz', porque eles às vezes falam em tons tranquilizantes de paz e fraternidade, porque, como outros ditadores antes deles, estão sempre fazendo 'sua última demanda territorial', alguns nos fariam aceitar o que dizem e nos acomodar a seus impulsos agressivos. Mas se a história ensina alguma coisa, ensina que o apaziguamento ingênuo, ou o pensamento ilusório acerca de nossos adversários, é tolice. Significa a traição do nosso passado, o desperdício da nossa liberdade.

Por isso, eu os insto a se pronunciar contra aqueles que colocariam os Estados Unidos numa posição de inferioridade moral e militar. Vocês sabem, eu sempre acreditei que o velho Fitafuso reservava seus melhores esforços para aqueles de vocês que frequentam a igreja. Então, em suas discussões sobre as propostas de congelamento nuclear, insisto para que vocês tomem cuidado com a tentação do orgulho – a tentação de se declarar acima de tudo isso e rotular ambos os lados como igualmente culpados, de ignorar os fatos da história e os impulsos agressivos de um império do mal, de simplesmente chamar a corrida armamentista de um mal-entendido gigante e, desse modo, se abster da luta entre certo e errado e bem e mal.

Peço que resistam às tentativas daqueles que os fariam negar seu apoio aos nossos esforços, aos esforços desta administração, para manter a América forte e livre enquanto negociamos reduções reais e verificáveis no arsenal nuclear do mundo – e um dia, com a ajuda de Deus, sua completa eliminação.

---

2. O acadêmico e escritor anglo-irlandês C. S. Lewis (1898-1963) publicou *The Screwtape Letters* [*Cartas de um diabo a seu aprendiz*] em forma de livro em 1942. Uma série de cartas fictícias enviadas pelo diabo Fitafuso para seu sobrinho incompetente Vermebile, esta fábula cristã admoestatória foi originalmente publicada em fascículos no *The Guardian*. (N.E.)

Embora o poder militar da América seja importante, permitam-me acrescentar que sempre defendi que a luta acontecendo hoje no mundo jamais será decidida por bombas ou foguetes, por exércitos ou poder militar. A verdadeira crise que enfrentamos hoje é espiritual; em sua raiz, é uma prova de fé e força moral.

Whittaker Chambers, o homem cuja própria conversão religiosa fez dele uma testemunha de um dos traumas terríveis da nossa época, o caso Hiss-Chambers[3], escreveu que a crise do mundo ocidental existe na medida em que o Ocidente é indiferente a Deus, na medida em que colabora com a tentativa comunista de fazer o homem viver sem Deus. E então falou, pois o marxismo-leninismo é, com efeito, a segunda fé mais antiga, proclamada pela primeira vez no Jardim do Éden com as palavras de tentação: 'Vocês serão como Deus'.[4] [...]

Acredito que estamos à altura do desafio. Acredito que o comunismo é outro capítulo triste e grotesco na história humana cujas últimas páginas estão sendo escritas bem agora. Acredito nisso porque a origem de nossa força na busca pela liberdade humana não é material, e sim espiritual. E, porque não conhece limitações, deve aterrorizar e finalmente triunfar sobre aqueles que escravizariam seus companheiros.

Está em nossas mãos começar o mundo outra vez.

Pois, nas palavras de Isaías: 'Ele fortalece ao cansado e dá grande vigor ao que está sem forças [...] mas aqueles que esperam no Senhor renovam as suas forças. Voam bem alto como águias; correm e não ficam exaustos, andam e não se cansam [...]'[5]

Sim, mude seu mundo. Um de nossos pais fundadores, Thomas Paine, falou: 'Está em nossas mãos começar o mundo outra vez'.[6] Podemos fazer isso, fazendo juntos o que igreja alguma poderia fazer sozinha.

Deus os abençoe, e muito obrigado. 🙥

---

3. Em 1948, o jornalista norte-americano Whittaker Chambers (1901-1961), ex-comunista, acusou Alger Hiss (1904-1996), um alto funcionário do Departamento de Estado dos Estados Unidos, de ser um espião comunista. (N.E.)
4. Gênesis 3:5. (N.E.)
5. Isaías 40:29 e 31. (N.E.)
6. Reagan cita essas palavras do panfleto "Senso comum", do filósofo inglês Thomas Paine (1737-1809), que defendeu a independência norte-americana e se tornou cidadão norte-americano em 1795. (N.E.)

32
Desmond Tutu
Clérigo sul-africano

Após trabalhar como professor por cerca de quatro anos, Desmond Mpilo Tutu (1931-) estudou Teologia e se tornou um padre de paróquia anglicano (1961). Ele ascendeu rapidamente, tornando-se bispo de Lesoto (1976-1978), secretário-geral do Conselho de Igrejas Sul-Africanas (1978-1985), o primeiro bispo negro de Johannesburgo (1985-1986) e arcebispo da Cidade do Cabo (1986-1996). Um ferrenho oponente do apartheid, repetidas vezes correu o risco de ser preso por defender sanções punitivas internacionais contra a África do Sul, embora deplorasse o uso de violência. Recebeu o Prêmio Nobel da Paz em 1984, foi nomeado chanceler da Universidade do Cabo Ocidental, na Cidade do Cabo, em 1988 e, após o apartheid, presidiu a Comissão de Verdade e Reconciliação de 1995 a 1999.

"A solução final do apartheid"
11 de dezembro de 1984, Oslo, Noruega

Conhecido como um crítico declarado do apartheid sul-africano, o arcebispo Tutu recebeu o Prêmio Nobel da Paz em 1984. Ele usou este discurso de aceitação para condenar o "sonho racista" da África do Sul e desdenhar das concessões limitadas da nova Constituição do país, implementada no ano anterior.

Nelson Mandela (que receberia o Prêmio Nobel da Paz em 1993) certa vez observou acerca de seu aliado: "Às vezes estridente, com frequência afetuosa, nunca temerosa e raramente sem humor, a voz de Desmond Tutu sempre será a voz dos sem voz".

Apresentando o prêmio, Egil Aarvik, presidente do Comitê Norueguês do Nobel, falou da determinação de Tutu de que a paz deve triunfar sobre a violência. Ele se lembrou de ter visto um exemplo do ofício de Tutu durante a cobertura televisiva de um massacre em Johannesburgo. "Depois que os carros de polícia saíram com seus prisioneiros, Desmond Tutu parou e falou para uma congregação assustada e amarga: 'Não odeiem', ele disse. 'Vamos escolher o caminho pacífico para a liberdade'."

Desmond Tutu

Contudo, Tutu é um orador enérgico. Tendo descrito casos individuais e suas consequências trágicas para sul-africanos negros e brancos, ele se torna brevemente lírico, antes de dissecar as iniquidades do apartheid.

❝ *Venho de uma terra bonita, ricamente dotada por Deus com recursos naturais maravilhosos, grandes extensões, paisagens montanhosas, pássaros gorjeadores, estrelas brilhantes em céus azuis [...]*

com um sol dourado e radiante. Há o suficiente das coisas boas que vêm da generosidade de Deus, há o suficiente para todos, mas o apartheid reforçou o egoísmo de alguns, levando-os a se apossar gananciosamente de uma parcela desproporcional, abusiva, por causa de seu poder.

Eles tomaram 87 por cento da terra, embora sejam apenas cerca de vinte por cento de nossa população. Os demais foram forçados a se virar com os treze por cento restantes. O apartheid[1] decretou a política de exclusão. Setenta e três por cento da população são excluídos de qualquer participação significativa nos processos de decisão política em sua terra natal.

A nova Constituição[2] [...] perpetua por lei e consolida o domínio da minoria branca. Espera-se que os negros exerçam suas ambições políticas em bantustões[3] inviáveis, áridos e acometidos pela pobreza, guetos de miséria, reservas inesgotáveis de mão de obra negra barata, bantustões nos quais a África do Sul está sendo balcanizada.

---

1. O apartheid foi implementado em 1948, consagrando a segregação racial na legislação sul-africana, restringindo enormemente a liberdade de movimento e de residência, e o acesso da população não branca (incluindo asiáticos e povos de raça mista, bem como os nativos africanos) a educação e empregos, além de lhes negar direitos políticos, civis e legais. (N.E.)

2. A Constituição sul-africana foi revisada em 1983, concedendo a cidadãos asiáticos e "de cor" (de raça mista) participação limitada nas câmaras subordinadas de um parlamento tricameral. Decretou que a maioria negra seria considerada cidadãos de "pátrias" "independentes". (N.E.)

3. Bantu é um termo genérico para mais de quatrocentos grupos étnicos nativos na parte sul do continente africano. Os bantustões se referem às "pátrias" das quais os negros sul-africanos foram designados "cidadãos" durante o regime de apartheid. (N.E.)

Os negros estão sendo sistematicamente privados de sua cidadania sul-africana e sendo transformados em estrangeiros em sua própria terra.

Essa é a solução final do apartheid, assim como o nazismo teve sua solução final para os judeus na loucura ariana de Hitler. O governo sul-africano é esperto. Estrangeiros podem reivindicar pouquíssimos direitos, e menos ainda direitos políticos.

Em conformidade com o sonho racista ideológico do apartheid, mais de 3 milhões de filhos de Deus foram arrancados de suas casas, que foram demolidas, enquanto eles foram despejados nos campos de reassentamento dos bantustões. Eu digo despejados advertidamente: apenas coisas ou lixo são despejados, não seres humanos. O apartheid, no entanto, determinou que filhos de Deus, só porque são negros, sejam tratados como se fossem coisas, e não como seres de valor infinito criados à imagem de Deus.

Esses locais de despejo estão longe de onde se possa conseguir trabalho e comida facilmente. As crianças passam fome, padecem as consequências muitas vezes irreversíveis da desnutrição – isso acontece com elas não acidentalmente, e sim por uma política governamental deliberada. Elas passam fome em uma terra que poderia ser o celeiro da África, uma terra que normalmente é exportadora líquida de alimentos.

O pai deixa sua família no bantustão, batalhando lá por uma existência miserável, enquanto ele, se tiver sorte, vai à chamada cidade do homem branco como migrante, viver uma vida não natural numa pensão só para homens durante onze meses do ano, sendo presa fácil para a prostituição, o alcoolismo e coisas piores.

Essa política de mão de obra migratória é uma política governamental declarada, e foi condenada [...] como um câncer em nossa sociedade.

Esse câncer, devorando as vísceras da vida familiar negra, é uma política governamental deliberada. É parte do custo do apartheid, exorbitante em termos de sofrimento humano.

O apartheid gerou a educação discriminatória, como a Educação Bantu, a educação para a servidão, garantindo que o governo gaste anualmente com a educação de uma criança negra apenas cerca de um décimo do que gasta com a de uma criança branca. É a educação que é decididamente separada e desigual. É um desperdício injustificado de recursos humanos, porque tantos filhos de Deus são impedidos, por uma política governamental deliberada, de alcançar todo o seu potencial [...]

O apartheid é defendido por uma falange de leis iníquas, como a Lei de Registro Populacional, que decreta que todos os sul-africanos devem ser classificados por etnia e devidamente registrados de acordo com essas categorias raciais. Muitas vezes, na mesma família, um filho foi classificado como branco, ao passo que outro, com uma cor um pouco mais escura, foi classificado como 'de cor', com todas as terríveis consequências para este último, ao ser impedido de pertencer a uma casta enormemente privilegiada. Em consequência, ocorreram vários suicídios infantis.

Este é um preço alto demais a se pagar pela pureza racial, pois é duvidoso que um fim, por mais desejável que seja, possa justificar tais meios. Há leis como a Lei de Proibição de Casamentos Mistos, que considera ilegais os casamentos entre uma pessoa branca e uma pessoa de outra raça. A raça se torna impedimento para um casamento válido. Duas pessoas que se apaixonaram são impedidas, pela raça, de consumar seu amor no laço do matrimônio. Algo belo é transformado em sórdido e feio [...]

Há as leis que permitem a detenção, por tempo indefinido, de pessoas que o ministro da Lei e da Ordem decidiu que são uma ameaça à segurança do Estado. Elas são detidas arbitrariamente, em confinamento solitário, sem acesso a seus familiares, a seu próprio médico ou a um advogado. Essa é uma punição severa quando as evidências aparentemente disponíveis ao ministro não foram verificadas num julgamento público – talvez resistissem a tal escrutínio rigoroso, talvez não; nós nunca saberemos.

É um dispositivo conveniente demais para um regime repressivo, e o ministro teria de ser muito especial para não sucumbir à tentação de contornar o processo embaraçoso de verificar suas evidências num julgamento público, e assim ele expõe seu poder ao abuso de ser ao mesmo tempo juiz e promotor. Muitos – inúmeros – morreram misteriosamente na detenção. Tudo isso é extremamente custoso em termos de vidas humanas.

O ministro é capaz, também, de colocar as pessoas sob ordens de banimento sem estar sujeito ao incômodo dos freios e contrapesos do devido processo. Uma pessoa banida por três ou cinco anos se torna uma não pessoa, que não pode ser citada durante o período de sua ordem de banimento.

Ela não pode participar de uma reunião, o que significa mais do que uma outra pessoa. Duas pessoas juntas conversando com uma pessoa banida são uma reunião! Ela não pode comparecer a um casamento ou funeral, nem mesmo de seu próprio filho, sem permissão especial. Deve estar em casa das seis da tarde de um dia às seis da manhã do dia seguinte e em todos os feriados públicos, e das seis da tarde da sexta-feira às seis da manhã da segunda-feira, durante três anos. Não pode viajar para fora da área à qual foi confinada. Não pode ir ao cinema nem a um piquenique.

Isso é uma punição severa, infligida sem que as evidências que supostamente a justificam sejam disponibilizadas à pessoa banida ou examinadas num tribunal de direito. É uma grave erosão e violação de direitos humanos básicos, dos quais os negros têm pouquíssimos em sua terra natal. Eles não gozam dos direitos de liberdade de associação e de movimento. Não gozam da liberdade da garantia de posse, do direito de participar das decisões que afetam suas vidas. Em suma, esta terra, ricamente dotada em tantos aspectos, é tristemente carente de justiça.

Conta-se que certa vez um zambiano e um sul-africano estavam conversando. O zambiano se gabava de seu ministro de Assuntos Navais. O sul-africano perguntou: 'Mas vocês não têm marinha, não têm acesso ao mar. Como podem ter um ministro de Assuntos Navais?'. O zambiano retorquiu: 'Bem, na África do Sul vocês têm um ministro de Justiça, não têm?'.

É contra esse sistema que nosso povo busca protestar pacificamente pelo menos desde 1912, com a fundação do Congresso Nacional Africano.[4] Eles usaram os métodos convencionais de protesto pacífico – petições, manifestações, delegações e até mesmo uma campanha de resistência passiva. Um tributo ao comprometimento do nosso povo com a mudança pacífica é o fato de que os dois únicos sul-africanos a ganharem o Prêmio Nobel da Paz são negros.[5]

Nosso povo é pacifista ao extremo. A resposta das autoridades tem sido de cada vez mais intransigência e violência, a violência de cães policiais, gás lacrimogêneo, detenção sem julgamento, exílio e até morte. Nosso povo protestou pacificamente contra a Lei do Passe[6] em 1960, e 69 deles foram

---

4. O Congresso Nacional Africano (CNA) foi formado como o Congresso Nacional dos Nativos Sul-Africanos em 1912 para defender os direitos da maioria negra sul-africana. (N.E.)

5. O primeiro sul africano a ganhar o Prêmio Nobel da Paz foi Albert Lutuli (c. 1898-1967), presidente-geral do Congresso Nacional Africano, que recebeu o prêmio em 1960. (N.E.)

6. A Lei do Passe requeria que os cidadãos negros portassem documentos de identidade em todas as ocasiões. (N.E.)

mortos em 21 de março daquele ano, em Sharpeville – muitos tomaram tiros nas costas enquanto fugiam.[7]

Nossas crianças protestaram contra a educação inferior, entoando canções, exibindo cartazes e marchando pacificamente. Muitas, em 1976, em 16 de junho e em ocasiões subsequentes, foram mortas ou presas.[8]

Mais de quinhentas pessoas morreram naquela rebelião. Muitas crianças foram para o exílio. O paradeiro de muitas é desconhecido por seus pais [...]

No Ocidente, essa destruição gratuita de vida humana provocou pouca repulsa ou indignação. Um parêntese: alguém pode, por favor, me explicar algo que me deixa perplexo? Quando um padre desaparece e depois é encontrado morto, a mídia no Ocidente dá ampla cobertura ao caso.[9] Fico feliz que a morte de uma única pessoa possa causar tanto interesse. Mas, na mesma semana em que esse padre é encontrado morto, a polícia sul-africana mata 24 negros que estiveram participando do protesto, e 6 mil negros são demitidos por estarem envolvidos de maneira similar, e dificilmente isso recebe o mesmo espaço na mídia.

Estão nos dizendo algo em que não acredito – que nós, negros, somos dispensáveis e que os laços sanguíneos são mais fortes; que, numa situação de crise, não se pode confiar nos brancos, pois eles se associarão contra nós? Eu não quero acreditar que essa é a mensagem sendo comunicada para nós.

Seja como for, vemos diante de nós uma terra desprovida de justiça e, portanto, sem paz nem segurança. A agitação social é endêmica, e continuará sendo uma característica imutável da realidade sul-africana até que o apartheid, a causa original disso tudo, seja finalmente desmantelado.

---

7. Em 21 de março de 1960, uma multidão se reuniu na cidade de Sharpeville para protestar contra a Lei do Passe. Os números estimados variam muitíssimo, de trezentos a 20 mil. Quando os manifestantes, cantando, se reuniram ao redor da delegacia de polícia, os policiais abriram fogo, matando 69 e ferindo 186. Conta-se que a autoridade no comando, o coronel J. Pienaar, declarou: "Se eles fazem essas coisas, devem aprender sua lição do jeito difícil". (N.E.)

8. Em abril de 1976, crianças das escolas de Soweto (uma abreviação de "South-Western Townships" ["Bairros do Sudoeste"]), nos arredores de Johannesburgo, entraram em greve, recusando-se a comparecer às aulas. Num comício em 16 de junho, as crianças atiraram pedras na polícia, que reagiu com balas, e 566 crianças foram mortas. (N.E.)

9. Em outubro de 1984, o padre polonês Jerzy Popieluszko (1947-1984) foi sequestrado e assassinado pela polícia. O incidente desencadeou uma reação internacional. (N.E.)

Neste momento, o exército está sendo aquartelado com a população civil. Há uma guerra civil sendo travada. Os sul-africanos estão de um lado e de outro. Quando o Congresso Nacional Africano e o Congresso Pan-Africano[10] foram banidos em 1960, eles declararam que não tinham outra opção senão a luta armada. Nós, no Conselho Sul-Africano de Igrejas, dissemos que nos opomos a todas as formas de violência – a de um sistema repressivo e injusto e a daqueles que procuram derrubar esse sistema. No entanto, acrescentamos que compreendemos aqueles que afirmam que tiveram de adotar esse que é um último recurso para eles [...]

Falei extensivamente sobre a África do Sul, primeiro porque é a terra que eu conheço melhor, mas também porque é um microcosmo do mundo e um exemplo do que pode ser encontrado em outras terras em diferentes graus [...] Porque há insegurança global, os países estão envolvidos numa corrida armamentista insana, desperdiçando bilhões de dólares em instrumentos de destruição, quando milhões de pessoas estão passando fome. E, no entanto, apenas uma fração do que é gasto de maneira tão obscena em defesa faria a diferença ao permitir a esses filhos de Deus saciar sua fome, receber educação e ter a chance de levar uma vida plena e feliz. Temos a capacidade de nos alimentar várias vezes, mas somos diariamente assombrados pelo espetáculo das escórias macilentas da humanidade se arrastando por filas intermináveis, com tigelas para receber o que a caridade do mundo proporcionou, pouco demais, tarde demais.

Quando vamos aprender? Quando as pessoas do mundo vão se erguer e dizer: 'Basta'?

Deus nos criou para a camaradagem. Deus nos criou para que pudéssemos formar a família humana, existindo juntos porque fomos feitos uns para os outros. Não fomos feitos para a autossuficiência exclusiva, e sim para a interdependência, e violamos a lei de nossa existência por nossa conta e risco [...]

A não ser que trabalhemos assiduamente para que todos os filhos de Deus, nossos irmãos e irmãs, membros de nossa família humana, todos gozem de direitos humanos básicos, o direito a uma vida plena, o direito de movimento, de trabalho, a liberdade de ser plenamente humano, com uma

---

10. Um grupo dissidente do CNA, que lutava por um governo "dos africanos, pelos africanos, para os africanos". As duas organizações foram banidas após o massacre de Sharpeville. (N.E.)

humanidade medida por nada menos do que a humanidade do próprio Jesus Cristo, caminhamos inexoravelmente para a autodestruição; não estamos distantes do suicídio global – e, no entanto, poderia ser tão diferente.

Quando vamos aprender que os seres humanos são de valor infinito porque foram criados à imagem de Deus, e que é uma blasfêmia tratá-los como se fossem menos que isso, e agir assim, no fim das contas, reverbera sobre aqueles que fazem isso? Ao desumanizar os outros, eles próprios são desumanizados. Talvez a opressão desumanize o opressor tanto quanto o oprimido, ou até mais. Eles precisam um do outro para se tornarem verdadeiramente livres, para se tornarem humanos [...]

Trabalhemos para ser pacifistas, aos quais se concede uma parte maravilhosa no ofício de reconciliação de Nosso Senhor. Se queremos paz, assim nos disseram, trabalhemos por justiça.

Façamos de nossas espadas arados.[11]

Deus nos convoca para trabalhar junto com Ele, para que possamos expandir seu reino de *shalom*[12], de justiça, de bondade, de compaixão, de cuidado, de partilha, de risada, alegria e reconciliação, para que os reinos deste mundo se tornem o Reino do nosso Senhor e de seu Cristo, e Ele reine para todo o sempre. Amém. **""**

---

11. Isaías 2:4. (N.E.)
12. Em hebraico: "paz". (N.E.)

"Derrube este muro!"
– Ronald Reagan

33

Ronald Reagan

Político norte-americano

"Derrube este muro!"

12 de junho de 1987, Berlim Ocidental, Alemanha Ocidental

No 750º aniversário da fundação de Berlim, o presidente Reagan fez um discurso no Portão de Brandenburgo. Este foi, como ele reconhece, um eco do famoso discurso em Berlim feito por John F. Kennedy 24 anos antes, incluído neste livro.

Como em 1963, o Muro de Berlim dividia a cidade em Oriental e Ocidental, mas as circunstâncias haviam mudado. O primeiro-ministro soviético, Mikhail Gorbachev (1931-), começara a promover uma nova política de glasnost, ou abertura. Reconhecendo esses avanços, Reagan desafiou Gorbachev, possivelmente nas palavras mais famosas de sua presidência: "Derrube este muro!". Pouco mais de dois anos depois, o muro foi efetivamente derrubado.

Ironicamente, por pouco a frase não foi omitida do discurso. Muitos conselheiros acreditavam que era provocativa e alimentaria falsas esperanças. Mas Reagan estava determinado a incluí-la, dizendo a um assistente na manhã do discurso: "Os rapazes no [Departamento de] Estado vão me matar, mas é a coisa certa a se fazer".

❝Chanceler Kohl[1], prefeito Diepgen[2], senhoras e senhores, há 24 anos, o presidente John F. Kennedy visitou Berlim, falando, da sede da prefeitura, ao povo desta cidade e do mundo. Bem, desde então dois outros presidentes

---

1. O estadista alemão Helmut Kohl (1930-2017) foi chanceler da Alemanha Ocidental e, posteriormente, da Alemanha, de 1982 a 1998. (N.E.)
2. O político alemão Eberhard Diepgen (1941-) foi prefeito de Berlim de 1984 a 1989 e de 1991 a 2001. (N.E.)

vieram, cada um na sua vez, a Berlim. E hoje faço minha segunda visita à sua cidade.

Nós viemos a Berlim, nós presidentes americanos, porque é nosso dever falar, neste lugar, de liberdade.

Mas devo confessar que também somos atraídos até aqui por outras coisas: pela sensação de história nesta cidade, mais de quinhentos anos mais antiga que nosso próprio país; pela beleza de Grunewald e de Tiergarten; acima de tudo, por sua coragem e determinação. Talvez o compositor Paul Lincke entendesse algo sobre os presidentes americanos. Vejam vocês, como tantos presidentes antes de mim, venho até aqui hoje porque, aonde quer que eu vá, o que quer que eu faça: *ich hab' noch einen Koffer in Berlin*.[3]

Nosso encontro hoje está sendo transmitido para toda a Europa Ocidental e América do Norte. Acredito que também esteja sendo visto e ouvido no Oriente. Para aqueles que estão ouvindo na Europa Oriental, eu estendo meus cumprimentos mais afetuosos e a boa vontade do povo americano. Para aqueles que estão ouvindo em Berlim Oriental, uma palavra especial: embora eu não possa estar com vocês, dirijo minhas observações a vocês da mesma maneira que àqueles que estão aqui diante de mim. Pois eu me uno a vocês, como me uno a seus compatriotas no Ocidente, nesta crença firme e inabalável: *es gibt nur ein Berlin*.[4]

Atrás de mim há um muro que cerca os setores livres desta cidade; parte de um vasto sistema de barreiras que divide todo o continente da Europa.

Do sul báltico, essas barreiras atravessam a Alemanha, fazendo um corte profundo de arame farpado, concreto, cães de guarda e torres de vigilância. Mais ao sul, pode não haver um muro óbvio ou visível. Mas ainda há guardas armados e pontos de controle – ainda uma restrição ao direito de viajar, ainda um instrumento para impor a homens e mulheres comuns a vontade de um Estado totalitário.

Mas é aqui em Berlim que o muro emerge mais claramente; é aqui, atravessando a sua cidade, que as fotos nos jornais e as telas de TV imprimiram essa divisão brutal de um continente na mente do mundo inteiro.

Aqui, diante do Portão de Brandenburgo, todo homem é um alemão, separado de seus companheiros. Todo homem é um berlinense, forçado a olhar para uma cicatriz.

---

3. Em alemão: "Eu ainda tenho uma mala em Berlim". (N.E.)
4. Em alemão: "Há apenas uma Berlim". (N.E.)

O presidente von Weizsäcker[5] disse: 'A questão alemã está aberta há tanto tempo quanto o Portão de Brandenburgo está fechado'. Hoje eu digo: há tanto tempo quanto este portão está fechado, há tanto tempo quando esta cicatriz de muro está de pé, não é somente a questão alemã que permanece aberta, mas a questão da liberdade para toda a humanidade. Mas eu não venho até aqui para lamentar. Pois encontro em Berlim uma mensagem de esperança, mesmo na sombra deste muro, uma mensagem de triunfo.

Na primavera de 1945, o povo de Berlim emergiu de seus abrigos antiaéreos e encontrou devastação. A milhares de quilômetros de distância, o povo dos Estados Unidos se prontificou a ajudar. Em 1947, o secretário de Estado George Marshall anunciou a criação daquele que seria conhecido como Plano Marshall. Pronunciando-se há precisamente quarenta anos este mês, ele falou: 'Nossa política é dirigida não contra um país ou doutrina, e sim contra a fome, a pobreza, o desespero e o caos'.

No Reichstag, há poucos instantes, vi um cartaz comemorando este quadragésimo aniversário do Plano Marshall. Fiquei impressionado com o cartaz em uma estrutura consumida pelo fogo que estava sendo reconstruída. Suponho que os berlinenses da minha própria geração se lembrem de ver cartazes como este espalhados pelos setores ocidentais da cidade. O cartaz diz simplesmente: 'O Plano Marshall está aqui ajudando a fortalecer o mundo livre'. Um mundo livre e forte no Ocidente, esse sonho se tornou real. O Japão ergueu-se das ruínas para se tornar um gigante econômico. A Itália, a França, a Bélgica – praticamente todos os países da Europa Ocidental viram um renascimento político e econômico; fundou-se a Comunidade Europeia.

Na Alemanha Ocidental e aqui em Berlim, aconteceu um milagre econômico, o *Wirtschaftswunder* [...] Somente de 1950 a 1960, o padrão de vida na Alemanha Ocidental e em Berlim dobrou. Onde, há quatro décadas, havia cascalho, hoje em Berlim Ocidental há a maior produção industrial da Alemanha – prédios comerciais ocupados, casas e apartamentos sofisticados, avenidas imponentes e os gramados que se estendem pelos parques. Onde a cultura de uma cidade parecia ter sido destruída, hoje há duas grandes universidades, orquestras e uma ópera, incontáveis teatros e museus. Onde havia escassez, hoje há abundância – alimento, vestuário, automóveis – os produtos maravilhosos da Ku'damm.[6] Da devastação, da ruína total, vocês, berlinenses,

---

5. O político alemão Richard, barão de Weizsäcker (1920-2015), foi presidente da Alemanha Ocidental e, posteriormente, da Alemanha, de 1984 a 1994. (N.E.)
6. A Kurfürstendamm, uma rua comercial luxuosa. (N.E.)

em liberdade, reconstruíram uma cidade que mais uma vez figura entre uma das maiores do mundo [...]

Nos anos 1950, Khrushchev[7] previu: 'Vamos enterrar vocês'. Mas no Ocidente, hoje, vemos um mundo livre que alcançou um nível de prosperidade e bem-estar sem precedentes em toda a história humana. No mundo comunista, vemos fracasso, atraso tecnológico, padrões de saúde decadentes e até mesmo escassez do tipo mais básico: faltam alimentos. Mesmo hoje, a União Soviética ainda não é capaz de se alimentar. Após essas quatro décadas, portanto, o mundo inteiro se vê diante de uma importante e inevitável conclusão: a liberdade leva à prosperidade. A liberdade substitui os antigos ódios entre as nações com cortesia e paz. A liberdade é vitoriosa.

E agora talvez os próprios soviéticos estejam, de uma maneira limitada, começando a entender a importância da liberdade. Em Moscou, tem-se falado muito de uma nova política de reforma e abertura. Alguns prisioneiros políticos foram libertados. Certos noticiários internacionais já podem ir ao ar sem que sua transmissão seja alvo de interferência deliberada. Alguns empreendimentos econômicos tiveram permissão para operar com maior liberdade em relação ao controle estatal [...]

Há um sinal que os soviéticos podem dar que seria inequívoco, que promoveria drasticamente a causa da liberdade e da paz.

Secretário-geral Gorbachev[8], se você procura paz, se procura prosperidade para a União Soviética e a Europa Oriental, se procura liberalização: venha até este portão! Sr. Gorbachev, abra este portão! Sr. Gorbachev, derrube este muro!

Eu entendo o medo da guerra e a dor da divisão que afligem este continente – e prometo a vocês que meu país se empenhará em ajudá-los a superar esses fardos. Certamente, nós, no Ocidente, devemos resistir à expansão soviética. Por isso, devemos manter defesas cuja força seja incontestável. Mas nós procuramos paz; portanto, devemos nos esforçar para reduzir os armamentos de ambos os lados. Há dez anos, os soviéticos desafiaram a aliança ocidental com uma grave nova ameaça, centenas de novos mísseis nucleares

---

7. Em 1956, o líder soviético Nikita Khrushchev disse a embaixadores ocidentais em uma recepção em Moscou: "Gostem ou não, a história está do nosso lado. Vamos enterrar vocês!". (N.E.)
8. Mikhail Gorbachev (1931-) foi secretário-geral do Partido Comunista da União Soviética de 1985 a 1991 e presidente da União Soviética de 1990 a 1991. (N.E.)

SS-20, ainda mais letais, capazes de atingir cada capital da Europa.⁹ A aliança ocidental respondeu comprometendo-se a instalar mais mísseis, a não ser que os soviéticos concordassem em negociar uma solução melhor: a eliminação de tais armas de ambos os lados.

Durante muitos meses, os soviéticos se recusaram a negociar abertamente. Enquanto a aliança, por sua vez, se preparava para avançar com a instalação de mais mísseis, houve dias difíceis – dias de protesto como aqueles durante minha visita à cidade em 1982 – e depois os soviéticos se retiraram da mesa de negociações.

Mas, em meio a tudo isso, a aliança se manteve firme. E eu convido aqueles que então protestaram – convido aqueles que hoje protestam – a atentar para este fato: porque nos mantivemos firmes, os soviéticos regressaram à mesa. E, porque nos mantivemos firmes, hoje existe uma possibilidade concreta não só de limitar o aumento dos armamentos como também de eliminar, pela primeira vez, toda uma classe de armas nucleares da face da Terra. Enquanto eu falo, os ministros da OTAN estão reunidos na Islândia[10] para revisar o progresso de nossas propostas para a eliminação dessas armas. Nas conferências em Genebra[11], também propusemos a drástica redução de armas ofensivas estratégicas [...]

Embora defendamos essa redução de armamentos, eu prometo a vocês que manteremos nossa capacidade de deter a agressão soviética em qualquer nível que possa ocorrer. E, em cooperação com muitos de nossos aliados, os Estados Unidos estão seguindo a Iniciativa Estratégica de Defesa[12] – pesquisa para basear a dissuasão não na ameaça de retaliação ofensiva, e sim em defesas que realmente defendam; ou seja, em sistemas que não mirem nas popu-

---

9. Desde o fim dos anos 1970, a União Soviética começou a substituir seu arsenal de ogivas nucleares por mísseis SS-20, cada um dos quais carregava três ogivas e tinha alcance e precisão para atingir alvos em qualquer lugar da Europa Ocidental em menos de dez minutos. (N.E.)

10. A reunião da OTAN em Reykjavik, na Islândia, foi um prosseguimento da reunião de cúpula que Reagan e Gorbachev presidiram nesse país em outubro de 1986 para discutir o controle de armas nucleares. (N.E.)

11. As Conferências para a Redução de Armas Estratégicas entre os EUA e a URSS começaram em Genebra em 1982 e, finalmente, produziram vários tratados de armas. As conferências também foram a ocasião do primeiro encontro entre Reagan e Gorbachev, em novembro de 1985. (N.E.)

12. A Iniciativa Estratégica de Defesa (apelidada pela mídia de "Guerra nas Estrelas") foi um sistema que pretendia proteger os EUA do ataque nuclear interceptando mísseis vindos do espaço. (N.E.)

lações, e sim as protejam. Por esses meios, procuramos aumentar a segurança da Europa e do mundo inteiro.

Mas devemos lembrar um fato crucial: o Oriente e o Ocidente não desconfiamos uns dos outros porque estamos armados; estamos armados porque desconfiamos uns dos outros. E nossas diferenças não são sobre armas, e sim sobre liberdades. Quando o presidente Kennedy falou na sede da prefeitura há 24 anos, a liberdade estava cercada, Berlim estava sitiada. E hoje, apesar de todas as pressões sobre esta cidade, Berlim está segura em sua liberdade. E a própria liberdade está transformando o mundo [...]

Na Europa, apenas uma nação e aqueles que ela controla se recusam a se unir à comunidade de liberdade. Mas, nesta era de crescimento econômico redobrado, de informação e inovação, a União Soviética se depara com uma escolha. Deve fazer mudanças fundamentais ou se tornará obsoleta. Nós, no Ocidente, estamos prontos para cooperar com o Oriente a fim de promover uma abertura verdadeira, de derrubar barreiras que separam pessoas, de criar um mundo mais seguro e mais livre.

E certamente não há melhor lugar do que Berlim, o ponto de encontro entre Oriente e Ocidente, para começar [...]

E eu convido o sr. Gorbachev: trabalhemos para unir as partes oriental e ocidental da cidade, de modo que todos os habitantes de Berlim inteira possam gozar dos benefícios de viver numa das grandes cidades do mundo [...]

Nestas quatro décadas, como falei, vocês, berlinenses, construíram uma grande cidade. E fizeram isso apesar das ameaças – das tentativas soviéticas de impor a marca oriental, o bloqueio.[13] Hoje, a cidade prospera apesar dos desafios implícitos na própria presença deste muro. O que os mantém aqui? Certamente, há muita coisa a ser dita em prol de sua fortaleza e sua coragem desafiadora. Mas acredito que há algo mais profundo, algo que envolve todo o modo de ser e de viver dos berlinenses – não o mero sentimento [...] algo que fala com uma voz poderosa de afirmação, que diz sim a esta cidade, sim ao futuro, sim à liberdade. Em uma palavra, eu concederia que o que os mantém em Berlim é o amor – o amor profundo e duradouro.

Talvez isso leve à raiz do problema, a distinção mais fundamental de todas entre Oriente e Ocidente.

O mundo totalitário produz retrocesso porque causa tamanha violência ao espírito, frustrando o impulso humano de criar, de desfrutar, de cultuar.

---

13. Reagan se refere à crise de 1948-1949, quando a União Soviética tentou forçar os Aliados do Ocidente a saírem de Berlim impondo uma moeda à Alemanha Oriental e bloqueando a comunicação e o transporte entre Berlim e o Ocidente. (N.E.)

O mundo totalitário considera uma afronta até mesmo os símbolos de amor e devoção.

Anos atrás, antes de os alemães orientais começarem a reconstruir suas igrejas, eles erigiram uma estrutura secular: a torre de televisão em Alexanderplatz. Praticamente desde então, as autoridades vêm trabalhando para corrigir o que veem como a principal falha da torre, tratando a esfera de vidro no topo com pinturas e substâncias químicas de todo tipo. Mas ainda hoje, quando o sol atinge essa esfera – a esfera que se sobressai em toda a cidade de Berlim – a luz faz o sinal da cruz. Lá em Berlim, como a própria cidade, símbolos de amor, símbolos de devoção não podem ser suprimidos.

Quando, há um instante, eu olhei do Reichstag essa materialização da unidade alemã, notei palavras pichadas grosseiramente no muro, talvez por um jovem berlinense: 'Este muro vai cair. As crenças se tornam realidade'.

Sim, em toda a Europa, este muro vai cair. Pois não pode sobreviver à fé; não pode sobreviver à verdade. O muro não pode sobreviver à liberdade.

E, antes de encerrar, eu gostaria de dizer uma palavra. Eu li, e fui questionado desde que cheguei aqui, sobre certos protestos contra a minha vinda. E gostaria de dizer apenas uma coisa àqueles que o fizeram. Eu me pergunto se eles já se perguntaram se, com o tipo de governo que aparentemente buscam, alguém poderia fazer o que estão fazendo hoje.

Obrigado, e Deus abençoe a todos. **"**

"Temos ódio à ditadura. Ódio e nojo."

– Ulysses Guimarães

34

Ulysses Guimarães
Político brasileiro

Ulysses Silveira Guimarães (1916-1992) nasceu em Itaqueri da Serra, no interior do estado de São Paulo. Formou-se pela Faculdade de Direito de São Paulo e especializou-se em Direito Tributário. Seu primeiro cargo público eletivo foi como deputado estadual pelo Partido Social Democrático (PSD), em seguida elegendo-se deputado federal (seriam oito mandatos consecutivos, de 1951 a 1995). Durante a breve experiência parlamentarista brasileira (1961-1962), foi ministro da Indústria e Comércio do gabinete de Tancredo Neves. Apoiou a derrubada de João Goulart, mas logo passou a fazer oposição ao regime militar. Após a fase mais dura da ditadura, em 1973, foi "anticandidato" do Movimento Democrático Brasileiro (MDB) à Presidência da República, como forma de protesto contra a farsa da eleição mediante a qual o "candidato" da junta militar seria eleito pela via indireta do Congresso. Participou de todas as campanhas pelo retorno do país à democracia, inclusive pela anistia ampla, geral e irrestrita, que, em 1979, possibilitou a volta ao país dos perseguidos políticos. Como primeiro presidente nacional do PMDB, foi um dos líderes da derrotada campanha pelas Diretas Já (1983-1984) e, em seguida, um dos articuladores da eleição indireta de Tancredo Neves. Em 2 de fevereiro de 1987, após um regime militar que durou 21 anos, tomou posse como presidente da Assembleia Nacional Constituinte, eleita por voto direto, integrando ao todo 559 congressistas para elaborar a nova Constituição Federal, a chamada "Constituição Cidadã". Derrotado nas eleições presidenciais de 1989, retomou seu mandato de deputado no ano seguinte e teve papel destacado no processo de impeachment de Fernando Collor de Mello. Faleceu em outubro de 1992, num acidente de helicóptero na baía de Angra dos Reis. Seu corpo nunca foi encontrado.

"Temos ódio à ditadura. Ódio e nojo"

5 de outubro de 1988, Brasília, DF, sessão de promulgação da Constituição Cidadã

O Brasil encerrava um período de mais de duas décadas de ditadura militar (1964-1985), durante o qual o governo autoritário do

país seguiu uma matriz nacionalista, desenvolvimentista e anticomunista. A exemplo da maioria das ditaduras da América Latina durante a Guerra Fria, a doutrina da segurança nacional justificava ações militares como forma de proteger o país e combater a ameaça comunista. Durante a ditadura, não havia liberdade de imprensa (jornais e revistas eram submetidos a censura prévia; editoras arriscavam-se a ser "empasteladas", isto é, destruídas pelas mãos dos militares caso publicassem algo que parecesse contrário ao regime), nem tampouco liberdade de expressão: em nome da "segurança nacional", pessoas podiam ser presas (sem qualquer garantia de direitos ou de serem julgadas mediante o devido processo legal), torturadas e até mortas. Segundo dados levantados pela Comissão Nacional da Verdade, dessas prisões e ações arbitrárias resultaram 423 perseguidos políticos mortos ou desaparecidos pelo regime e mais de 1,8 mil pessoas torturadas. Estima-se que entre 5 mil e 10 mil pessoas tenham sido forçadas a sair do país no período.

A promulgação da Constituição de 1988, realizada por uma Assembleia Constituinte eleita por voto direto, marca o fim desse período autoritário na história brasileira. Apesar da derrota do movimento Diretas Já, em 1984, a ditadura fora obrigada a levar em conta o anseio dos milhões de brasileiros que haviam saído às ruas clamando por democracia. Assim, Tancredo Neves, político do PMDB, de oposição ao regime, mas conhecido por ser um político experiente e conciliador, com trânsito em ambos os lados, foi eleito presidente pelo voto indireto; no entanto, ele morreu de complicações gastrointestinais antes de tomar posse, abrindo espaço para José Sarney, então da Aliança Renovadora Nacional (ARENA), partido criado em 1965 para ser o pilar político do regime. Foi Sarney quem, um ano após assumir a Presidência, convocou a Constituinte. Em novembro de 1986, foram realizadas eleições gerais para o Congresso Constituinte: os deputados e os senadores eleitos acumulariam as tarefas de constituintes e congressistas. Ulysses Guimarães, do PMDB, foi eleito presidente da Assembleia Constituinte, instalada em 2 de fevereiro de 1987, e coordenou os trabalhos durante mais de dois anos.

"Senhoras e senhores constituintes, minhas senhoras e meus senhores,
Dois de fevereiro de 1987:

'Ecoam nesta sala as reivindicações das ruas. A Nação quer mudar. A Nação deve mudar. A Nação vai mudar'.

São palavras constantes do discurso de posse como presidente da Assembleia Nacional Constituinte.

Hoje, 5 de outubro de 1988, no que tange à Constituição, a Nação mudou.

A Constituição mudou na sua elaboração, mudou na definição dos Poderes[1], mudou restaurando a Federação, mudou quando quer mudar o homem cidadão, e só é cidadão quem ganha justo e suficiente salário, lê e escreve, mora, tem hospital e remédio, lazer quando descansa.

Num país de 30.401.000 analfabetos, afrontosos 25% da população, cabe advertir: a cidadania começa com o alfabeto.[2]

Chegamos! Esperamos a Constituição como o vigia espera a aurora.

A Nação nos mandou executar um serviço. Nós o fizemos com amor, aplicação e sem medo.

A Constituição certamente não é perfeita. Ela própria o confessa, ao admitir a reforma.

Quanto a ela, discordar, sim. Divergir, sim. Descumprir, jamais. Afrontá-la, nunca. Traidor da Constituição é traidor da Pátria.

['Muito bem!' Aplausos.]

Conhecemos o caminho maldito: rasgar a Constituição, trancar as portas do Parlamento, garrotear a liberdade, mandar os patriotas para a cadeia, o exílio e o cemitério.

['Muito bem!' Aplausos.]

Quando, após tantos anos de lutas e sacrifícios, promulgamos o Estatuto do Homem, da Liberdade e da Democracia[3], bradamos por imposição de sua honra: temos ódio à ditadura. Ódio e nojo.

['Muito bem!' Aplausos prolongados.]

---

1. A Constituição de 1988 estabelece como cláusula pétrea (não passível de alteração) a separação dos Três Poderes – o Legislativo, o Executivo e o Judiciário –, que devem funcionar de forma autônoma e independente, sem haver supremacia de um poder sobre os demais. (N.E.)
2. Aos analfabetos a Constituição garantiu direito de voto. (N.E.)
3. Como também era chamada a Constituição de 1988. (N.E.)

Amaldiçoamos a tirania onde quer que ela desgrace homens e nações, principalmente na América Latina.

Foi a audácia inovadora a arquitetura da Constituinte, recusando anteprojeto forâneo ou de elaboração interna.[4]

O enorme esforço é dimensionado pelas 61.020 emendas, além de 122 emendas populares, algumas com mais de 1 milhão de assinaturas, que foram apresentadas, publicadas, distribuídas, relatadas e votadas, no longo trajeto das subcomissões à redação final.

A participação foi também pela presença, pois diariamente cerca de 10 mil postulantes franquearam, livremente, as onze entradas do enorme complexo arquitetônico do Parlamento, na procura dos gabinetes, comissões, galeria e salões.

Há, portanto, representativo e oxigenado sopro de gente, de rua, de praça, de favela, de fábrica, de trabalhadores, de cozinheiras, de menores carentes, de índios, de posseiros, de empresários, de estudantes, de aposentados, de servidores civis e militares, atestando a contemporaneidade e autenticidade social do texto que ora passa a vigorar. Como o caramujo, guardará para sempre o bramido das ondas de sofrimento, esperança e reivindicações de onde proveio.

Nós, os legisladores, ampliamos nossos deveres. Teremos de honrá-los. A Nação repudia a preguiça, a negligência, a inépcia. Soma-se à nossa atividade ordinária, bastante dilatada, a edição de 56 leis complementares e de 314 leis ordinárias. Não esqueçamos que, na ausência de lei complementar, os cidadãos poderão ter o provimento suplementar pelo mandado de injunção.[5]

Tem significado de diagnóstico a Constituição ter alargado o exercício da democracia em participativa além de representativa.[6] É o clarim da soberania popular e direta, tocando no umbral da Constituição, para ordenar o avanço no campo das necessidades sociais.

O povo passou a ter a iniciativa de leis. Mais do que isso, o povo é o superlegislador, habilitado a rejeitar, pelo referendo, projetos aprovados pelo Parlamento.

---

4. Diz-se que a Assembleia Constituinte partiu do zero para a confecção da Constituição, apesar do próprio governo, à época, ter encaminhado uma sugestão de anteprojeto. (N.E.)

5. Junto com a ação direta de inconstitucionalidade (ADIN), o mandado de injunção é uma ferramenta jurídica criada na Constituição de 1988 com o fim de garantir direitos em casos em que não há lei específica. (N.E.)

6. São instrumentos de democracia participativa previstos na Constituição: o plebiscito, o referendo e a iniciativa popular (para projetos de leis). (N.E.)

A vida pública brasileira será também fiscalizada pelos cidadãos. Do presidente da República ao prefeito, do senador ao vereador.

A moral é o cerne da pátria.

A corrupção é o cupim da República. República suja pela corrupção impune tomba nas mãos de demagogos, que, a pretexto de salvá-la, a tiranizam. Não roubar, não deixar roubar, pôr na cadeia quem roube, eis o primeiro mandamento da moral pública.

['Muito bem!' Aplausos.]

Não é a Constituição perfeita. Se fosse perfeita, seria irreformável. Ela própria, com humildade e realismo, admite ser emendada, até por maioria mais acessível, dentro de cinco anos. Não é a Constituição perfeita, mas será útil, pioneira, desbravadora. Será luz, ainda que de lamparina, na noite dos desgraçados. É caminhando que se abrem os caminhos. Ela vai caminhar e abri-los. Será redentor o caminho que penetrar nos bolsões sujos, escuros e ignorados da miséria.

A sociedade sempre acaba vencendo, mesmo ante a inércia ou antagonismo do Estado.

O Estado era Tordesilhas. Rebelada, a sociedade empurrou as fronteiras do Brasil, criando uma das maiores geografias do mundo.

O Estado, encarnado na metrópole, resignara-se ante a invasão holandesa no Nordeste. A sociedade restaurou nossa integridade territorial com a insurreição nativa de Tabocas e Guararapes, sob a liderança de André Vidal de Negreiros, Felipe Camarão e João Fernandes Vieira, que cunhou a frase da preeminência da sociedade sobre o Estado: 'Desobedecer a El-Rei, para servir a El-Rei'.

O Estado capitulou na entrega do Acre, a sociedade retomou-o com as foices, os machados e os punhos de Plácido de Castro e dos seus seringueiros.[7]

O Estado prendeu e exilou. A sociedade, com Teotônio Vilela[8], pela anistia, libertou e repatriou.

---

7. Em 14 de julho de 1899, o território do atual estado do Acre foi tomado pela Bolívia, que criou o Estado Independente do Acre; José Plácido de Castro foi um dos comandantes da Revolução Acriana, que, à força das armas, recuperou o território. (N.E.)

8. Senador alagoano que, apesar de ser da ARENA, partido do governo militar, foi um dos idealizadores e principais líderes do movimento pela anistia política. (N.E.)

A sociedade foi Rubens Paiva, não os facínoras que o mataram.⁹
['Muito bem!' Aplausos prolongados.]
Foi a sociedade, mobilizada nos colossais comícios das Diretas Já, que, pela transição e pela mudança, derrotou o Estado usurpador.

Termino com as palavras com que comecei esta fala:

A Nação quer mudar. A Nação deve mudar. A Nação vai mudar.

A Constituição pretende ser a voz, a letra, a vontade política da sociedade rumo à mudança.

Que a promulgação seja nosso grito:

– Mudar para vencer!

Muda, Brasil! 🙶

---

9. Rubens Paiva (1929-1971?) foi deputado federal pelo PTB de São Paulo até ser cassado em 1964. Chegou a se exilar, mas retornou ao Brasil; em janeiro de 1971, foi preso por agentes do regime, sem mandado de prisão, e nunca mais foi visto. Somente mais de quarenta anos depois, em 2014, a Comissão Nacional da Verdade, graças a depoimentos de ex-militares, pôde estabelecer que ele foi torturado e morto entre 20 e 22 de janeiro de 1971 e que seu corpo foi jogado no mar, após ter sido enterrado e desenterrado sucessivas vezes. (N.E.)

"**Não é realmente importante, agora, que partido, clube ou grupo prevalecerá nas eleições. O importante é que os vencedores serão os melhores de nós, no sentido moral, cívico, político e profissional."

– Václav Havel

35
Václav Havel
Escritor e estadista tcheco

Em 1977, o escritor e dramaturgo Václav Havel (1936-2011) foi um dos fundadores da Carta 77, um movimento que criticou as violações de direitos humanos e civis pelo regime comunista na Tchecoslováquia. Considerado subversivo, ele foi detido várias vezes e, em 1979, foi preso por quatro anos e meio. Foi preso novamente em fevereiro de 1989, mas libertado três meses depois. Em dezembro de 1989, após a queda do Partido Comunista tchecoslovaco durante a chamada Revolução de Veludo, foi eleito presidente por voto direto popular. Ele conduziu a divisão pacífica da Tchecoslováquia nos Estados tcheco e eslovaco em 1992 e foi eleito presidente da República Tcheca em 1993. Foi reeleito em 1998 e deixou o cargo em 2003.

"Vivemos em um ambiente moral contaminado"
1º de janeiro de 1990, transmissão via rádio e televisão, Praga, Tchecoslováquia

Em novembro de 1989, quando o Partido Comunista abriu mão de seu monopólio de poder que já durava 41 anos na Tchecoslováquia, o dramaturgo dissidente Václav Havel observou: "A história começou a avançar rapidamente neste país". Ficou provado que ele tinha razão quando, um mês depois, como líder do partido Fórum Cívico, se tornou o presidente do país, eleito democraticamente. Dois dias depois, ele se dirigiu a seus compatriotas numa transmissão que sinalizou uma mudança drástica não só no governo como também no estado de ânimo nacional.

Havel se refere brevemente à contaminação ambiental causada na Tchecoslováquia – como em outras partes do Bloco Oriental – por práticas industriais negligentes. Mas sua preocupação central é a contaminação moral provocada pelo comunismo: corrupção, privilégio e a propagação deliberada de mentiras.

Nisso, ele ecoa o mártir boêmio medieval Jan Hus (c.1369-1415), cuja estátua se encontra na Praça da Cidade Velha, em Praga. Um influente reformador da igreja, Hus é mais conhecido por sua prece: "Procure a verdade/Escute a verdade/Ensine a verdade/Ame a verdade/Acate a verdade/E defenda a verdade/Até a morte". Havel insta seus ouvintes a não alimentar a negação e a abraçar a contaminação da Tchecoslováquia como um "pecado que cometemos contra nós mesmos".

Essas preocupações condizem com um escritor preocupado com distorções ideológicas da verdade e da realidade. Mas, embora as obras de Havel sejam abstratas e cerebrais, seu discurso de posse é um apelo direto às pessoas comuns que experimentam a liberdade pela primeira vez em toda uma geração.

" Meus queridos concidadãos, por quarenta anos, vocês ouviram de meus predecessores, neste dia, variações do mesmo tema: como nosso país floresceu, como muitos milhões de toneladas de aço foram produzidas, quão felizes éramos todos, como confiávamos em nosso governo, e que perspectivas excelentes se apresentavam diante de nós.

Presumo que vocês não me propuseram para este cargo para que eu também minta para vocês.

Nosso país não está florescendo. O enorme potencial criativo e espiritual de nossas nações[1] não está sendo usado de maneira razoável. Setores inteiros da indústria estão produzindo bens que não interessam a ninguém, enquanto carecemos das coisas que necessitamos. Um Estado que se autodenomina Estado dos trabalhadores humilha e explora os trabalhadores. Nossa economia obsoleta está desperdiçando a pouca energia que temos disponível. Um país que um dia pôde se orgulhar do nível educacional de seus cidadãos gasta tão pouco em educação que hoje figura em 72º lugar no ranking mundial. Nós poluímos nosso solo, nossos rios e florestas, que herdamos de nossos ancestrais, e hoje temos o meio ambiente mais contaminado da Europa. Os adultos do nosso país morrem mais cedo do que na maioria dos outros países europeus.

Permitam-me uma pequena observação pessoal: quando viajei à Bratislava recentemente, encontrei tempo, em meio a várias discussões, para olhar pela janela do avião. Vi o complexo industrial da fábrica química de Slovnaft e do gigante Petržalka, o bairro residencial situado bem atrás dela.

---

1. O uso do plural por parte de Havel, aqui, mostra que ele reconhece a existência das nações tcheca e eslovaca, que logo seriam separadas pacificamente. (N.E.)

A vista foi suficiente para que eu entendesse que, durante décadas, nossos estadistas e líderes políticos não olharam ou não quiseram olhar pela janela de seu avião. Nenhum estudo de estatística disponível para mim me permitiria entender melhor e mais rápido a situação em que nos encontramos.

Mas nada disso é o nosso maior problema. A pior coisa é que vivemos num ambiente moral contaminado. Sentimo-nos moralmente doentes, porque nos acostumamos a dizer algo diferente do que pensamos. Aprendemos a não acreditar em nada, a ignorar uns aos outros, a só cuidar de nós mesmos. Conceitos como amor, amizade, compaixão, humildade ou perdão perderam suas dimensões e sua profundidade; e, para muitos de nós, representam apenas peculiaridades psicológicas, ou lembram saudações desvirtuadas de tempos antigos, um pouco ridículas na era de computadores e naves espaciais. Apenas alguns poucos de nós fomos capazes de gritar que os poderes não deveriam ser todo-poderosos e que as fazendas especiais, que produzem alimentos ecologicamente puros e de qualidade superior apenas para elas, deveriam enviar sua produção para escolas, orfanatos e hospitais se nossa agricultura era incapaz de oferecê-los a todos.

O regime anterior – armado com sua ideologia arrogante e intolerante – reduziu o homem a uma força de produção e a natureza a uma ferramenta de produção.

Nisso, atacou sua própria substância e sua relação mútua. Reduziu pessoas dotadas e autônomas, trabalhando habilidosamente em seu próprio país, a porcas e parafusos de uma máquina monstruosamente grande, ruidosa e fedorenta, cujo significado real não está claro para ninguém. Não pode fazer mais do que, lenta mas inexoravelmente, exaurir a si mesma e a todas as suas porcas e parafusos.

Quando falo de atmosfera moral contaminada, não estou falando apenas dos cavalheiros que comem vegetais orgânicos e não olham pela janela do avião. Estou falando de todos nós. Todos nós nos acostumamos ao sistema totalitarista e o aceitamos como um fato imutável e, assim, ajudamos a perpetuá-lo. Em outras palavras, somos todos – embora, naturalmente, em diferentes graus – responsáveis pela operação da maquinaria totalitária; nenhum de nós é apenas vítima: somos todos, também, seus criadores.

Por que digo isso? Seria muito razoável entender o triste legado dos últimos quarenta anos como algo alheio, herdado de um parente distante. Ao contrário, temos de aceitar este legado como um pecado que cometemos contra nós mesmos. Se o aceitarmos como tal, entenderemos que cabe a nós todos, e apenas a nós, fazer algo a respeito. Não podemos culpar os governantes anteriores por tudo, não só porque isso não seria verdadeiro, mas também porque poderia embotar o dever que cada um de nós tem hoje diante de si: a obrigação de agir rápido, de maneira livre, independente e razoável.

Não nos deixemos enganar: nem o melhor governo do mundo, o melhor parlamento e o melhor presidente podem realizar muita coisa sozinhos. E também seria errado esperar um remédio geral unicamente deles. A liberdade e a democracia incluem a participação e, portanto, a responsabilidade de todos nós.

Se percebermos isso, todos os horrores que a nova democracia tchecoslovaca herdou já não parecerão tão terríveis. Se percebermos isso, a esperança regressará ao nosso coração [...]

Somos um país pequeno, mas houve uma época em que éramos a interseção espiritual da Europa. Existe alguma razão pela qual não poderíamos ser assim novamente? Não seria este mais um recurso com o qual retribuir a ajuda de outros que vamos necessitar?

A máfia que produzimos – daqueles que não olham pela janela do avião e que comem porcos especialmente alimentados – pode ainda estar por perto e, às vezes, enlamear as águas, mas eles já não são nossos principais inimigos. E também não é nossa principal inimiga a máfia internacional.

Nossos principais inimigos, hoje, são nossas próprias características negativas: a indiferença para com o bem comum, a vaidade, a ambição pessoal, o egoísmo e a rivalidade.

A luta mais importante terá de ser travada nesse campo.

Há eleições livres e uma campanha eleitoral à nossa frente. Não permitamos que essa luta suje a face até agora limpa de nossa revolução gentil. Não podemos permitir que a simpatia do mundo, que conquistamos tão depressa, seja perdida de maneira igualmente rápida porque nos emaranhamos na selva de desavenças por poder. Não podemos permitir que o desejo de servir a si mesmo floresça novamente sob a máscara justa do desejo de servir ao bem comum.

Não é realmente importante, agora, que partido, clube ou grupo prevalecerá nas eleições. O importante é que os vencedores serão os melhores de nós, no sentido moral, cívico, político e profissional, independentemente de suas afiliações políticas. As futuras políticas e o futuro prestígio de nosso Estado dependerão das personalidades que escolhermos e, posteriormente, elegermos para nossos órgãos representativos [...]

Para concluir, eu gostaria de dizer que quero ser um presidente que falará menos e trabalhará mais.

Um presidente que não só olhará pela janela de seu avião, mas que, acima de tudo, sempre estará presente entre seus concidadãos e os ouvirá atentamente.

Vocês talvez se perguntem com que tipo de república eu sonho. Deixem-me responder: eu sonho com uma república independente, livre e democrática; com uma república economicamente próspera e, ainda assim, socialmente justa; em suma, com uma república humana que sirva o indivíduo e que, portanto, tenha a esperança de que o indivíduo também a sirva. Com uma república de pessoas capacitadas, porque sem isso é impossível resolver qualquer um dos nossos problemas – humanos, econômicos, ecológicos, sociais ou políticos.

O mais notável dos meus predecessores[2] iniciou seu primeiro discurso com uma citação do grande educador tcheco Komenský.[3] Permitam-me encerrar meu primeiro discurso com minha própria paráfrase da mesma declaração:

Povo, o governo é de vocês novamente!

---

2. O estadista Tomáš Masaryk, nascido na Morávia (1850-1937), foi o primeiro presidente da Tchecoslováquia, de 1918 a 1935. (N.E.)
3. O pedagogo morávio John Komenský, ou Comenius (1592-1670). (N.E.)

"Neste dia da minha libertação"
– Nelson Mandela

36
Nelson Mandela
Advogado e estadista sul-africano

Fundador do primeiro escritório de advocacia negro na África do Sul, Nelson Rolihlahla Mandela (1918-2013) entrou para o Congresso Nacional Africano (CNA) em 1944 e, durante os vinte anos seguintes, dirigiu uma campanha de desafio ao governo e a sua política de apartheid. Em 1964, foi condenado à prisão perpétua por ofensas políticas, incluindo sabotagem e traição, e de sua cela de prisão se tornou um símbolo internacional de resistência. As medidas liberalizantes de F. W. de Klerk (1936-), que foi presidente de 1989 a 1994, iniciaram o processo de desmantelamento do apartheid. De Klerk visitou Mandela na prisão, suspendeu o banimento ao CNA, eliminou restrições a grupos políticos e finalmente ordenou a soltura de Mandela, em fevereiro de 1990. Em 1991, Mandela foi eleito presidente do CNA e entrou em conversas com De Klerk sobre o futuro do país. Em 1993, Mandela e De Klerk foram ambos vencedores do Prêmio Nobel da Paz. Mandela viajou por toda parte para obter apoio para uma pressão internacional permanente a fim de abolir por completo o apartheid, e, em 10 de maio de 1994, após as primeiras eleições multirraciais da África do Sul, ele tomou posse como o primeiro presidente negro do país, um cargo que ocupou até 1999.

"Neste dia da minha libertação"
11 de fevereiro de 1990, Cidade do Cabo, África do Sul

Condenado à prisão perpétua em 1964, Mandela se recusou a se retirar da atenção mundial. Em vez disso, tornou-se o foco de um crescente movimento internacional contra o apartheid. O slogan "Libertem Nelson Mandela" foi ouvido em muitas manifestações durante os anos 1970 e 1980 – e inclusive se tornou, em 1984, o refrão de uma canção de sucesso da banda inglesa de ska The Specials.

Apesar da desaprovação internacional, no entanto, o apartheid perdurou. Houve irrupções de violência severa em cidades negras, notadamente em Soweto, perto de Johannesburgo. No início dos anos 1980, o primeiro-ministro P. W. Botha (mais tarde, presidente) aceitara uma ne-

cessidade de mudança, anunciando que os brancos deveriam "se adaptar ou morrer". Algumas leis do apartheid foram revogadas, mas Mandela se recusou a renunciar à luta armada em troca de uma oferta condicional de soltura em 1985.

Em 10 de fevereiro de 1990, o sucessor de Botha, F. W. de Klerk, finalmente ordenou a soltura de Mandela. No dia seguinte, o mundo inteiro assistiu a Mandela sair da prisão, admirado com a figura nobre e ereta que fora ocultada da vista por tanto tempo. Mais tarde, ele falou em um comício na praça Grand Parade, na Cidade do Cabo. Em seu discurso, ele saúda aqueles que o apoiaram durante seu confinamento e que mantiveram viva a luta contra o apartheid. Em seguida, insiste na necessidade de uma África do Sul democrática e não racial.

"Amigos, camaradas e concidadãos sul-africanos, eu os saúdo em nome da paz, da democracia e da liberdade para todos.

Estou aqui diante de vocês não como um profeta, e sim como um humilde servo do povo.

Seus sacrifícios heroicos e incansáveis tornaram possível eu estar aqui hoje. Eu, portanto, coloco em suas mãos os anos de vida que me restam.

Neste dia da minha libertação, expresso minha afetuosa e sincera gratidão aos milhões de compatriotas e àqueles que, no mundo todo, lutaram incansavelmente para que eu fosse libertado.

Agradeço especialmente ao povo da Cidade do Cabo, esta cidade em que vivi por três décadas. Suas manifestações de massa e outras formas de luta serviram como uma fonte constante de força para todos os prisioneiros políticos.

Saúdo o Congresso Nacional Africano, que cumpriu todas as nossas expectativas em seu papel como líder da grande marcha para a liberdade.

Saúdo nosso presidente, o camarada Oliver Tambo[1], por liderar o CNA mesmo nas circunstâncias mais difíceis.

Saúdo os membros da base do CNA, que sacrificaram a vida pela causa nobre da nossa luta.

---

1. O político sul-africano Oliver Tambo (1917-1993) tornou-se presidente interino do CNA em 1967, presidente em 1977 e diretor nacional em 1991. (N.E.)

Saúdo os combatentes do Umkhonto we Sizwe[2], como Solomon Mahlangu e Ashley Kriel, que pagaram o preço mais alto pela liberdade de todos os sul-africanos.

Saúdo o Partido Comunista da África do Sul por sua excelente contribuição à luta pela democracia. Vocês sobreviveram a quarenta anos de perseguição implacável. A memória de grandes comunistas como Moses Kotane, Yusuf Dadoo, Bram Fisher e Moses Mabhida será estimada pelas futuras gerações.

Saúdo o secretário-geral Joe Slovo[3], um de nossos melhores patriotas. Ficamos animados com o fato de que a aliança entre nós e o partido continua forte como sempre.

Saúdo a Frente Democrática Unida[4], o Comitê Nacional da Crise na Educação[5], o Congresso da Juventude Sul-Africana, os congressos indianos de Transvaal e Natal e o Cosatu[6], e as muitas outras formações do Movimento Democrático de Massa.

Também saúdo a Faixa Negra[7] e a União Nacional dos Estudantes Sul-Africanos. Observamos com orgulho que vocês agiram como a consciência dos sul-africanos brancos. Mesmo durante os dias mais obscuros na história da nossa luta, vocês mantiveram erguida a bandeira da liberdade. A mobilização de massa em larga escala dos últimos anos é um dos fatores principais que levaram ao início do capítulo final da nossa luta.

Estendo meus cumprimentos à classe trabalhadora do nosso país. Sua força organizada é o orgulho do nosso movimento. Vocês continuam sendo a força mais confiável na luta pelo fim da exploração e da opressão.

Presto tributo às muitas comunidades religiosas que prosseguiram com a campanha por justiça quando as organizações do nosso povo foram silenciadas.

---

2. A ala militar do CNA, criada em 1961. (N.E.)
3. O político sul-africano Joe Slovo (1926-1995), nascido na Lituânia, trabalhou no exílio após 1963 para o CNA e para o Partido Comunista da África do Sul. Ele foi chefe do Estado-Maior do Umkhonto we Sizwe desde 1985 e exerceu um papel fundamental nas negociações com o governo após 1990. (N.E.)
4. Uma coalizão de grupos antiapartheid formada em 1983, liderada por Allan Boesak e Desmond Tutu. (N.E.)
5. Estabelecido em 1986. (N.E.)
6. O Congresso dos Sindicatos da África do Sul, estabelecido em 1985. (N.E.)
7. Black Sash, uma organização de mulheres brancas, fundada em 1955, que promovia a resistência não violenta ao apartheid. (N.E.)

Saúdo os líderes tradicionais do nosso país. Muitos de vocês continuam a seguir os passos de grandes heróis como Hintsa[8] e Sekhukune[9].

Presto tributo ao incessante heroísmo da juventude, vocês, os jovens leões. Vocês, os jovens leões, energizaram toda a nossa luta.

Presto tributo às mães, esposas e irmãs da nossa nação. Vocês são o alicerce da nossa luta. O apartheid causou mais sofrimento a vocês do que a quaisquer outras pessoas.

Nesta ocasião, agradecemos à comunidade mundial por sua grande contribuição à luta contra o apartheid. Sem o seu apoio, nossa luta não teria chegado até aqui. O sacrifício dos Estados na linha de frente será para sempre lembrado pelos sul-africanos.

Minhas saudações ficariam incompletas sem expressar meu profundo apreço pela força que recebi de minha amada esposa e família durante meus longos e solitários anos na prisão. Estou convencido de que a dor e o sofrimento de vocês foram muito maiores do que os meus [...]

Hoje, a maioria dos sul-africanos, negros e brancos, reconhece que o apartheid não tem futuro. Precisa acabar por meio de nossa ação decisiva para construir a paz e a segurança. A campanha das massas em desafio ao apartheid e outras ações da nossa organização e do nosso povo só podem culminar no estabelecimento da democracia.

A destruição causada pelo apartheid em nosso subcontinente é incalculável. O tecido da vida familiar de milhões do meu povo foi destruído. Milhões estão desabrigados e desempregados. Nossa economia está em ruína e nosso povo está envolvido em rixas políticas. Nosso recurso à luta armada em 1960, com a formação da ala militar do CNA, o Umkhonto we Sizwe, foi uma ação puramente defensiva contra a violência do apartheid. Os fatores que exigiram a luta armada existem ainda hoje. Não temos outra opção senão continuar. Expressamos a esperança de que logo se crie um clima que conduza a um acordo negociado, para que não haja mais necessidade de luta armada.

---

8. O guerreiro africano Hintsa (1789-1835) foi um chefe xhosa que liderou seu povo desde 1804. Ele lutou contra o exército britânico no início do século XIX e foi assassinado e mutilado por soldados britânicos. (N.E.)

9. O guerreiro africano Sekhukune (1814-1882) foi rei do povo marota no Transvaal Ocidental desde 1861. Ele formou o império Marota e tentou unir outros grupos para defender suas terras contra os colonialistas. (N.E.)

Sou um membro leal e disciplinado do Congresso Nacional Africano. Portanto, estou totalmente de acordo com todos os seus objetivos, estratégias e táticas.

A necessidade de unir o povo do nosso país é, hoje, uma tarefa tão importante como sempre foi. Nenhum líder individual é capaz de realizar essa tarefa enorme sozinho. É nossa tarefa, como líderes, apresentar nossas opiniões à organização e permitir que as estruturas democráticas decidam. Quanto à questão da prática democrática, sinto o dever de esclarecer que um líder do movimento é uma pessoa que foi eleita democraticamente numa conferência nacional. Esse é um princípio que deve ser seguido sem exceções.

Hoje, desejo informar a vocês que minhas conversas com o governo têm o objetivo de normalizar a situação política no país. Ainda não começamos a discutir as demandas básicas da luta. Desejo enfatizar que eu, em momento algum, entrei em negociações sobre o futuro do nosso país, exceto para insistir em uma reunião entre o CNA e o governo.

O sr. De Klerk foi mais longe do que qualquer outro presidente nacionalista ao dar passos reais para normalizar a situação. No entanto, há outros passos, conforme delineados na Declaração de Harare[10], que precisam ser dados antes que as negociações sobre as demandas básicas do nosso povo possam começar. Reitero o apelo por, entre outras coisas, o fim imediato do estado de emergência e a libertação de todos, e não apenas alguns, os prisioneiros políticos. Somente tal situação normalizada, que permita a livre atividade política, pode nos permitir consultar nosso povo a fim de obter um mandato.

O povo precisa ser consultado sobre quem negociará e sobre o conteúdo dessas negociações. As negociações não podem acontecer por cima nem pelas costas do nosso povo. Acreditamos que o futuro do nosso país só pode ser determinado por um órgão que seja eleito democraticamente em uma base não racial. As negociações sobre o desmantelamento do apartheid terão de responder às demandas irrefutáveis do nosso povo por uma África do Sul unida, democrática e não racial. Deve haver um fim ao monopólio dos brancos sobre o poder político e uma reestruturação fundamental dos nossos sistemas político e econômico, para garantir que as desigualdades do apartheid sejam superadas e que nossa sociedade seja totalmente democratizada.

---

10. Adotada pela Organização da Unidade Africana em agosto de 1989, a Declaração de Harare levantou a possibilidade de negociar um fim para o apartheid. Formou a base da "Declaração sobre o apartheid e suas consequências destrutivas na África do Sul", adotada pela Organização das Nações Unidas em dezembro de 1989. (N.E.)

Devemos acrescentar que o próprio sr. De Klerk é um homem íntegro, plenamente ciente dos riscos de uma figura pública não honrar seus compromissos. Mas, como organização, baseamos nossas políticas e estratégias na dura realidade com a qual nos deparamos. E essa realidade é que ainda estamos sofrendo sob as políticas do governo nacionalista.

> *Nossa luta chegou a um momento decisivo. Conclamamos nosso povo a aproveitar este momento, para que o processo rumo à democracia seja rápido e ininterrupto.*

Esperamos tempo demais pela nossa liberdade. Já não podemos esperar. É hora de intensificar a luta em todas as frentes. Afrouxar nossos esforços agora seria um erro que as gerações futuras não seriam capazes de perdoar. A visão da liberdade despontando no horizonte deve nos encorajar a redobrar nossos esforços.

> *É somente por meio da ação disciplinada das massas que nossa vitória pode ser assegurada.*

Conclamamos nossos compatriotas brancos a se unirem a nós na construção de uma nova África do Sul. O movimento pela liberdade também é o seu lar político. Conclamamos a comunidade internacional a continuar a campanha pelo isolamento do regime de apartheid. Suspender as sanções agora seria correr o risco de abortar o processo rumo à completa erradicação do apartheid.

> *Nossa marcha pela liberdade é irreversível. Não devemos permitir que o medo se interponha em nosso caminho.*

O sufrágio universal com um registro unificado de eleitores numa África do Sul unida, democrática e não racial é o único caminho para a paz e a harmonia racial.

Para concluir, desejo citar minhas próprias palavras durante meu julgamento em 1964. Elas são tão verdadeiras hoje quanto foram na época: 'Eu lutei contra a dominação branca e lutei contra a dominação negra. Nutri o ideal de uma sociedade livre e democrática em que todas as pessoas vivam juntas em harmonia e com iguais oportunidades. É um ideal pelo qual espero viver e o qual espero alcançar. Mas, se for necessário, é um ideal pelo qual estou preparado para morrer'. 🙵🙵

"A lição que a história ensina é esta: se você acredita que está a salvo, você corre risco. Se não vê este assassino perseguindo seus filhos, olhe de novo. Não resta nenhuma família ou comunidade, nenhuma raça ou religião, nenhum lugar na América que esteja a salvo. Enquanto não abraçarmos genuinamente essa mensagem, seremos uma nação em risco [...]"

– Mary Fisher

37

Mary Fisher

Artista plástica e escritora norte-americana, ativista no combate à aids

Desde 1992, Mary Fisher (1948-), cujo marido, Brian Campbell, morreu de causas relacionadas à aids em 1993, fez inúmeras campanhas sobre HIV/aids na América, na Europa e na África. Ela fundou a Family Aids Network (1992), que, em 2000, se tornou o Mary Fisher Center for Aids Research and Education (CARE) Fund na Universidade do Alabama, em Birmingham. Ela testemunhou frequentemente no Congresso dos Estados Unidos e, em duas ocasiões, foi nomeada para conselhos consultivos presidenciais. Também é uma artista reconhecida, cujas obras em escultura, impressão e tecido podem ser encontradas em notáveis coleções públicas e privadas. Em 2006, ela se tornou uma emissária global para o Programa Conjunto das Nações Unidas sobre HIV/aids.

"O vírus da aids não é uma criatura política"

19 de agosto de 1992, Houston, Texas, EUA

No verão de 1991, a produtora de TV Mary Fisher foi diagnosticada com HIV, o vírus que causa a aids. Após sete meses de deliberação – durante os quais lutou contra o desespero e o abuso de álcool –, ela decidiu tornar pública sua condição e dedicar a vida a fazer campanhas por pesquisa e tratamento e pelo fim da estigmatização das vítimas de HIV e aids.

Logo depois, ela encontrou uma excelente plataforma na Convenção Nacional Republicana anual. Ela tem relações próximas com o partido: seu pai foi um importante conselheiro republicano e ela própria trabalhara para o presidente Gerald Ford.

Seu discurso foi feito com notável dignidade e compostura, e sem referência a notas. Com palavras moderadas e acessíveis, ela pede conscientização, compaixão e ação, identificando a si mesma – uma mulher branca, rica, heterossexual e mãe de dois filhos – com os grupos socialmente excluídos muitas vezes associados com a doença. Também faz um alerta contra a complacência, referindo-se ao famoso ditado do pastor Martin Niemöller: "Eu não era judeu, por isso não protestei".

O apelo franco e direto de Fisher obteve apoio caloroso da convenção, e o discurso logo ficou famoso sob o título "A Whisper of aids" ["Um sussurro sobre a aids"]. Foi um marco inicial na longa e contínua carreira de Fisher como ativista no combate à aids.

"Obrigada. Obrigada. Há menos de três meses, em sessões para definir sua plataforma política em Salt Lake City, eu pedi que o Partido Republicano[1] erguesse a cortina de silêncio que fora baixada sobre a questão do HIV e da aids. Estou aqui esta noite para colocar um fim a esse silêncio. Trago uma mensagem de desafio, e não de autocongratulação. Quero a atenção de vocês, e não os aplausos.

Eu nunca teria pedido para ser soropositiva, mas acredito que em todas as coisas existe um propósito; e é com alegria que me encontro aqui hoje diante de vocês e da nação. A realidade da aids é brutalmente clara. Duzentos mil americanos estão mortos ou morrendo. Mais um milhão estão infectados. No mundo inteiro, 40 milhões, 60 milhões ou 100 milhões de infecções serão computadas nos próximos anos. Mas, apesar da ciência e das pesquisas, das reuniões na Casa Branca e das audiências no Congresso; apesar das boas intenções e das iniciativas ousadas, dos slogans das campanhas e das promessas de esperança, é – apesar de tudo isso – a epidemia que está saindo vitoriosa esta noite.

No contexto de um ano eleitoral, eu peço a vocês, presentes neste grande salão, ou me ouvindo na quietude do seu lar, que reconheçam que o vírus da aids não é uma criatura política. Ele não quer saber se você é republicano ou democrata; não pergunta se você é negro ou branco, homem ou mulher, homossexual ou heterossexual, jovem ou idoso. Hoje eu represento uma comunidade de aids cujos membros foram relutantemente tirados de cada segmento da sociedade americana [...]

Esta não é uma ameaça distante. É um perigo presente.

O índice de contágio está crescendo mais depressa entre mulheres e crianças. Amplamente desconhecida há uma década, a aids é hoje a terceira

---

1. O Partido Republicano estava no poder, sob o presidente George H. W. Bush. (N.E.)

causa de morte entre jovens adultos americanos. Mas não será a terceira por muito tempo, porque, ao contrário de outras doenças, esta viaja. Os adolescentes não transmitem câncer ou doença cardíaca uns para os outros porque acreditam que estão apaixonados, mas o HIV é diferente; e nós o ajudamos.

Nós matamos uns aos outros com a nossa ignorância, o nosso preconceito e o nosso silêncio.

Podemos nos refugiar em nossos estereótipos, mas não podemos nos esconder por muito tempo, porque o HIV só pergunta uma coisa àqueles a quem ataca: 'Você é humano?'. E esta é a pergunta certa. 'Você é humano?' Porque as pessoas com HIV não entraram num estado de existência alienígena. Elas são humanas. Elas não merecem crueldade, e não merecem maldade. Não se beneficiam ao ser isoladas ou tratadas como párias [...]

Meu pedido a vocês, meu partido, é que assumam uma postura pública, não menos compassiva que a do presidente e da sra. Bush.[2] Eles abraçaram a mim e à minha família de maneiras memoráveis. No lugar de julgamento, demonstraram afeição. Em momentos difíceis, eles nos animaram. Nas horas mais obscuras, eu os vi ajudando não só a mim como também aos meus pais, munidos daquela tristeza desconcertante e da graça especial que só chega aos pais que se debruçaram por tempo demais sobre o leito de um filho moribundo.

Com a liderança do presidente, muita coisa boa foi feita. Grande parte disso não foi divulgada, e, como insiste o presidente, ainda há muito a se fazer. Mas não contribuímos em nada para a causa do presidente se elogiamos a família americana, mas ignoramos um vírus que a destrói [...]

Meu pai dedicou grande parte da vida se precavendo contra outro Holocausto. Ele é parte da geração que ouviu o pastor Niemöller sair dos campos de concentração nazistas para dizer: 'Eles vieram atrás dos judeus, mas eu não era judeu, por isso não protestei. Vieram atrás dos sindicalistas, mas eu não era sindicalista, por isso não protestei. Vieram atrás dos católicos romanos, mas eu não era católico romano, por isso não protestei. Então vieram atrás de mim, e já não havia ninguém para protestar'.[3]

[Aplausos.]

A lição que a história ensina é esta: se você acredita que está a salvo, você corre risco. Se não vê este assassino perseguindo seus filhos, olhe de

---

2. A primeira-dama Barbara Bush (1925-) estava então engajada em programas sociais relacionados com a aids. (N.E.)
3. Registrado no US Congressional Record, 14 de outubro de 1968. (N.E.)

novo. Não resta nenhuma família ou comunidade, nenhuma raça ou religião, nenhum lugar na América que esteja a salvo. Enquanto não abraçarmos genuinamente essa mensagem, seremos uma nação em risco [...]

Uma dessas famílias é a minha. Se é verdade que o HIV inevitavelmente se torna aids, então meus filhos inevitavelmente se tornarão órfãos.

Minha família tem sido um apoio fundamental. Meu pai de 84 anos, que procurou a cura das nações, não aceitará a premissa de que não pode curar sua filha. Minha mãe se recusa a ficar abalada. Ela ainda me liga à meia-noite para contar piadas maravilhosas que me fazem rir. Minhas irmãs e amigas, e meu irmão Phillip, que faz aniversário hoje, todos me ajudaram a atravessar os lugares mais difíceis. Eu sou abençoada, profundamente abençoada, por ter uma família como esta.

[Gritos e aplausos.]

Mas nem todos vocês foram tão abençoados.

Vocês são portadores do HIV, mas não ousam dizer isso. Vocês perderam entes queridos, mas não ousaram sussurrar a palavra aids. Vocês choram em silêncio; vocês sofrem sozinhos.

Eu tenho uma mensagem para vocês. Não são vocês que devem sentir vergonha; somos nós.

Nós, que toleramos a ignorância e praticamos o preconceito; nós, que ensinamos vocês a temer.

Devemos erguer nossa cortina de silêncio, tornando seguro, para vocês, buscar compaixão. É nossa tarefa buscar segurança para nossos filhos, não na negação silenciosa, e sim na ação efetiva.

Um dia nossos filhos vão crescer. Meu filho Max, que hoje tem quatro anos, terá uma opinião formada sobre a mãe. Meu filho Zachary, que hoje tem dois, vasculhará suas memórias. Eu talvez não esteja aqui para ouvir seus julgamentos, mas já sei o que espero deles. Quero que meus filhos saibam que sua mãe não foi uma vítima. Foi uma mensageira. Não quero que eles pensem, como um dia pensei, que coragem é a ausência de medo. Quero que saibam que coragem é a força de agir sabiamente quando temos mais medo.

Quero que tenham a coragem de dar um passo à frente quando convocados por seu país ou seu partido e ofereçam liderança, independente de qual for o custo pessoal [...] A meus filhos, eu prometo: eu não vou desistir, Zachary, porque minha coragem vem de você. Seu risinho bobo me dá esperança;

suas preces gentis me dão força; e você, meu filho, me dá motivo para dizer à América: 'Vocês correm risco'. E eu não vou descansar, Max, enquanto não tiver feito tudo que puder para tornar o seu mundo seguro. Busco um lugar onde a intimidade não seja prelúdio de sofrimento. Não vou me apressar para deixar vocês, meus filhos, mas, quando eu me for, rezo para que vocês não sofram vergonha por minha causa.

A todos os que me ouvem, eu apelo. Aprendam comigo as lições da história e da misericórdia, para que meus filhos não tenham medo de dizer a palavra 'aids' quando eu me for. Então, os filhos deles e os dos seus talvez não precisem sussurrá-la. Deus abençoe as crianças, e Deus abençoe todos nós.

Boa noite.
[Aclamações de pé.] 🙌

38

Elizabeth II

Monarca britânica

Elizabeth II, originalmente princesa Elizabeth Alexandra Mary de York (1926-), nasceu em Londres. Ela foi proclamada rainha Elizabeth II após a morte de seu pai, George VI, em 1952. É rainha da Grã-Bretanha e da Irlanda do Norte, do Canadá, da Austrália, da Nova Zelândia e de vários países independentes menores, e também chefe da Commonwealth. Seu marido recebeu o título de duque de Edimburgo na véspera do casamento (1947) e foi nomeado príncipe Philip (1957). Eles têm três filhos – Charles, príncipe de Gales; príncipe Andrew, o duque de York; e príncipe Edward, o conde de Wessex – e uma filha, a princesa Anne, que foi nomeada princesa real. A rainha visava modernizar a monarquia e torná-la mais informal, instituindo almoços comemorativos para indivíduos notáveis, além dos pioneiros passeios da realeza em meio ao público. Ela mostra um forte compromisso pessoal com a Commonwealth, considerando-a uma associação voluntária de parceiros iguais.

"Este se revelou um *annus horribilis*"

24 de novembro de 1992, Londres, Inglaterra

O ano de 1992 deveria ter sido um annus mirabilis *para a rainha Elizabeth. Foi o quadragésimo aniversário de sua ascensão ao trono, e os quarenta anos anteriores viram paz e prosperidade crescente no Reino Unido e em toda a Commonwealth. No entanto, durante os meses que precederam este almoço no edifício Guildhall para celebrar o aniversário, ela sofrera muitos momentos angustiantes. Um deles – o incêndio que devastou o castelo de Windsor – ocorrera poucos dias antes, em 20 de novembro, seu 45º aniversário de casamento. A rainha também foi perturbada pela inquietação pública diante de declarações de que o governo pagaria pelos reparos no castelo, já que muitas pessoas consideravam que a rainha, uma não contribuinte rica, deveria assumir a responsabilidade. Também houve grande publicidade de problemas conjugais em sua família imediata durante o ano anterior.*

Elizabeth II

A City de Londres[1], onde está situado o Guildhall, passou por um ano difícil. Um bombardeio do IRA em abril de 1992 matara três pessoas, destruíra a Bolsa Báltica e causara danos aos edifícios vizinhos, e os subscritores do Lloyds tiveram os piores resultados de todos os tempos. Foi um período conturbado, mas a rainha conseguiu fazer um discurso ironicamente bem-humorado em que refletiu sobre os melhores momentos dos quarenta anos anteriores.

Os meses seguintes também seriam difíceis. Dois dias depois de fazer o discurso, a rainha cedeu ao inevitável e concordou em pagar impostos e financiar pessoalmente a maior parte da família real, retirando-os da Lista Civil.

"Sr. prefeito[2], eu poderia dizer, antes de mais nada, o quanto estou feliz por a primeira-dama estar aqui hoje.

Este notável salão me proporcionou alguns dos acontecimentos mais memoráveis da minha vida. A hospitalidade da City de Londres é famosa no mundo inteiro, mas em nenhum lugar é mais apreciada do que entre os membros da minha família. Sou profundamente grata por você, caro prefeito, e a corporação terem considerado adequado marcar o quadragésimo aniversário da minha ascensão com este almoço esplêndido, e brindando-me com uma imagem que terei em grande estima.

Obrigada também por convidar representantes de tantas organizações com as quais minha família e eu temos conexões especiais, que em alguns casos remontam a várias gerações. Para usar uma expressão mais comum ao norte da fronteira, esta é uma verdadeira 'reunião dos clãs'.

Mil novecentos e noventa e dois não é um ano em que eu deva olhar para trás com grande prazer.

Nas palavras de um de meus correspondentes mais solidários, este se revelou um *annus horribilis*. Suspeito que não sou a única a pensar dessa forma. De fato, suspeito que houve pouquíssimas pessoas ou instituições não

---

1. "The City of London" ou simplesmente "The City": o centro histórico e financeiro de Londres, que tem seu próprio prefeito, o "Lord Mayor", e seu próprio órgão administrativo, a Corporação de Londres. (N.T.)
2. Sir Francis McWilliams (1926-). (N.E.)

afetadas por estes últimos meses de tumulto e incerteza mundial.[3] Esta generosidade e sincera amabilidade da corporação da City para com o príncipe Philip e comigo seria bem-vinda em qualquer ocasião, mas, neste momento em particular, após o trágico incêndio de sexta-feira em Windsor, é especialmente bem-vinda.

E, após este último fim de semana, apreciamos ainda mais o que nos foi oferecido hoje. Anos de experiência, no entanto, nos tornaram um pouco mais sagazes do que a dama, menos versada do que nós nos esplendores da hospitalidade da City, que, quando lhe ofereceram uma taça para seu conhaque, pediu 'apenas meia taça, por favor'.

É possível haver excesso de uma coisa boa. Um bispo bem-intencionado obviamente estava fazendo o melhor que podia quando disse à rainha Victoria: 'Madame, não podemos rezar com demasiada frequência, nem com demasiado fervor, para a Família Real'. A resposta da rainha foi: 'Com demasiado fervor, não; com demasiada frequência, sim.' Eu, como a rainha Victoria, sempre acreditei na velha máxima 'moderação em todas as coisas'.

Às vezes me pergunto como as futuras gerações julgarão os acontecimentos deste ano tumultuoso. Ouso dizer que a história adotará uma visão um pouco mais moderada do que a de alguns analistas contemporâneos. É bem sabido que a distância confere encantamento, até mesmo para as vistas menos atraentes. Afinal, tem a vantagem inestimável do retrospecto.

Mas também pode conferir uma dimensão extra ao julgamento, dando a este um alívio de moderação e compaixão – e mesmo de sabedoria – que às vezes falta nas reações das pessoas cuja tarefa na vida é oferecer opiniões instantâneas sobre todas as coisas, grandes e pequenas.

Nenhuma parte da comunidade tem todas as virtudes, nem todos os vícios.

Estou totalmente convencida de que a maioria das pessoas tenta fazer seu trabalho o melhor que pode, mesmo que o resultado nem sempre seja um sucesso absoluto. Aquele que nunca fracassou em alcançar a perfeição tem o direito de ser o crítico mais severo.

Não pode haver dúvida, é claro, de que a crítica é boa para as pessoas e as instituições que são parte da vida pública. Nenhuma instituição – cidade, monarquia, o que for – deve esperar estar livre do escrutínio daqueles que lhe dão sua lealdade e seu apoio, sem falar daqueles que não o fazem.

---

3. No exterior, houvera tensão no Golfo, conflito étnico em uma Iugoslávia em desintegração, rebeliões contra o apartheid na África do Sul e fome em outras partes da África. (N.E.)

Elizabeth II

Mas todos somos parte do mesmo tecido de nossa sociedade nacional, e esse escrutínio, de uma parte por outra, pode ser igualmente eficaz se for feito com um toque de gentileza, bom humor e compreensão.

Esse tipo de questionamento também pode funcionar como um motor eficaz de mudança, e deve fazê-lo.

A City é um bom exemplo do modo como o processo de mudança pode ser incorporado à estabilidade e à continuidade de uma grande instituição. Admiro particularmente, caro prefeito, o modo como a City se adaptou tão agilmente ao que o *Livro de orações*[4] chama de 'mudanças e acasos desta vida mortal'.

Vocês deram um exemplo de como é possível continuar sendo eficaz e dinâmico sem perder estas qualidades indefiníveis, estilo e caráter. Só precisamos olhar à volta deste grande salão para ver essa verdade.

Quarenta anos é um período muito longo. Estou feliz por ter tido a chance de testemunhar, e de participar, de muitas mudanças drásticas na vida deste país.

Mas estou feliz de dizer que o magnífico padrão de hospitalidade oferecido em tantas ocasiões à rainha pelo prefeito da City de Londres não mudou nem um pouco. É um símbolo externo de um outro fator imutável que eu valorizo acima de tudo: a lealdade dedicada a mim e à minha família por tantas pessoas neste país, e na Commonwealth, em todo o meu reino.

Você, caro prefeito, e todos aqueles cujas preces – fervorosas, espero, mas não demasiado frequentes – me sustentaram durante todos estes anos, são verdadeiros amigos. O príncipe Philip e eu damos a todos vocês, onde quer que possam estar, nosso mais humilde agradecimento.

E agora peço que se levantem e bebam à saúde do prefeito e à corporação de Londres. **"**

---

4. O *Book of Common Prayer* [*Livro de oração comum*], o livro de preces autorizado pela Igreja da Inglaterra desde 1544; ele foi alterado várias vezes desde aquela primeira versão, e a frase citada pela rainha remonta pelo menos ao século XVIII. (N.E.)

"Não se pode esperar que as mulheres lutem sozinhas contra as forças da discriminação e da exploração. Rememoro as palavras de Dante: 'O lugar mais quente no Inferno é reservado para aqueles que se mantêm neutros em épocas de crise moral'."

– Benazir Bhutto

39

Benazir Bhutto

Estadista paquistanesa

Após o golpe militar liderado pelo general Mohammed Zia ul-Haq – em que seu pai, o ex-primeiro-ministro Zulfikar Ali Bhutto, foi executado (1979) –, Benazir Bhutto (1953-2007) foi colocada sob prisão domiciliar em intervalos frequentes até 1984. Em 1988, ela foi eleita primeira-ministra após a morte de Zia em circunstâncias misteriosas, tornando-se a primeira mulher dos tempos modernos a ocupar uma posição de liderança numa nação muçulmana. Nos nove anos seguintes, ela, repetidas vezes, perdeu e reconquistou o poder, minado pelos militares e por acusações de corrupção. Derrotada na eleição de 1997, foi, posteriormente, condenada a cinco anos de prisão por corrupção, desqualificada da política e exilada. Tendo chegado a um acordo com o presidente Pervez Musharraf, ela finalmente regressou ao Paquistão em outubro de 2007 e se preparou para concorrer às eleições gerais de 2008 como principal candidata da oposição. Foi assassinada apenas dois meses depois, em 27 de dezembro, enquanto regressava de um comício eleitoral em Rawalpindi.

"O etos do Islã é a igualdade, a igualdade entre os sexos"

4 de setembro de 1995, Pequim, China

"Ação para a igualdade, o desenvolvimento e a paz" foi o título da Quarta Conferência Mundial da ONU sobre a Mulher, ocorrida em Pequim entre 4 e 15 de setembro de 1995. No entanto, surgiram desacordos sobre o papel da família e sobre a sexualidade feminina entre grupos de feministas majoritariamente ocidentais e uma coalizão de fundamentalistas cristãs, islamitas e católicas tradicionais. Essa disputa interrompeu reuniões concebidas para preparar a "Plataforma de Ação", o documento a ser discutido na conferência.

A cerimônia de abertura da conferência aconteceu no Grande Salão do Povo na praça Tiananmen, e representantes de 189 países assisti-

ram a uma apresentação de dança, música, moda e ginástica, que muitos consideraram mais adequada para uma cerimônia de abertura das Olimpíadas do que para uma conferência discutindo o papel das mulheres. Após esse espetáculo e a abertura formal da conferência, Benazir Bhutto se dirigiu à primeira reunião plenária, falando em um estilo deslumbrante, aperfeiçoado durante seu mandato como presidente da sociedade de debate Oxford Union. Em seu discurso, ela defendeu o Islã ao mesmo tempo em que condenou o fundamentalismo, e, embora estivesse em conformidade com o requisito islâmico de cobrir a cabeça em público, seu lenço escorregava continuamente da cabeça enquanto ela falava.

Como líder feminina de uma nação islâmica, educada no Ocidente, Bhutto exemplificou a tensão entre os lados opostos na conferência, e seu discurso tentou manter o equilíbrio entre esses extremos.

"Como a primeira mulher já eleita para liderar uma nação islâmica, sinto uma responsabilidade especial sobre as questões relacionadas com as mulheres.

Ao abordar as novas exigências deste novo século, devemos traduzir a religião dinâmica em uma realidade viva.

Devemos viver conforme o verdadeiro espírito do Islã, e não só conforme seus rituais.

E, para aqueles de vocês que talvez não sejam conhecedores do Islã, peço que deixem de lado suas ideias preconcebidas sobre o papel das mulheres em nossa religião. Ao contrário do que muitos de vocês podem ter sido levados a acreditar, o Islã abraça uma grande variedade de tradições políticas, sociais e culturais. O etos fundamental do Islã é a tolerância, o diálogo e a democracia.

Assim como no cristianismo e no judaísmo, devemos sempre estar atentos àqueles que exploram e manipulam o Livro Sagrado[1] para suas próprias finalidades políticas egoístas, que distorcem a essência do pluralismo e da tolerância em função de suas próprias pautas extremistas.

Para aqueles que afirmam falar em nome do Islã, mas negariam às mulheres o nosso lugar na sociedade, eu digo:

---

1. O Alcorão. (N.E.)

O etos do Islã é a igualdade, a igualdade entre os sexos. Não há nenhuma religião no mundo que, em seus escritos e ensinamentos, seja mais respeitosa para com o papel das mulheres na sociedade do que o Islã.

Minha presença aqui, como a primeira-ministra eleita de um grande país muçulmano, é testemunho do comprometimento do Islã com o papel das mulheres na sociedade.

Foi esta tradição do Islã que me empoderou, me fortaleceu, me fez ousar. Foi esta herança que me sustentou durante os momentos mais difíceis da minha vida, pois o Islã proíbe a injustiça; a injustiça contra povos, contra nações, contra mulheres. Denuncia a desigualdade como a forma mais grave de injustiça. Impõe a seus seguidores o combate à opressão e à tirania.

Quando o espírito humano estava imerso na escuridão da Idade Média, o Islã proclamou a igualdade entre homens e mulheres.

Quando as mulheres eram vistas como membros inferiores da família humana, o Islã lhes deu respeito e dignidade. Quando as mulheres eram tratadas como posses, o Profeta do Islã (que a paz esteja com ele) as aceitou como parceiras iguais.

O Islã codificou os direitos das mulheres. O Alcorão elevou seu status ao dos homens. Garantiu seus direitos cívicos, econômicos e políticos. Reconheceu seu papel participativo na construção da nação.

Infelizmente, os princípios islâmicos com relação às mulheres logo foram descartados. Na sociedade islâmica, como em outras partes do mundo, seus direitos foram negados. As mulheres foram maltratadas, discriminadas e submetidas à violência e à opressão; sua dignidade foi ferida e seu papel, negado.

As mulheres tornaram-se vítimas de uma cultura de exclusão e dominação masculina. Hoje, mais mulheres do que homens padecem pobreza, privação e discriminação.

Meio bilhão de mulheres são analfabetas. Setenta por cento das crianças às quais é negada a educação elementar são meninas.

A situação das mulheres nos países em desenvolvimento é indescritível. Sua sina é a fome, a doença e o trabalho duro e sem trégua. Parco crescimento econômico e sistemas de apoio social inadequados as afetam de maneira mais grave e direta. Elas são as principais vítimas dos processos de ajuste estrutural, que requerem financiamento estatal reduzido para saúde, educação, assistência médica e nutrição. O corte de recursos destinados a essas áreas vitais impacta mais severamente os grupos vulneráveis, em particular as mulheres e as crianças.

Isso, senhora presidente, não é aceitável. Ofende minha religião. Ofende meu senso de equidade e justiça. Acima de tudo, ofende o bom senso.

É por isso que o Paquistão, as mulheres do Paquistão, e eu, pessoalmente, estamos totalmente envolvidos nos recentes esforços internacionais para defender os direitos das mulheres. A Declaração Universal dos Direitos Humanos estipula o fim da discriminação contra as mulheres.

As Estratégias Prospectivas de Nairóbi[2] proporcionam um marco válido para defender os direitos das mulheres em todo o mundo. Mas o objetivo de paz, desenvolvimento e igualdade ainda nos escapa.

Os esforços esporádicos nessa direção fracassaram. Estamos satisfeitos porque a Plataforma de Ação de Pequim[3] inclui uma abordagem abrangente rumo ao empoderamento das mulheres. Essa é a abordagem correta e deve ser totalmente apoiada.

Não se pode esperar que as mulheres lutem sozinhas contra as forças da discriminação e da exploração. Rememoro as palavras de Dante: 'O lugar mais quente no Inferno é reservado para aqueles que se mantêm neutros em épocas de crise moral.'[4]

Hoje, neste mundo, na luta pela libertação das mulheres, não pode haver neutralidade.

Meu espírito carrega cicatrizes da longa e solitária batalha contra a ditadura e a tirania. Eu testemunhei, em tenra idade, a derrocada da democracia, o assassinato de um primeiro-ministro eleito[5] e um assalto sistemático aos próprios alicerces de uma sociedade livre.

---

2. "As Estratégias Prospectivas de Nairóbi para o Progresso da Mulher" foi um documento produzido pela Organização das Nações Unidas como resultado de uma conferência ocorrida em Nairóbi, no Quênia, em julho de 1985. (N.E.)

3. Um documento assinado por 189 países em 1995, que analisou e priorizou questoes e estratégias relacionadas com os direitos das mulheres. (N.E.)

4. O poeta florentino Durante degli Alighieri, ou Dante (1265-1321), mais famoso por sua trilogia *A divina comédia*. Bhutto cita essas palavras da seção do Inferno, que lida com a danação. (N.E.)

5. Bhutto se refere a seu pai. (N.E.)

Mas nossa fé na democracia não foi abalada. O grande poeta e filósofo paquistanês dr. Allam Iqbal[6] diz: 'A tirania não pode durar para sempre'. Não durou. A vontade do nosso povo prevaleceu contra as forças da ditadura.

Mas, queridas irmãs, aprendemos que só a democracia não é suficiente. A liberdade de escolha, por si só, não garante justiça. Direitos iguais não são definidos apenas por valores políticos. A justiça social é uma tríade de liberdade, uma equação de liberdade.

Justiça é liberdade política. Justiça é independência econômica. Justiça é igualdade social.

Representantes, irmãs, a criança que está morrendo de fome não tem direitos humanos. A menina que é analfabeta não tem futuro. A mulher que não pode planejar sua vida, planejar sua família, planejar uma carreira, fundamentalmente não é livre.

Estou determinada a mudar a situação das mulheres no meu país. Mais de 60 milhões de nossas mulheres são deixadas de lado. É uma tragédia pessoal para elas. É uma catástrofe nacional para o meu país. Estou determinada a aproveitar seu potencial para a gigante tarefa de construção do país.

Sonho com um Paquistão em que as mulheres possam contribuir com todo o seu potencial.

Estou consciente da luta que temos pela frente. Mas, com a ajuda de vocês, vamos perseverar. Se Alá quiser, vamos conseguir. **"**

---

6. O poeta e filósofo Allam Iqbal (1877-1938), nascido no Punjab, foi um dos principais líderes culturais da Índia muçulmana. Embora ele tenha morrido antes da criação do Paquistão como Estado, foi um dos primeiros indianos a pedir a partilha. (N.E.)

40
Bill Clinton
Político norte-americano

William Jefferson Clinton (1946-) lecionou Direito na Universidade do Arkansas (1973-1976), casando-se com Hillary Clinton (nascida Hillary Rodham) em 1975. Ele foi eleito procurador-geral (1976) e depois governador (1978) do Arkansas, em cuja função serviu por cinco mandatos (1978-1981, 1983-1992). Em 1992, derrotou o presidente George H. W. Bush e foi eleito presidente, encerrando, assim, o período de doze anos em que os republicanos ocuparam o gabinete. Ele era uma figura carismática e popular, e sua presidência viu prosperidade econômica, com baixa inflação e desemprego, e um foco em promover a paz no cenário internacional. No entanto, também foi marcada por escândalo, mais notadamente em 1998, com seu caso extraconjugal com Monica Lewinsky, estagiária da Casa Branca. Apesar desses problemas, quando deixou o cargo em janeiro de 2001, ele tinha o maior índice de aprovação de um presidente em fim de mandato desde que os registros começaram.

"Eu pequei"
11 de setembro de 1998, Washington, D.C., EUA

Em janeiro de 1998, foi noticiado no Washington Post *que o presidente Bill Clinton estivera envolvido num relacionamento sexual com a ex-estagiária da Casa Branca Monica Lewinsky. Seguiram-se meses de negações e cortinas de fumaça, incluindo a afirmação da primeira-dama Hillary Clinton, em uma entrevista na televisão, que houvera uma "grande conspiração direitista" contra seu marido.*

Finalmente, em 17 de agosto, Clinton admitiu uma "relação física imprópria" com Lewinsky, em um testemunho gravado dado ao Escritório de Conselho Independente dos Estados Unidos e ao grande júri. Naquela noite, ele fez um breve discurso televisionado ao país, em que ofereceu um pedido de desculpas um tanto tendencioso, acrescentando: "Eu pretendo reivindicar minha vida familiar para a minha família. Isso diz respeito a nós e a mais ninguém".

Logo ficou visível que os índices de aprovação de Clinton não foram prejudicados, mas muitos analistas ficaram insatisfeitos com seu arrependimento restrito. As desculpas públicas continuaram, mas foi somente no café da manhã anual com líderes religiosos na Casa Branca, em 11 de setembro, que Clinton finalmente acertou o tom.

O colunista Lance Morrow, da revista Time, *escreveu que Clinton tivera um "péssimo desempenho" em 17 de agosto, mas relatou observar o índice Dow Jones subir regularmente durante o discurso de 11 de setembro. Clinton fora apelidado "Slick Willy"[1] pelo modo polido com que lidou com possíveis situações embaraçosas – incluindo a amplamente divulgada investigação da Whitewater Development Corporation, um empreendimento falido dos Clinton. Mas, aqui, seu discurso é notadamente desajeitado e desastrado. Isso foi provocado pela vergonha de um "espírito quebrantado" ou meramente – como suspeitam os cínicos – uma demonstração insincera de penitência?*

"Muito obrigado, senhoras e senhores. Bem-vindos à Casa Branca, e a este dia, que Hillary e o vice-presidente e eu tanto esperamos todos os anos.

Este é sempre um dia importante para o nosso país [...] Hoje é um dia atípico e, acredito, atipicamente importante. Posso não estar tão à vontade com minhas palavras como estive em anos anteriores, e fiquei acordado até tarde na noite passada refletindo e orando sobre o que devo dizer hoje. E, algo um tanto incomum para mim, eu tentei tomar nota. Por isso, se me perdoam, eu me esforçarei ao máximo para dizer o que quero dizer a vocês – e talvez tenha de tirar os óculos para ler minhas próprias palavras.

Em primeiro lugar, quero dizer a todos vocês que, como podem imaginar,

estive numa verdadeira jornada durante estas últimas semanas para chegar ao fim disto, à verdade fundamental de onde estou e onde estamos todos.

Concordo com aqueles que disseram que na minha primeira declaração depois que testemunhei eu não fui suficientemente contrito. Não creio que exista uma maneira elegante de dizer que eu pequei.

---

1. Literalmente, "Bill escorregadio". "Willy" é mais um apelido para "William". (N.T.)

É importante para mim que todos os que foram magoados saibam que a dor que eu sinto é genuína: em primeiro lugar, minha família; também meus amigos, minha equipe, meu gabinete, Monica Lewinsky e sua família, e o povo americano. Eu pedi a todos o seu perdão.

Mas acredito que, para ser perdoado, é preciso mais do que dor – pelo menos mais duas coisas. Primeiro, arrependimento genuíno – uma determinação para mudar e reparar as quebras de confiança cometidas por mim. Eu me arrependi. Em segundo lugar, o que minha Bíblia chama de 'espírito quebrantado'; uma compreensão de que devo ter a ajuda de Deus para ser a pessoa que quero ser; uma disposição para conceder o próprio perdão que procuro; uma renúncia ao orgulho e à raiva que obscurecem o discernimento, levam as pessoas a criar desculpas e a comparar e culpar e reclamar.

Agora, o que tudo isso significa para mim e para nós? Em primeiro lugar, instruirei meus advogados a preparar uma defesa vigorosa, usando todos os argumentos apropriados disponíveis.

Mas a linguagem jurídica não deve obscurecer o fato de que eu agi mal. Em segundo lugar, seguirei no caminho do arrependimento, procurando apoio pastoral e o de outras pessoas afetuosas para que me mantenham firme em meu próprio compromisso.

Em terceiro lugar, intensificarei meus esforços para liderar o nosso país e o mundo rumo à paz e à liberdade, à prosperidade e à harmonia, na esperança de que, com um espírito quebrantado e um coração ainda forte, eu possa ser usado para um bem maior, pois temos muitas bênçãos e muitos desafios e tanto trabalho a fazer.

Nisso, peço suas preces e sua ajuda para curar nosso país. E, embora eu não possa superar nem esquecer isso – de fato, devo sempre mantê-lo como uma luz de alerta em minha vida –, é muito importante que nossa nação siga em frente.

Sou muito grato pelas muitas, muitas pessoas – clérigos e cidadãos comuns – que me escreveram com conselhos sábios.

Sou profundamente grato pelo apoio de tantos americanos que, de algum modo, em meio a tudo isso, parecem ainda saber que eu me importo muitíssimo com eles, que me importo com seus problemas e com seus sonhos. Sou grato por aqueles que ficaram ao meu lado e que dizem que, neste caso e em muitos outros, os limites da presidência foram excessiva e insensatamente invadidos. É possível.

No entanto, neste caso, isso talvez seja uma bênção, porque ainda assim eu pequei. E, se meu arrependimento for genuíno e constante, e se eu puder manter um espírito quebrantado e um coração forte, pode sair algo bom disso para o nosso país e também para minha família e para mim.

[Aplausos.]

As crianças deste país podem aprender, de uma maneira profunda, que a integridade é importante e que o egoísmo é errado, mas que Deus pode nos mudar e nos tornar fortes nos lugares quebrantados. Quero personificar essas lições para as crianças deste país – para aquele garotinho na Flórida que veio até mim e disse que queria crescer e ser presidente e ser exatamente como eu.[2] Quero que os pais de todas as crianças da América possam dizer isso para seus filhos.

Há alguns dias, quando estive na Flórida, um amigo judeu me deu este livro de liturgia chamado *Portões do arrependimento*.[3] E havia esta passagem incrível da liturgia do Yom Kipur.[4] Eu gostaria de lê-la para vocês:

'Agora é hora de mudar. As folhas estão começando a mudar, passando de verdes a vermelhas e laranja. Os pássaros estão começando a mudar e, mais uma vez, estão se dirigindo para o sul. Os animais estão começando a mudar para armazenar seu alimento para o inverno. Para folhas, pássaros e animais, mudar acontece instintivamente. Para nós, mudar requer um ato de vontade. Significa quebrar velhos hábitos. Significa admitir que erramos, e isso nunca é fácil. Significa perder prestígio. Significa começar tudo de novo. E isso sempre é doloroso. Significa dizer sinto muito. Significa reconhecer que temos a capacidade de mudar. Essas coisas são terrivelmente difíceis de se fazer.

'Mas, se não mudarmos, ficaremos presos para sempre nos modos de ontem.

'Que o Senhor nos ajude a mudar, da frieza para a sensibilidade, da hostilidade para o amor, da mesquinhez para o propósito, da inveja para o contentamento, do descuido para a disciplina, do medo para a fé. Mudai-nos, ó Senhor, e trazei-nos de volta a vós. Revivei nossa vida como no começo e voltai-nos um de frente para o outro, Senhor, pois em isolamento não há vida.'

---

2. Dois dias antes de fazer este discurso, Clinton discursara na escola Hillcrest, em Orlando, na Flórida. Mais tarde naquele dia, ele relatou que um garotinho lhe dissera: "Senhor presidente, quando eu crescer, quero ser presidente. Quero ser um presidente como o senhor". (N.E.)

3. Um texto clássico do rabino Yonah de Girona (1180-1263). (N.E.)

4. No judaísmo, o Yom Kipur é a celebração anual do Dia do Perdão, que cai no décimo dia do mês de Tishri, isto é, entre meados de setembro e meados de outubro. (N.E.)

Agradeço ao meu amigo por isso. Agradeço a vocês por estarem aqui. Peço que partilhem da minha prece para que Deus me vasculhe e conheça meu coração, me ponha à prova e conheça meus pensamentos ansiosos, veja se há alguma ofensa em mim e me conduza rumo à vida eterna. Peço que Deus me dê um coração limpo, que me permita caminhar guiado pela fé, e não pela vista.

Peço, mais uma vez, que eu seja capaz de amar ao próximo – todos os próximos – como a mim mesmo, que eu seja um instrumento da paz de Deus; que as palavras da minha boca e a meditação do meu coração e, no fim, a obra das minhas mãos sejam agradáveis.[5] Isso é o que eu queria dizer a vocês hoje.

Obrigado. Deus os abençoe. 🙥

---

5. Ver Salmos 19:14. (N.E.)

"Hoje, a nossa nação viu o mal"
– George W. Bush

41
George W. Bush
Político norte-americano

George Walker Bush (1946-) é filho do político norte-americano George H. W. Bush, que se tornou o 41º presidente dos Estados Unidos. Ele foi eleito governador do Texas em 1994 e se mostrou popular, sendo reeleito quatro anos depois. Em 2000, foi o candidato à presidência pelo Partido Republicano contra Al Gore, vencendo pela margem mais estreita dos cem anos anteriores. Ao contrário da presidência de Bill Clinton, que tendia à esquerda, Bush liderou uma guinada para a direita, mantendo relações próximas com o movimento neoconservador e a direita cristã. Em setembro de 2001, após os ataques terroristas a Nova York e a Washington, Bush foi lançado na arena internacional e se comprometeu com a ação militar contra supostos inimigos no Oriente Médio. Em 2004, foi reeleito presidente, mas enfrentou uma onda crescente de críticas populares, sobretudo pelo modo como conduziu a Guerra do Iraque, o furacão Katrina (2005) e a chamada "Grande Recessão" que teve início em 2007. Ele deixou o cargo em 2009.

"Hoje, a nossa nação viu o mal"
11 de setembro de 2001, transmissão de TV, Washington, D.C., EUA

Os ataques terroristas de 11 de setembro de 2001 foram, inquestionavelmente, um momento decisivo na história, embora sua significância talvez não tenha sido totalmente compreendida por alguns anos. Eles levaram à guerra no Afeganistão e a um conjunto de medidas e leis de segurança sob o título genérico de "Guerra contra o Terror". Também foram usados para justificar a invasão do Iraque em 2003.

Bush estava numa sala de aula na escola de ensino fundamental Emma Booker, na Flórida, quando foi informado dos ataques em Nova York. Fotografias e filmagens mostram a angústia tomando conta de suas feições enquanto ele agarra o livro infantil My Pet Goat *[Meu bode de estimação]. Ele fez um breve pronunciamento à mídia ainda enquanto estava na escola, então viajou à Louisiana, onde fez um novo pronunciamento. A essa altura, o World Trade Center havia ruído, e mais dois*

George W. Bush

aviões sequestrados haviam caído, um deles destruindo parte do Pentágono, em Washington.

Bush regressou à Casa Branca e, às oito e meia da noite, estava pronto para se dirigir à nação, o que fez neste discurso televisionado, do Salão Oval. Visivelmente aturdido e tropeçando em umas poucas palavras, ele ainda assim teve um desempenho competente. Este desastre foi, em certo sentido, uma dádiva para Bush: sua resposta agressiva lançou na arena internacional um presidente até então tido como voltado para dentro.

"Boa noite. Hoje, nossos cidadãos, nosso modo de vida, nossa própria liberdade estiveram sob ataque em uma série de atos terroristas deliberados e fatais. As vítimas estavam em aviões ou em seus escritórios; secretárias, homens e mulheres de negócios, funcionários militares e federais; mães e pais, amigos e vizinhos. Milhares de vidas terminaram de repente por atos cruéis e deploráveis de terror.

As imagens de aviões colidindo com edifícios, chamas, estruturas gigantescas ruindo nos encheram de descrença, uma tristeza terrível e uma raiva silenciosa e inexorável.

Estes atos de assassinato em massa tiveram o intuito de assustar nossa nação, disseminando o caos e fazendo-nos recuar. Mas eles fracassaram; nosso país é forte.

Um grande povo se mobilizou para defender uma grande nação.

Os ataques terroristas podem abalar os alicerces de nossos maiores edifícios, mas não podem tocar os alicerces dos Estados Unidos da América. Esses atos estilhaçaram o aço, mas não podem dobrar a determinação de aço dos americanos.

A América foi alvo dos ataques porque somos o mais brilhante farol da liberdade e da oportunidade no mundo. E ninguém impedirá essa luz de brilhar.

Hoje, a nossa nação viu o mal, o pior da natureza humana. E nós respondemos com o melhor da América: com a ousadia das nossas equipes de resgate, com o cuidado de e para estranhos e vizinhos que vieram doar sangue e ajudar como pudessem.

Imediatamente após o primeiro ataque, implementei os planos de resposta de emergência do governo. Nossas forças militares são fortes e estão preparadas. Nossas equipes de emergência estão trabalhando nas cidades de Nova York e Washington, D.C. para ajudar nos esforços locais de resgate. Nossa prioridade número um é obter ajuda para aqueles que foram feridos e tomar todas as precauções para proteger nossos cidadãos em casa e no mundo inteiro de novos ataques.

As funções do nosso governo continuam sem interrupção. As agências federais em Washington que hoje tiveram de ser evacuadas estão reabrindo esta noite para os serviços essenciais, e amanhã estarão funcionando normalmente. Nossas instituições financeiras permanecem fortes, e a economia americana também estará aberta para os negócios.

Já estamos à procura daqueles que estão por trás destes atos cruéis. Eu dirigi todos os recursos de nossa inteligência e nossos agentes da lei para encontrar os responsáveis e submetê-los à justiça. Não faremos distinção alguma entre os terroristas que cometeram estes atos e aqueles que os apoiam.

Aprecio muitíssimo os membros do Congresso que se uniram a mim ao condenar veementemente estes ataques.

E, em nome do povo americano, agradeço aos muitos líderes mundiais que telefonaram para oferecer suas condolências e sua assistência.

A América e nossos amigos e aliados se unem a todos aqueles que querem paz e segurança no mundo, e nós permanecemos juntos para vencer a guerra contra o terrorismo. Esta noite, eu peço a vocês que rezem por todos aqueles que estão de luto, pelas crianças cujo mundo foi despedaçado, por aqueles cuja sensação de segurança foi ameaçada. E rezo para que eles sejam confortados por uma força maior do que qualquer um de nós, revelada através dos séculos no Salmo 23: 'Mesmo quando eu andar por um vale de trevas e morte, não temerei perigo algum, pois tu estás comigo'.

> ***Este é um dia em que todos os americanos se unem em nossa resolução por paz e justiça.***

A América derrotou inimigos antes, e faremos o mesmo desta vez. Nenhum de nós jamais se esquecerá deste dia. Mas seguiremos em frente para defender a liberdade e tudo que é bom e justo em nosso mundo.

Obrigado. Boa noite, e Deus abençoe a América. **"**

42

Saddam Hussein

Ditador iraquiano

Membro do Partido Baath Socialista Árabe desde 1957, Saddam Hussein (1937-2006) assumiu um papel de liderança na revolução iraquiana de 1968 e fundou o Conselho do Comando Revolucionário (CCR), do qual se tornou vice-presidente e então presidente (1979, quando também se tornou presidente do país). Ele travou uma guerra implacável contra o Irã (1980-1988) e lidou com os rebeldes curdos de maneira severa. Em julho de 1990, ordenou a invasão do Kuwait, o que levou a sanções das Nações Unidas e posteriormente à Guerra do Golfo, em que ele foi confrontado por uma força apoiada pela ONU que envolvia soldados árabes, europeus e norte-americanos. O exército de Saddam se rendeu em fevereiro de 1991. As tensões com o Ocidente continuaram, e, após os ataques terroristas nos EUA em 2001, o presidente George W. Bush identificou o Iraque como membro do "eixo do mal" e renovou as demandas por uma mudança de regime. Em março de 2003, em meio a controvérsias disseminadas sobre a legalidade da guerra, uma invasão foi lançada por uma aliança de 35 países liderados pelos EUA. A vitória decisiva foi alcançada em três semanas, embora a insurgência tenha persistido. Saddam foi para um esconderijo, mas foi capturado em dezembro de 2003. Seu julgamento por crimes contra a humanidade começou em julho de 2004. Ele foi condenado em novembro de 2006 e executado por enforcamento menos de dois meses depois.

"O Iraque será vitorioso"

20 de março de 2003, Bagdá, Iraque

Após os ataques terroristas de 11 de setembro de 2001 nos EUA, aumentaram os temores norte-americanos de ameaças externas, e a retórica antiamericana de Saddam reforçou uma percepção de seu regime como patrocinador do terrorismo internacional. Sua obstrução contínua ao trabalho das equipes de inspeção de armas da ONU levou ao endurecimento das atitudes internacionais para com ele e fortaleceu os chamados do presidente George W. Bush para que o "trabalho inacabado" de seu pai fosse concluído. As forças aliadas foram reunidas nas fronteiras do Iraque nos primeiros meses de 2003, e bombardeiros norte-americanos atingiram Bagdá em 20 de março.

Saddam apareceu na televisão iraquiana duas horas depois desses bombardeios iniciais de "degola", que anunciaram o início da guerra esperada. Usando uniforme militar – e citando a data, para provar que o discurso não havia sido gravado previamente e que ele ainda estava no controle –, Saddam não concedeu nenhum indício de derrota, apesar das adversidades avassaladoras.

A linguagem religiosa devota e de extremo desafio e as promessas de humilhação para o inimigo são traços característicos de seu estilo oratório obstinado.

" Em nome de Deus, o misericordioso, o compassivo [...] Aqueles que são oprimidos têm o direito de lutar e Deus é capaz de torná-los vitoriosos. Deus é o maior.

Ao grande povo do Iraque, aos nossos bravos lutadores, aos nossos homens nas heroicas forças armadas, à nossa gloriosa nação: nas primeiras horas desta manhã de 20 de março de 2003, o criminoso e temerário Bush filho e seus ajudantes cometeram este crime que ele estava ameaçando cometer contra o Iraque e a humanidade. Ele executou seu ato criminoso com a ajuda de seus aliados; portanto, ele e seus seguidores aumentaram a série de crimes vergonhosos cometidos contra o Iraque e a humanidade.

Aos iraquianos e às pessoas de bem da nossa nação: seu país, sua nação gloriosa e seus princípios são dignos dos sacrifícios de vocês, de sua alma, de sua família e de seus filhos.

Neste contexto, eu não preciso repetir o que cada um de vocês deve e precisa fazer para defender nossa nação preciosa, nossos princípios e santidades. Digo a cada membro da paciente e fiel família iraquiana que é oprimida pelo inimigo maligno que se lembre e jamais se esqueça de tudo que ele disse e prometeu. Estes dias, e de acordo com a vontade de Deus, entrarão para a história eterna do glorioso Iraque.

Vocês, bravos homens e mulheres do Iraque: vocês merecem a vitória e a glória e tudo que eleva a estatura dos fiéis diante de seu Deus e derrota os infiéis, inimigos de Deus e da humanidade em geral. Vocês, iraquianos, serão vitoriosos junto com os filhos da nação. Vocês já são vitoriosos, com a ajuda de Deus. Seus inimigos cairão em desgraça e vergonha [...]

A vocês, amigos, contrários ao mal no mundo, que a paz esteja com vocês. Agora que vocês viram como o Bush temerário menosprezou suas posições e visões contrárias à guerra e seu sincero pedido de paz, ele cometeu hoje este crime desprezível [...]

Eles serão derrotados, uma derrota que é desejada para eles pelos bons, fiéis, pacifistas e humanistas. O Iraque será vitorioso, se Deus quiser, e com o Iraque a nossa nação e a humanidade serão vitoriosas e os maus serão atingidos de tal forma que os tornará incapazes de concretizar seu crime do modo como eles, a coalizão norte-americana e sionista, planejaram para nações e povos, sobretudo para nossa gloriosa nação árabe.

Deus é o maior. Viva o Iraque e a Palestina. Deus é o maior. Viva a nossa nação gloriosa; viva a fraternidade humana; viva os que amam a paz e a segurança e os que buscam o direito dos povos de viver em liberdade, com base na justiça. Deus é o maior. Viva o Iraque; viva o jihad[1] e viva a Palestina. Deus é o maior. Deus é o maior. Deus é o maior. ”

---

1. Guerra santa travada por muçulmanos em defesa de sua fé. (N.E.)

" [...] está muito claro quem é que está se beneficiando com o início desta guerra e com o derramamento de sangue. São os senhores da guerra, os sanguessugas, que estão dirigindo a política mundial por detrás de uma cortina."

– Osama bin Laden

43
Osama bin Laden
Terrorista árabe-saudita

Filho de um bilionário da construção nascido no Iêmen, Osama bin Mohammad bin Laden (1957-2011) fundou a organização al-Qaeda em 1988 para apoiar movimentos de oposição islâmicos no mundo inteiro. Em 1998, ele convocou muçulmanos em toda parte para atacar norte-americanos e os interesses dos Estados Unidos e levantou fortes suspeitas de estar envolvido em vários ataques terroristas contra o Ocidente. Ganhou notoriedade mundial após 11 de setembro de 2001, quando quatro aviões comerciais foram sequestrados por terroristas, dois dos quais foram usados para destruir o World Trade Center em Nova York. No total, quase 3 mil pessoas foram mortas. Logo depois, Bin Laden foi identificado como principal culpado. O presidente dos Estados Unidos George W. Bush respondeu declarando uma "guerra" internacional "ao terrorismo", organizando assaltos contra as bases de Bin Laden no Afeganistão e contra o regime do Talibã, acusado de protegê-lo. Considerado o criminoso mais procurado do mundo, por uma década ele consistentemente escapou à captura. Em 2 de maio de 2011, foi assassinado durante uma controversa operação secreta ordenada pelo presidente Barack Obama naquele que parece ter sido seu lar mais duradouro, em Abbottabad, no Paquistão.

"Nossos atos são uma reação aos seus próprios atos"

15 de abril de 2004, gravação de áudio feita em local não declarado

Após os ataques de 2001, Osama bin Laden provocou seus inimigos com mensagens de áudio e vídeo gravadas, entregues a emissoras de rádio e televisão. Em abril de 2004, uma dessas gravações de áudio, supostamente uma gravação de sua voz, foi transmitida pelos canais de satélite pan-arabista al-Arabiya e al-Jazeera.

Na gravação, Bin Laden apresenta seu ponto de vista sobre a situação da segurança mundial. Ele argumenta que seus seguidores têm como alvo o Ocidente porque as nações ocidentais prejudicaram os interesses muçulmanos, negando-lhes poder e segurança. Isso, segundo

afirma, é moralmente equivalente aos atos de terrorismo realizados pela al-Qaeda – "sua mercadoria lhes foi devolvida".

Ele se refere especificamente à situação dos palestinos desalojados e desterrados por Israel com o apoio dos Estados Unidos. Os ocidentais que desejam paz, afirma, devem promover a causa dos palestinos e de outros povos muçulmanos oprimidos. Ele enfatiza essa mensagem com uma dura ameaça: "Se quiserem preservar o seu sangue, parem de derramar o nosso sangue".

Esta "oferta de paz" foi interpretada pela maioria dos analistas ocidentais como uma propaganda concebida para apelar a intelectuais no Ocidente, que poderiam influenciar seus governos a reduzir o apoio a Israel e retirar as tropas do Iraque.

" Louvado seja o Deus Todo-Poderoso; que a paz e as preces estejam com nosso profeta Maomé, sua família e seus companheiros. Esta é uma mensagem para os nossos vizinhos ao norte do Mediterrâneo, contendo uma iniciativa de reconciliação como resposta às suas reações positivas.

Louvado seja Deus; louvado seja Deus; louvado seja Deus, que criou o Céu e a terra com justiça e que permitiu aos oprimidos punir o opressor da mesma forma.

Paz aos que seguiram o caminho correto. Em minhas mãos, há uma mensagem para lembrá-los de que a justiça é um dever para com os que vocês amam e para com os que vocês não amam. E os direitos das pessoas não serão prejudicados se o adversário se pronunciar sobre eles.

A maior regra de segurança é a justiça, e impedir a injustiça e a agressão. Foi dito: a opressão mata os opressores, e o berço da injustiça é o mal. A situação na Palestina ocupada é um exemplo. O que aconteceu em 11 de setembro e em 11 de março[1] é sua mercadoria que lhes foi devolvida.

Sabe-se que a segurança é uma necessidade urgente para toda a humanidade. Não concordamos que vocês a monopolizem apenas para si mesmos.

---

1. Em 11 de março de 2004, dez bombas foram detonadas em trens metropolitanos em Madri, na Espanha, matando 191 pessoas e ferindo mais de 1,8 mil. A Espanha havia sido membro da coalizão liderada pelos Estados Unidos que invadiu o Iraque em 2003, e fora citada como alvo numa transmissão de Bin Laden datada de outubro de 2003. (N.E.)

Além do mais, as pessoas atentas não permitem que seus políticos negociem com sua segurança.

Tendo dito isso, gostaríamos de lhes informar que rotular a nós e a nossos atos de terrorismo é também uma descrição de vocês e de seus atos. A reação vem no mesmo nível que a ação original. Nossos atos são uma reação aos seus próprios atos, que são representados pela destruição e assassinato de nossos parentes no Afeganistão, no Iraque e na Palestina. O ato que horrorizou o mundo – isto é, o assassinato do xeque Ahmed Yassin[2], velho e deficiente – que Deus tenha misericórdia dele – é indício suficiente.

Prometemos a Deus que puniremos os Estados Unidos por ele, se Deus quiser.

Que religião considera inocentes os seus mortos e sem valor os nossos mortos? E que princípio considera real o seu sangue e água o nosso sangue? O tratamento recíproco é justo, e aquele que começa a injustiça é o maior culpado.

Quanto aos seus políticos e aos que seguiram seu caminho, que insistem em ignorar o problema real de ocupar a totalidade da Palestina e exagerar mentiras e falsificações com relação ao nosso direito de defesa e resistência: eles não respeitam a si mesmos. Também desdenham do sangue e do intelecto das pessoas. Isso porque suas falsificações aumentam o derramamento do nosso sangue em vez de poupá-lo.

Além do mais, a análise dos últimos acontecimentos, no que concerne aos assassinatos nos nossos países e nos países de vocês, deixará claro um fato importante: que a injustiça é infligida a nós e a vocês por seus políticos que, contra a vontade de vocês, enviam seus filhos aos nossos países para matar e ser mortos.

Portanto, é do interesse de ambos os lados frear os planos daqueles que derramam o sangue dos povos para a satisfação de seus próprios interesses egoístas e para a subserviência à gangue da Casa Branca.

O lobby sionista é uma das figuras mais perigosas e mais difíceis desse grupo.

Se Deus quiser, estamos determinados a combatê-lo. Devemos levar em consideração que esta guerra gera bilhões de dólares de lucro para as grandes empresas, sejam as que produzem armas, sejam as que contribuem

---

2. O ativista palestino Ahmed Yassin (c.1937-2004) foi o fundador e líder espiritual do Hamas, o Movimento de Resistência Islâmica palestino. Ele foi assassinado por forças de segurança israelenses em 22 de março de 2004. (N.E.)

para a reconstrução, como é o caso da Halliburton Company[3], suas associadas e filiais.

Com base nisso, está muito claro quem é que está se beneficiando com o início desta guerra e com o derramamento de sangue. São os senhores da guerra, os sanguessugas, que estão dirigindo a política mundial por detrás de uma cortina.

Quanto ao presidente Bush: os líderes que estão girando em sua órbita, as principais empresas de mídia e as Nações Unidas, que legislam sobre as relações entre os senhores do veto[4] e os escravos da Assembleia Geral – estas são apenas algumas das ferramentas usadas para enganar e explorar os povos. Todas elas impõem uma ameaça fatal ao mundo inteiro.

Com base no que acabei de dizer, e a fim de negar uma chance aos mercadores da guerra – e em resposta à interação positiva demonstrada pelos acontecimentos recentes e pelas pesquisas de opinião, que indicam que a maioria dos povos europeus deseja a paz –, peço que as pessoas honestas [...] formem um comitê permanente para esclarecer os povos europeus sobre a justiça das nossas causas, acima de tudo a palestina. Elas podem fazer uso do imenso potencial da mídia.

A porta da reconciliação estará aberta durante três meses a partir da data de divulgação deste pronunciamento. Eu também ofereço a eles uma iniciativa de reconciliação, cuja essência é o nosso compromisso de cessar as operações contra cada país que se comprometer a não atacar muçulmanos nem interferir em seus assuntos – incluindo a conspiração norte-americana sobre o mundo muçulmano maior [...]

A reconciliação terá início quando seu último soldado se retirar do nosso país.

A porta da reconciliação estará aberta durante três meses a partir da data de divulgação deste pronunciamento. Para aqueles que rejeitam a reconciliação e desejam guerra, estamos prontos [...]

---

3. A Halliburton Company, cujo diretor executivo, de 1995 a 2000, foi Dick Cheney (vice-presidente dos Estados Unidos de 2001 a 2009), obteve contratos de reconstrução no Iraque após a invasão de 2003 sem que se realizasse um processo de licitação competitivo. Em 2004, os contratos foram investigados pelo governo dos Estados Unidos. (N.E.)

4. Os procedimentos de votação dos quinze membros do Conselho de Segurança da ONU deram aos cinco membros permanentes (China, França, Rússia, Reino Unido e Estados Unidos) poder de veto sobre as resoluções do Conselho de Segurança. Embora a Assembleia Geral possa adotar resoluções, a autorização de ações externas deve vir do Conselho de Segurança, a não ser em circunstâncias excepcionais. (N.E.)

Se quiserem preservar o seu sangue, parem de derramar o nosso sangue. Está em suas mãos aplicar essa fórmula fácil, embora difícil. Vocês sabem que, se postergarem as coisas, a situação irá se alastrar e piorar. Se isso acontecer, não nos culpem – culpem a si mesmos. Uma pessoa racional não abre mão de sua segurança, seu dinheiro e seus filhos para agradar os mentirosos da Casa Branca [...]

Dizem que a prevenção é melhor do que a cura. Uma pessoa feliz é aquela que aprende uma lição com a experiência de outros. Observar o que é certo é melhor do que persistir na falsidade.

Que a paz esteja com aqueles que seguem a orientação. "

44

Steve Jobs

Empreendedor norte-americano pioneiro em TI

Em 1976, Steven Paul Jobs (1955-2011) formou a Apple Computers com seu amigo, o engenheiro eletrônico Steve Wozniak. Conhecido por seu ímpeto e carisma, Jobs fez com que a Apple se tornasse uma das principais marcas mundiais em TI e bens de consumo eletrônicos. Em 1985, ele saiu da Apple e fundou uma nova empresa de TI, a NeXT. Em 1986, ajudou a fundar a Pixar, empresa pioneira em animação digital. A Apple comprou a NeXT em 1997, e Jobs se tornou novamente seu diretor executivo, liderando um importante renascimento no destino da empresa. Ele supervisionou o desenvolvimento e o lançamento de produtos e serviços estratégicos, incluindo o iMac, o iPod, o iPhone e o iPad, o iTunes e o sistema operacional OSX. Diagnosticado com câncer de pâncreas em 2003, morreu da doença em 2011.

"Você já está nu. Não há motivo para não seguir seu coração."

12 de junho de 2005, Stanford, Califórnia, EUA

O desenvolvimento dos computadores pessoais teve um efeito revolucionário em quase todas as áreas da vida humana – e, conforme assinala neste discurso, Steve Jobs teve um papel fundamental nesse processo. Ele também foi pioneiro em várias outras áreas estratégicas da cultura global, incluindo o smartphone, o download de músicas e a animação digital.

Estas palavras foram pronunciadas num discurso de formatura da Universidade de Stanford, na Califórnia, onde sua esposa, Laurene Powell, estudava quando eles se conheceram. O evento ocorreu num estádio esportivo, onde uma multidão estava reunida, a maioria com chapéus de formatura, alguns usando-os para proteger os olhos do sol.

A performance de Jobs nas conferências sobre tecnologia, entretenimento e design (TED) e sobre lançamento de produtos é lendária. Este discurso foi escrito e apresentado com desenvoltura e humor sutil, mas sem ostentação: Jobs apenas ficou parado, consultando suas anotações com frequência e controlando cuidadosamente o ritmo de sua fala durante uma breve apresentação de quinze minutos. Mais tarde, Laurene revelou que ele o havia praticado muitas vezes perante a família, mas acordara naquela manhã "com um frio na barriga".

"É uma honra estar com vocês hoje para a sua formatura em uma das melhores universidades do mundo. *[Aplausos.]* Verdade seja dita, eu nunca terminei a faculdade, *[risadas]* e isto é o mais perto que já cheguei de uma formatura. *[Risadas.]* Hoje quero contar a vocês três histórias da minha vida. É isso. Nada de mais. Apenas três histórias.

A primeira história é sobre ligar os pontos.

Eu abandonei a Reed College[1] depois de apenas seis meses, mas fiquei perambulando por lá por outros dezoito meses, mais ou menos, antes de sair realmente. Então, por que eu saí? *[Comoção e risadas.]*

Começou antes de eu nascer. Minha mãe biológica era uma estudante universitária, jovem e solteira, e decidiu me entregar para adoção. Ela queria muito que eu fosse adotado por pessoas formadas, então tudo foi acertado para que, ao nascer, eu fosse adotado por um advogado e sua esposa. Exceto que quando eu apareci eles decidiram, no último minuto, que na verdade queriam uma menina. Então meus pais, que estavam numa lista de espera, receberam um telefonema no meio da noite, perguntando: 'Temos aqui um menino, vocês o querem?'

Eles disseram: 'É claro!'.

Minha mãe biológica mais tarde descobriu que minha mãe nunca havia terminado a faculdade e que meu pai nunca havia concluído o ensino médio. Ela se recusou a assinar os últimos documentos da adoção. Só cedeu alguns meses depois, quando meus pais prometeram que eu iria para a faculdade. Esse foi o início da minha vida.

E dezessete anos depois eu fui para a faculdade. Mas, ingenuamente, escolhi uma faculdade que era quase tão cara quanto a Stanford *[onda de risadas]* e todas as economias dos meus pais, que eram da classe trabalhadora, estavam sendo gastas na minha educação superior. Depois de seis meses, eu não conseguia ver valor naquilo. Eu não tinha ideia do que queria fazer da vida e não

---
1. Uma faculdade de artes liberais em Portland, Oregon. (N.E.)

tinha ideia de como a faculdade me ajudaria a descobrir isso. E lá estava eu, gastando todo o dinheiro que meus pais economizaram a vida inteira.

Então decidi sair e confiar que tudo daria certo. Foi muito assustador na época, mas, olhando para trás, foi uma das melhores decisões que já tomei. *[Risadas.]* [...]

Eu amei [sair]. E grande parte do que encontrei por seguir minha curiosidade e minha intuição acabou se mostrando de valor inestimável mais tarde.

Vou dar um exemplo. Na época, a Reed College oferecia, talvez, a melhor aula de caligrafia do país. Em todo o campus, cada cartaz, cada etiqueta em cada gaveta ostentava uma bela caligrafia feita à mão. Como eu tinha largado o curso e não precisava frequentar as aulas normais, resolvi fazer aulas de caligrafia para aprender a fazer aquilo [...] Era bonito, histórico, artisticamente sutil de uma maneira que a ciência não é capaz de captar, e eu achei fascinante.

Nada disso tinha a mínima esperança de alguma aplicação prática na minha vida. Mas, dez anos depois, quando estávamos projetando o primeiro computador Macintosh, isso tudo voltou. E nós colocamos tudo no Mac. Foi o primeiro computador com tipografia bonita. Se eu nunca tivesse estudado caligrafia na faculdade, o Mac nunca teria tido várias famílias tipográficas nem fontes com espaçamento proporcional.

E como o Windows[2] simplesmente copiou o Mac *[risadas e aplausos]* [...] é provável que nenhum computador pessoal teria isso. Se eu nunca tivesse abandonado a faculdade, nunca teria entrado naquele curso de caligrafia, e os computadores pessoais possivelmente não teriam a tipografia maravilhosa que têm. É claro, era impossível ligar os pontos olhando para frente quando eu estava na faculdade. Mas ficou muito, muito claro ao olhar para trás dez anos depois.

Repito: não podemos ligar os pontos olhando para a frente; só podemos ligar os pontos olhando para trás.

Então, vocês precisam confiar que, de alguma forma, os pontos vão se ligar no futuro. Vocês precisam confiar em alguma coisa – sua garra, destino, vida, carma, o que for. Porque acreditar que os pontos vão se ligar pelo caminho lhes dará a confiança para seguir seu coração, mesmo quando isso os levar a sair do caminho conhecido, e isso fará toda a diferença.

[Pausa.]

---

2. O Microsoft Windows foi, por muitos anos, o principal rival dos sistemas operacionais da Apple. (N.E.)

Minha segunda história é sobre amor e perda.

Eu tive sorte – descobri ainda jovem o que amava fazer. Woz[3] e eu começamos a Apple na garagem dos meus pais quando eu tinha vinte anos. Trabalhamos duro, e em dez anos a Apple havia crescido de apenas nós dois numa garagem para uma empresa de 2 bilhões de dólares com mais de 4 mil empregados. Tínhamos lançado nossa maior criação – o Macintosh – um ano antes, e eu tinha acabado de fazer trinta anos. E então eu fui demitido.

Como você pode ser demitido de uma empresa que você começou?

[Risadas.] Bem, quando a Apple cresceu, nós contratamos alguém que eu considerava muito talentoso para administrar a empresa comigo[4], e durante o primeiro ano as coisas foram bem. Mas então nossas visões do futuro começaram a divergir, e finalmente tivemos uma discussão. Quando isso aconteceu, o conselho de diretores ficou do lado dele. Então, aos trinta anos, eu estava fora. E notoriamente fora. O que tinha sido o foco de toda a minha vida adulta se fora, e isso foi devastador [...]

Eu não percebi isso na época, mas ser demitido da Apple foi a melhor coisa que poderia ter me acontecido. O peso de ser bem-sucedido foi substituído pela leveza de ser um iniciante outra vez, com menos certezas sobre tudo. Isso me libertou para entrar num dos períodos mais criativos da minha vida.

Durante os cinco anos seguintes, iniciei uma empresa chamada NeXT[5], outra empresa chamada Pixar, e me apaixonei por uma mulher maravilhosa que se tornaria minha esposa. A Pixar criou o primeiro longa-metragem animado por computador, *Toy Story*, e hoje é o estúdio de animação mais bem-sucedido no mundo. *[Gritos e aplausos]*. Numa reviravolta notável, a Apple comprou a NeXT, e eu voltei para a Apple, e a tecnologia que desenvolvemos na NeXT está no cerne do atual renascimento da Apple. E Laurene e eu temos uma família[6] maravilhosa juntos.

---

3. Steve Wozniak (1950-), conhecido como "Woz", fundou a Apple Computers (posteriormente, Apple, Inc.) com Steve Jobs e Ronald Wayne em 1976 e demonstrou o primeiro computador Mac da Apple naquele mesmo ano. (N.E.)

4. John Sculley (1939-) deixou seu emprego como presidente da Pepsi-Cola em 1983 para se tornar diretor executivo da Apple, Inc. Em 1985, seu relacionamento com Jobs se desgastou e Jobs saiu da Apple, embora Sculley tenha negado que isso ocorreu por ordens suas. (N.E.)

5. A NeXT, Inc. foi uma empresa de computação fundada por Jobs em 1985, inicialmente especializada em estações de trabalho. (N.E.)

6. Steven e Laurene Jobs tiveram três filhos: Reed (1991-), Erin (1995-) e Eve (1998-). Jobs também teve uma filha, Lisa (1978-), fruto de um relacionamento anterior. (N.E.)

Tenho absoluta certeza de que nada disso teria acontecido se eu não tivesse sido demitido da Apple. Foi um remédio amargo, mas acho que o paciente o necessitava. Às vezes, a vida vai atingi-los na cabeça com um tijolo. Não percam a fé. Estou convencido de que a única coisa que me fez seguir em frente foi o fato de amar o que fazia. Vocês precisam encontrar o que amam. E isso vale tanto para o seu trabalho quanto para a sua vida afetiva. Seu trabalho vai ocupar uma grande parte da sua vida, e a única maneira de estar verdadeiramente satisfeitos é fazer o que vocês acreditam ser um ótimo trabalho. E a única maneira de fazer um ótimo trabalho é amar o que fazem. Se ainda não encontraram, continuem procurando – e não se acomodem. Como com todas as questões do coração, vocês saberão quando encontrarem. E, como em todo grande relacionamento, fica cada vez melhor com o passar dos anos. Então continuem procurando. Não se acomodem.

[Aplausos.]

Minha terceira história é sobre a morte.

Quando eu tinha dezessete anos, li uma frase mais ou menos assim: 'Se você viver cada dia como se fosse o último, algum dia provavelmente estará certo'. [Risadas.] Isso me impressionou, e desde então, nos últimos 33 anos, eu me olho no espelho todas as manhãs e pergunto a mim mesmo: 'Se hoje fosse o último dia da minha vida, eu ia querer fazer o que estou prestes a fazer hoje?'. E sempre que a resposta é 'não' por muitos dias seguidos, eu sei que preciso mudar alguma coisa.

Lembrar que logo vou morrer é a ferramenta mais importante que já encontrei para me ajudar a fazer as grandes escolhas na vida.

Porque quase tudo – todas as expectativas externas, todo o orgulho, todo o medo de constrangimento ou fracasso –, essas coisas simplesmente desaparecem diante da morte, deixando apenas o que é realmente importante. Lembrar que você vai morrer é a melhor maneira que eu conheço de evitar a armadilha de achar que você tem algo a perder. Você já está nu. Não há motivo para não seguir seu coração.

Há cerca de um ano, eu fui diagnosticado com câncer. Fiz uma tomografia às sete e meia da manhã, e ela me mostrou claramente um tumor no meu pâncreas. Eu nem sabia o que era um pâncreas. Os médicos me disseram que era quase certo que era um tipo de câncer incurável e que eu não deveria esperar viver mais do que três a seis meses [...]

Passei o dia todo com esse diagnóstico. Mais tarde naquela noite fiz uma biópsia, em que enfiaram um endoscópio pela minha garganta, pelo meu estômago, até meus intestinos, colocaram uma agulha no meu pâncreas e tiraram algumas células do tumor. Eu estava sedado, mas a minha esposa, que estava lá, me contou que quando viram as células no microscópio os médicos começaram a chorar, porque era um tipo muito raro de câncer de pâncreas que é curável com cirurgia. Eu fui submetido à cirurgia e, felizmente, hoje estou bem.

[Aplausos.]

Isso foi o mais perto que cheguei de encarar a morte, e espero que seja o mais perto que eu chegue por algumas décadas. Tendo passado por isso, hoje posso dizer a vocês com um pouco mais de certeza do que quando a morte era um conceito útil, mas puramente intelectual:

Ninguém quer morrer. Mesmo as pessoas que querem ir para o céu não querem morrer para chegar lá.

[Onda de risadas.]

E, ainda assim, a morte é o destino de todos nós. Ninguém jamais escapou a ela. E é como deve ser, porque a morte é, muito provavelmente, a melhor invenção da vida. É o agente de mudança da vida. Elimina o velho para abrir caminho para o novo.

Agora, o novo são vocês, mas, em algum dia não muito distante, vocês pouco a pouco se tornarão o velho e serão eliminados. Sinto muito por ser tão dramático, mas é a pura verdade.

O seu tempo é limitado, então não o desperdicem vivendo a vida de outra pessoa.

Não caiam na armadilha do dogma – que é viver com os resultados do pensamento de outras pessoas. Não deixem o ruído da opinião dos outros abafar sua voz interior. E, o que é mais importante, tenham a coragem de seguir seu coração e sua intuição. De algum modo, eles já sabem o que você quer ser de verdade. Todo o resto é secundário.

[Aplausos.]

Quando eu era jovem, havia uma publicação maravilhosa chamada *The Whole Earth Catalog*, que foi uma das bíblias da minha geração. Foi criada por um cara chamado Stewart Brand[7] não muito longe daqui, em Menlo Park[8], e ele lhe deu vida com seu toque poético [...] Era uma espécie

---

7. Stewart Brand (1938-) é um autor e editor instalado na Califórnia que se tornou uma figura central na contracultura hippie e, mais tarde, escreveu sobre negócios e ecologia. (N.E.)
8. Uma cidade no norte da Califórnia. (N.E.)

de Google em forma de livro, 35 anos antes de o Google surgir: era idealista, e recheada de ferramentas geniais e noções importantes.

Stewart e sua equipe publicaram várias edições de *The Whole Earth Catalog* e então, quando ela tinha cumprido sua missão, publicaram uma última edição. Foi em meados dos anos 1970, e eu tinha a idade de vocês. Na contracapa da última edição havia uma fotografia de uma estrada de terra ao amanhecer, do tipo onde vocês poderiam pedir carona se fossem aventureiros.

Abaixo havia as palavras: 'Mantenha-se ávido. Mantenha-se insensato'. Era sua mensagem de despedida. Mantenha-se ávido. Mantenha-se insensato. E eu sempre desejei isso para mim. E, agora que vocês se formam para começar de novo, desejo isso a vocês.

Mantenham-se ávidos. Mantenham-se insensatos.

Muito obrigado. ""

"O heroísmo está aqui, no coração de tantos de nossos concidadãos"

– Barack Obama

45

Barack Obama

Político norte-americano

Barack Hussein Obama II (1961-) é o 44º presidente dos Estados Unidos, o primeiro afro-americano a ocupar o cargo. A carreira política de Obama começou nos anos 1990. De 1997 a 2004, ele cumpriu três mandatos no Senado de Illinois, e em 2004 administrou uma campanha bem-sucedida para representar Illinois no Senado dos Estados Unidos. Em 2008, recebeu a nominação presidencial do Partido Democrata e, após derrotar o candidato republicano, John McCain na eleição geral, tomou posse como presidente em 20 de janeiro de 2009. Sua campanha no ano anterior fora acompanhada de uma onda de otimismo popular entre os eleitores liberais e de esquerda, especialmente os jovens, e também no mundo inteiro. O esforço de Obama para conduzir reformas e seu fracasso em cumprir as promessas eleitorais, como o fechamento do centro de detenção na baía de Guantánamo, levaram a certo grau de desilusão. Entretanto, ele foi reeleito presidente em novembro de 2012 e iniciou um segundo mandato em 20 de janeiro de 2013. Em seu segundo mandato, promoveu questões liberais estratégicas, como os direitos LGBT, o aquecimento global e o controle de armamentos, mas suas iniciativas políticas foram frequentemente barradas por um Congresso hostil dominado pelo Partido Republicano. Isso levou a certos desafetos domésticos, embora Obama gozasse de índices de aprovação elevados no exterior.

"O heroísmo está aqui, no coração de tantos de nossos concidadãos"

12 de janeiro de 2011, McKale Center, Universidade do Arizona, Tucson

A capacidade de Barack Obama como orador político é amplamente reconhecida e sem dúvida exerceu um papel significativo em sua carreira política. Um discurso calculado, mas ardoroso, combinado com uma qualidade quase lírica muitas vezes presente na escrita de discursos, resultou numa oratória magistral que agrada multidões, como observado no "Yes, we can" ["Sim, nós podemos"], seu discurso de vitória feito em New Hampshire, em janeiro de 2008.

Barack Obama

> *Este discurso foi feito em homenagem às vítimas do tiroteio de Tucson em 2011. Em 8 de janeiro de 2011, a deputada Gabrielle Giffords e outras dezoito pessoas foram baleadas por Jared Lee Loughner durante uma reunião com a população ocorrida no estacionamento de um supermercado no subúrbio de Tucson, Casas Adobes. Seis pessoas morreram, incluindo o juiz federal John Roll, Gabe Zimmerman, um dos assistentes de Gifford, e uma menina de nove anos de idade, Christina-Taylor Green. O alvo principal, Giffords, que tomou um tiro na cabeça à queima-roupa, sobreviveu e teve uma lenta recuperação. A motivação de Loughner não ficou clara, mas recentemente ele foi diagnosticado com esquizofrenia.*
>
> *O discurso foi escrito por Obama em colaboração com seu redator, Cody Keenan, e foi assistido pela TV por cerca de 30 milhões de norte-americanos. Por sua dignidade e contenção, bem como por sua afirmação poderosa do valor da comunidade e da responsabilidade mútua, as palavras de Obama receberam elogios em toda parte.*

“ Obrigado. Por favor, por favor, sentem-se.

Para as famílias daqueles que perdemos, para todos os que os chamavam de amigos, para os alunos desta universidade, os funcionários públicos aqui reunidos, os residentes de Tucson e os residentes do Arizona:

Eu vim até aqui esta noite como um americano que, como todos os americanos, se ajoelha para rezar com vocês hoje e estará ao seu lado amanhã.

Não há nada que eu possa dizer que cure a ferida aberta repentinamente em seu coração. Mas saibam disto: as esperanças de uma nação estão aqui esta noite. Estamos de luto com vocês pelos que se foram. Partilhamos da sua dor. E, com vocês, temos fé de que a deputada Gabrielle Giffords[1] e as outras vítimas que sobreviveram a esta tragédia irão se recuperar [...]

---

1. Gabrielle ("Gabby") Giffords (1970-) foi membro democrata da Câmara dos Representantes dos Estados Unidos para o 8º Distrito Congressional do Arizona de 2007 a 2012. Um ano após o tiroteio, ela renunciou ao cargo para focar em sua recuperação, mas com a promessa de regressar à política. (N.E.)

No sábado de manhã, Gabby, seus funcionários e muitos de seus eleitores se reuniram do lado de fora do supermercado para exercer seu direito de reunião pacífica e livre expressão.

Eles estavam colocando em prática um princípio fundamental da democracia concebido por nossos fundadores: representantes do povo respondendo a perguntas de seus eleitores, para então levar suas preocupações à capital do nosso país. Gabby o chamava de 'o Congresso na sua esquina', uma versão atualizada de um governo do povo, pelo povo e para o povo.

E essa cena tipicamente americana, essa foi a cena que foi estilhaçada pelas balas de um assassino. E as seis pessoas que perderam a vida no sábado: elas também representam o que há de melhor em nós, o que há de melhor na América.

O juiz John Roll[2] esteve a serviço do nosso sistema jurídico por cerca de quarenta anos.

Formado nesta universidade e nesta faculdade de direito, o juiz Roll foi recomendado para o tribunal federal por John McCain há vinte anos, nomeado pelo presidente George H. W. Bush, e ascendeu para se tornar o presidente do tribunal federal do Arizona [...] John deixa sua amada esposa, Maureen, seus três filhos e seus cinco lindos netos.

George e Dorothy Morris – 'Dot', para os amigos – eram namorados no ensino médio, se casaram e tiveram duas filhas. Eles faziam tudo juntos, viajando pelas estradas em seu trailer, desfrutando do que seus amigos descreviam como uma lua de mel que durava havia cinquenta anos.

No sábado de manhã, eles passaram pelo [supermercado] Safeway para ouvir o que sua deputada tinha a dizer. Quando começou o tiroteio, George, ex-fuzileiro naval, instintivamente tentou proteger a esposa.

Ambos foram atingidos. Dot faleceu.

Oriunda de Nova Jersey, Phyllis Schneck mudou-se para Tucson para escapar da neve. Mas no verão ela voltava para o leste, onde sua vida girava em torno de seus três filhos, seus sete netos e sua bisneta de dois anos [...] Uma republicana, simpatizou com Gabby e queria conhecê-la melhor.

Dorwan e Mavy Stoddard cresceram juntos em Tucson há cerca de setenta anos. Eles se separaram e cada um teve sua própria família, mas, quando ambos ficaram viúvos, também se reencontraram aqui, para, como

---

2. John McCarthy Roll (1947-2011) serviu no Tribunal de Distrito dos Estados Unidos para o distrito do Arizona de 1991 até sua morte, sendo juiz presidente a partir de 2006. (N.E.)

disse uma das filhas de Mavy, 'ser namorados outra vez' [...] Seu último ato de altruísmo foi se jogar sobre a esposa, sacrificando sua vida pela dela.

Tudo – tudo que Gabe Zimmerman[3] fazia, ele fazia com paixão, mas sua verdadeira paixão era ajudar as pessoas. Como assessor de Gabby, ele tomou para si o cuidado de milhares de seus eleitores, assegurando que os idosos recebessem os benefícios de Medicare[4] a que tinham direito, que os veteranos recebessem as medalhas e o cuidado que mereciam, que o governo estivesse trabalhando para as pessoas comuns [...]

E também estava Christina-Taylor Green, de nove anos. Christina era uma aluna exemplar [...] Demonstrava um apreço pela vida que era incomum para uma menina da sua idade. Ela lembrava sua mãe: 'Somos tão abençoados. Nossa vida não poderia ser melhor'. E retribuía essas bênçãos participando de uma instituição de caridade que ajudava crianças menos afortunadas [...]

Nosso coração se enche de esperança e agradecimento pelos treze americanos que sobreviveram ao tiroteio, incluindo a deputada que muitos deles foram ver no sábado.

Acabo de chegar do centro médico da universidade, a apenas um quilômetro e meio daqui, onde, neste exato momento, nossa amiga Gabby luta corajosamente para se recuperar.

E quero dizer a vocês – seu marido, Mark, está aqui e me permite compartilhar isto com vocês. Logo após a nossa visita, alguns minutos depois que saímos de seu quarto e alguns de seus colegas do Congresso estiveram no quarto, Gabby abriu os olhos pela primeira vez.

Gabby abriu os olhos pela primeira vez.

Gabby abriu os olhos.

Gabby abriu os olhos, então posso dizer a vocês, ela sabe que estamos aqui, sabe que a amamos, sabe que a estamos apoiando nesta que, sem dúvida, será uma jornada difícil. Estamos ao lado dela.

Nosso coração se enche de gratidão por essa boa notícia, e se enche de gratidão por aqueles que salvaram a outros.

Somos gratos a Daniel Hernandez, voluntário no escritório de Gabby. E, Daniel, sinto muito, você talvez negue isto, mas nós concluímos que você é

---

3. Gabriel Matthew ("Gabe") Zimmerman (1980-2011) havia trabalhado para a deputada Giffords durante os cinco anos anteriores. (N.E.)
4. Programa nacional norte-americano que garante acesso a assistência médica para maiores de 65 anos e outros grupos vulneráveis. (N.E.)

um herói, porque, em meio ao caos, você socorreu sua chefe, cuidou de suas feridas e ajudou a mantê-la viva.

Somos gratos aos homens que derrubaram o assassino quando ele parou para recarregar sua arma.

Eles estão bem ali.

Somos gratos à pequena Patricia Maisch, que tirou a munição do assassino e sem dúvida salvou algumas vidas.

E somos gratos aos médicos e enfermeiros e socorristas[5] que fizeram maravilhas para atender os feridos. Somos gratos a eles.

Esses homens e mulheres nos lembram que o heroísmo não está apenas nos campos de batalha. Eles nos lembram que o heroísmo não requer força física nem treinamento especial. O heroísmo está aqui, no coração de tantos de nossos concidadãos, à nossa volta, só esperando para ser convocado, como foi no sábado de manhã [...]

Já vimos o início de uma conversa nacional não só sobre as motivações por trás desses assassinatos, mas sobre todo tipo de assunto, dos méritos das leis de segurança de armas[6] à adequação de nosso sistema de saúde mental. E grande parte, grande parte desse processo de debater o que poderia ser feito para evitar tragédias como esta no futuro é um ingrediente essencial em nosso exercício de autogoverno.

Mas, numa época em que nosso discurso se tornou tão nitidamente polarizado, numa época em que estamos tão ávidos por jogar a culpa por todos os problemas do mundo naqueles que pensam diferente de nós, é importante parar por um instante e ter certeza de que estamos falando uns com os outros de uma maneira que – que cure, não de uma maneira que fira [...]

Coisas ruins acontecem, e precisamos nos precaver contra explicações simplistas.

---

5. No original, "first responder": nos EUA, "first responder" ("socorrista") é uma pessoa qualificada para oferecer cuidados pré-hospitalares em emergências. A maioria dos policiais e todos os bombeiros norte-americanos são socorristas. (N.E.)

6. Os tiroteios em massa haviam se tornado uma característica deprimentemente familiar da sociedade norte-americana contemporânea, e a questão das armas de fogo havia muito fora objeto de um debate amplo e acirrado. O direito de portar armas é preservado na Segunda Emenda da Constituição dos Estados Unidos e é vigorosamente defendido por grupos como a Associação Nacional do Rifle. Após o tiroteio da escola de ensino fundamental Sandy Hook (2012), Obama promoveria propostas moderadas para melhorar o controle de armas, nas quais foi apoiado pela grande maioria do público norte-americano. (N.E.)

Pois a verdade é que nenhum de nós tem como saber exatamente o que desencadeou esse ataque cruel. Nenhum de nós tem como saber com certeza o que poderia ter impedido esses tiros ou que pensamentos se escondem nos recônditos da mente de um homem violento.

Sim, devemos examinar todos os fatos por trás desta tragédia. Não podemos ser e não seremos passivos diante de tal violência. Devemos estar dispostos a desafiar velhos pressupostos a fim de diminuir as possibilidades desse tipo de violência no futuro.

Mas o que não podemos fazer é usar esta tragédia como mais uma ocasião para atacar uns aos outros.

Isso nós não podemos fazer.

Isso nós não podemos fazer.

Ao discutirmos essas questões, que cada um de nós o faça com uma boa dose de humildade. Em vez de acusar ou culpar, usemos esta ocasião para expandir nossa imaginação moral, para escutar uns aos outros com mais atenção, para aguçar nossos instintos para a empatia e lembrar uns aos outros de todas as maneiras pelas quais nossas esperanças e nossos sonhos estão ligados. Afinal, isso é o que a maioria de nós faz quando perdemos alguém em nossa família, especialmente se a perda é inesperada. Abalados, somos tirados de nossa rotina. Somos forçados a olhar para dentro. Refletimos sobre o passado [...]

Então, a perda repentina nos faz olhar para trás, mas também nos força a olhar para a frente, a refletir sobre o presente e o futuro, sobre a maneira como vivemos nossa vida e alimentamos nossa relação com aqueles que ainda estão conosco.

Talvez nos perguntemos se mostramos ternura, generosidade e compaixão suficientes às pessoas em nossa vida. Talvez questionemos se estamos fazendo o certo por nossos filhos ou por nossa comunidade, se nossas prioridades estão em ordem. Reconhecemos nossa própria mortalidade. E somos lembrados de que, no breve instante que temos neste mundo, o que importa não é riqueza, nem status, nem poder, nem fama, e sim o quanto amamos e a pequena contribuição que fizemos para melhorar a vida de outras pessoas.

E esse processo – esse processo de reflexão, de tratar de alinhar nossos valores com nossas ações [...], isso, acredito, é o que uma tragédia como esta requer [...]

Se esta tragédia promover a reflexão e o debate, como deveria, tratemos de que sejam dignos daqueles que nós perdemos.

Tratemos de que não estejam no plano usual da politicagem para ganhar pontos, que logo desaparece com o noticiário seguinte.

A perda dessas pessoas maravilhosas deve fazer com que cada um de nós se esforce para ser melhor, ser melhor em nossa vida privada, ser melhores amigos e vizinhos, pais e colegas de trabalho.

E se, como se tem discutido nos últimos dias, essas mortes ajudarem a levar mais civilidade ao nosso debate público, recordemos que não é porque uma simples falta de civilidade tenha causado esta tragédia – não causou –, e sim porque somente um debate público mais honesto e respeitoso pode nos ajudar a enfrentar nossos desafios como nação de uma maneira que os deixaria orgulhosos.

Devemos ser respeitosos porque queremos estar à altura do exemplo de funcionários públicos como John Roll e Gabby Giffords, que sabiam que acima de tudo somos todos americanos e que podemos questionar as ideias uns dos outros sem questionar o patriotismo uns dos outros, e que

> ***[...] nossa tarefa, ao trabalhar juntos, é ampliar constantemente o círculo de nossos cuidados, de modo a legar o sonho americano para as gerações futuras.***

Eles acreditam – eles acreditam e eu acredito que podemos ser melhores. Aqueles que morreram aqui, aqueles que salvaram vidas aqui, eles me ajudam a acreditar. Talvez não sejamos capazes de impedir toda a maldade no mundo, mas eu sei que a maneira como tratamos uns aos outros só depende de nós.

E acredito que, apesar de todas as nossas imperfeições, somos cheios de bondade e decência, e que as forças que nos dividem não são tão poderosas quanto as que nos unem.

É nisso que acredito, em parte porque é no que uma criança como Christina-Taylor Green acreditava.

Imaginem – vocês podem imaginar por um instante? – que aqui havia uma garotinha que estava apenas começando a tomar conhecimento da nossa democracia, apenas começando a entender as obrigações da cidadania, apenas começando a vislumbrar o fato de que algum dia ela também poderia desempenhar um papel na construção do futuro de seu país.

Ela havia sido eleita para seu conselho estudantil. Ela via o serviço público como algo entusiasmante e esperançoso. Tinha vindo conhecer sua deputada, alguém que ela tinha certeza de que era boa e importante e talvez um modelo a seguir. Via tudo isso pelos olhos de uma criança, não obscurecidos pelo cinismo ou animosidade que nós adultos, com demasiada frequência, simplesmente consideramos naturais.

Quero que estejamos à altura das expectativas dela.

Quero que nossa democracia seja tão boa quanto Christina a imaginou [...]

[...] Christina chegou até nós em 11 de setembro de 2001, um dos cinquenta bebês nascidos naquele dia a ser retratados num livro chamado *Faces of Hope* [*Rostos da esperança*].[7] De cada lado de sua foto naquele livro havia desejos simples para a vida de uma criança: 'Espero que você ajude os necessitados', dizia um. 'Espero que você conheça toda a letra do Hino Nacional e o cante com a mão no coração. Espero – espero que você pule em poças d'água'.

Se há poças d'água no céu,
Christina está pulando nelas hoje.

E, aqui nesta Terra, aqui nesta Terra, colocamos a mão no coração e nos comprometemos, como americanos, a forjar um país que seja para sempre digno de seu espírito alegre e gentil.

Que Deus abençoe aqueles que perdemos e lhes dê descanso e paz eterna. Que Ele ame e cuide dos sobreviventes. E que Ele abençoe os Estados Unidos da América. **"**

---

7. Christine Naman, *Faces of Hope: 50 Babies Born on 9/11* (HCI, 2002). (N.E.)

"Países que estão geograficamente distantes mostraram que estão próximos da Birmânia naquilo que realmente importa: estão próximos das aspirações do povo da Birmânia [...]"

– Aung San Suu Kyi

46

Aung San Suu Kyi

Líder política birmanesa

Aung San Suu Kyi (1945-) é filha do general Aung San (1915-1947), herói nacionalista que liderou a luta pela independência da Birmânia até ser assassinado alguns meses antes de esta ser alcançada. Ela começou a carreira como acadêmica, finalmente se estabelecendo em Oxford, no Reino Unido, com seu marido britânico, Michael Aris (1946-1999). Em 1988, regressou à Birmânia, que se encontrava num estado de extrema agitação política sob uma nova junta militar, e ajudou a fundar a Liga Nacional pela Democracia (LND), tornando-se sua secretária-geral. Nas duas décadas seguintes, apesar de obter amplo apoio popular, tanto em seu país como no exterior, ela foi submetida a longos períodos de prisão domiciliar. Finalmente foi libertada em 13 de novembro de 2010, e em 2012 a LND conseguiu disputar as eleições legislativas parciais daquele ano, com Suu Kyi assumindo um assento na câmara baixa do Parlamento birmanês e a posição de líder da oposição. Em 2012, ela anunciou sua candidatura às eleições presidenciais de 2015. A LND venceu por uma clara maioria, mas conforme a constituição de 2008 Suu Kyi foi impedida de se tornar presidente, por ser viúva e mãe de estrangeiros. Em vez disso, ela assumiu uma série de cargos ministeriais importantes e foi nomeada pelo presidente Htin Kyaw como conselheira de Estado, um posto equivalente ao de primeiro-ministro.

"Meu país, hoje, se encontra no início de uma jornada"

21 de junho de 2012, Westminster Hall, Londres

Em junho de 2012, Aung San Suu Kyi visitou o Reino Unido e quatro outros países europeus durante sua primeira visita ao exterior depois de muitos anos. Quase continuamente desde 1988, ela fora líder da Liga Nacional pela Democracia da Birmânia, mas só recentemente eleita como membro do Parlamento. Em 21 de junho, ela se dirigiu à Câmara dos Lordes e à Câmara dos Comuns no Westminster Hall, fazendo este pedido ardoroso para que o Reino Unido auxiliasse seu país em sua luta para se recriar como uma democracia parlamentar.

No cerne de seu discurso está uma comparação entre a democracia da Birmânia, inexperiente e conquistada a duras penas, e o sistema parlamentar britânico no qual se baseou, "talvez o símbolo preeminente da liberdade de expressão para os povos oprimidos do mundo inteiro". Em seu apelo por apoio e assistência, ela alerta contra a complacência, afirmando que muitos no Ocidente veem sua democracia como algo normal.

Uma oradora calma, mas reservada, ela consultou suas notas atentamente durante todo o discurso e fez poucos gestos com as mãos – embora a solenidade de suas palavras seja aliviada com anedotas e um humor gentil. Mais do que em carisma e ostentação, ela se apoia em dois fatores: os imperativos simples e sensatos inseridos no conteúdo de seu discurso e a autoridade pessoal concedida a ela por grande parte do mundo.

" Senhor orador, senhor orador, senhor primeiro-ministro[1], meus lordes e membros da Câmara dos Comuns. Obrigada por me convidar a falar para vocês aqui neste salão magnífico. Estou muito consciente da natureza extraordinária desta honra [...]

Acabei de vir da Downing Street.[2] Foi minha primeira visita lá, mas para mim foi uma cena familiar – não só por causa das imagens de televisão como também por minha própria história familiar. Como alguns de vocês talvez saibam, a fotografia mais famosa do meu pai, Aung San, tirada pouco antes de seu assassinato em 1947, é uma em que ele se encontra na Downing Street com Clement Attlee[3] e outros, com quem vinha discutindo a transição da Birmânia rumo à independência [...]

---

1. David Cameron (1966-), primeiro-ministro britânico de 2010 a 2016. Em abril de 2012, ele havia se tornado o primeiro premier britânico a visitar a Birmânia desde os anos 1950, e o primeiro líder de uma grande potência internacional a fazê-lo. (N.E.)
2. O número 10 da Downing Street, em Westminster, é a residência oficial do primeiro-ministro britânico desde 1733. (N.E.)
3. Clement Attle, posteriormente 1º conde Attlee (1883-1967), foi primeiro-ministro britânico de 1945 a 1951. (N.E.)

Há algumas horas, fui fotografada no mesmo lugar em que meu pai fora fotografado, junto com o primeiro-ministro David Cameron, e estava chovendo. Tipicamente britânico! *[Risadas.]*

Meu pai foi membro fundador do Exército para a Independência Birmanesa[4] na Segunda Guerra Mundial. Ele assumiu essa responsabilidade por um desejo de ver a democracia estabelecida em sua terra natal. Sua visão era de que a democracia era o único sistema político digno de um país independente. É uma visão que, obviamente, compartilho há muito tempo.

O general Slim[5], comandante do 14º Exército, que liderou a campanha birmanesa aliada, escreveu sobre seu primeiro encontro com meu pai em suas memórias *Defeat until Victory* [*Derrota até a vitória*]. O encontro aconteceu perto do fim da guerra, logo depois de meu pai ter decidido que o Exército para a Independência Birmanesa deveria unir forças com os Aliados. O general Slim disse ao meu pai: 'Vocês só vêm até nós porque estamos ganhando'. Ao que o meu pai respondeu: 'Não seria muito útil vir até vocês se não estivessem!'. Slim viu em meu pai um homem prático com quem ele poderia fazer negócios. Seis décadas depois, eu me esforço para ser prática como o meu pai foi.

E por isso estou aqui, em parte, para pedir ajuda prática. Ajuda como amiga e como uma igual. Em apoio às reformas que podem melhorar a vida e trazer mais oportunidades ao povo da Birmânia, que por tanto tempo foi privado de seus direitos e de seu lugar no mundo.

Como eu disse ontem em Oxford[6], meu país se encontra hoje no início de uma jornada rumo a, espero, um futuro melhor. Ainda faltam muitas colinas a serem escaladas, muitos abismos a serem transpostos, muitos obstáculos a serem superados.

Nossa própria determinação pode nos levar longe. O apoio das pessoas do Reino Unido e de pessoas no mundo inteiro pode nos levar ainda mais longe.

---

4. O Exército para a Independência Birmanesa foi estabelecido em 1941. Inicialmente, lutou em colaboração com os japoneses quando estes tentaram acabar com o governo colonial britânico na Birmânia, mas muitos de seus membros posteriormente se uniram aos Aliados contra o Japão. (N.E.)

5. William Slim, posteriormente 1º visconde Slim (1891-1970), comandante do 14º Exército de 1943 a 1945, que compreendia forças multinacionais recrutadas de países da Commonwealth. (N.E.)

6. No dia anterior, Suu Kyi fez um discurso na universidade em que se formara, ao receber um título de doutor honoris causa. (N.E.)

Num discurso sobre mudança e reforma, é muito apropriado estar no Westminster Hall, porque no cerne deste processo deve estar o estabelecimento de uma instituição parlamentar forte no meu país. O Parlamento britânico é, talvez, o símbolo preeminente da liberdade de expressão para os povos oprimidos do mundo inteiro. Eu imaginaria que algumas pessoas aqui, em certa medida, veem essa liberdade como algo normal.

Para nós, na Birmânia, o que vocês veem como normal nós tivemos de lutar muito, e por muito tempo, para conquistar. Tantas pessoas na Birmânia abriram mão de tanto, abriram mão de tudo, em nossa luta contínua por democracia, e só agora estamos começando a ver os frutos dessa luta.

Westminster é, há muito, um exemplo brilhante de concretização do desejo das pessoas de serem parte de seu próprio processo legislativo. Na Birmânia, o nosso parlamento está em sua infância, tendo sido estabelecido apenas em março de 2011. Como com toda nova instituição, especialmente uma instituição que vai na contramão cultural de 49 anos de governo militar direto, levará tempo para encontrar seu lugar e tempo para encontrar sua voz.

Nossos novos processos legislativos, que sem dúvida são uma melhoria do que veio antes, são hoje tão transparentes quanto poderiam ser. Eu gostaria de ver meu país aprender com os exemplos consolidados de democracias parlamentares em outros lugares, para que, com o tempo, possamos aprofundar nossos padrões democráticos.

Talvez o momento mais crítico ao estabelecer a credibilidade do processo parlamentar aconteça antes mesmo de o parlamento abrir: a participação das pessoas em um processo eleitoral livre, justo e inclusivo.

No começo deste ano, eu mesma participei das minhas primeiras eleições como candidata. Até hoje, no entanto, eu ainda não tive a chance de votar livremente em uma eleição. Em 1990, eu pude dar meu voto antecipado enquanto estava sob prisão domiciliar.

Mas fui impedida de concorrer como candidata pelo meu partido, a Liga Nacional pela Democracia. Fui desqualificada com a justificativa de que tinha recebido ajuda de estrangeiros. Com isso, eles se referem às transmissões da BBC, que as autoridades consideravam ser tendenciosas em meu favor. O que mais me impressionou, antes das eleições parciais deste ano, foi a rapidez com que as pessoas nos distritos eleitorais de toda a Birmânia compreenderam a importância de participar do processo político. Elas entenderam em primeira mão que o direito de votar não era algo concedido a todos. Entenderam que precisavam aproveitar quando a oportunidade se apresentava, porque entendiam o que significava ter essa oportunidade negada [...]

Faz menos de cem dias desde que eu, junto com os outros candidatos da Liga Nacional pela Democracia, saí em campanha eleitoral pela Birmânia. Nossas eleições parciais ocorreram em 1º de abril, e eu estava consciente de que havia um certo ceticismo de que esta se revelaria uma piada sofisticada do Dia da Mentira. Na verdade, foi um abril de esperança renovada.

O processo de votação foi amplamente livre e justo, e eu gostaria de prestar homenagem ao presidente Thein[7] por isso e por seu comprometimento e sua sinceridade no processo de reforma.

Como venho dizendo, é por meio do diálogo e por meio da cooperação que as diferenças políticas podem ser mais bem resolvidas, e meu próprio compromisso com esse caminho permanece firme como sempre.

As eleições na Birmânia são bem diferentes daquelas em democracias muito mais consolidadas, como a de vocês. A apatia, especialmente entre os jovens, decerto não é uma questão. Para mim, o aspecto mais encorajador e compensador das nossas próprias eleições foi a participação, em tamanho número e com tanto entusiasmo, de nossos jovens. Muitas vezes, nosso maior desafio foi refrear as multidões de universitários, jovens estudantes e crianças pequenas agitando bandeiras que nos cumprimentavam na campanha, bloqueando as estradas por toda a extensão das cidades [...]

A paixão do eleitorado foi uma paixão nascida da fome de algo que durante muito tempo lhes fora negado.

Após a independência da Birmânia em 1948, nosso sistema parlamentar, obviamente, se baseou no do Reino Unido. A era ficou conhecida em birmanês como Era Parlamentar, um nome que, pela mera necessidade de sua aplicação, fala das mudanças desafortunadas que se seguiram.

Nossa era parlamentar, que durou mais ou menos até 1962, não pode ser considerada perfeita. Mas certamente foi o período mais progressista e promissor até agora na breve história da Birmânia independente. Foi nessa época que a Birmânia foi considerada a nação com maiores chances de prosperar no Sudeste Asiático. As coisas, no entanto, não saíram exatamente como planejado – algo comum na Birmânia e, de fato, também no resto do mundo.

---

7. Thein Sein (1945-) é um político e ex-comandante militar birmanês que foi primeiro-ministro de 2007 a 2011 e presidente de 2011 a 2016. Ele é considerado por muitos um moderado que liderou as reformas pós-junta. (N.E.)

Hoje, mais uma vez, temos a oportunidade de restabelecer a verdadeira democracia na Birmânia. É uma oportunidade pela qual esperamos durante muitas décadas. Se não aproveitarmos essa oportunidade, se não fizermos as coisas bem desta vez, talvez tenhamos de esperar muitas outras décadas até que volte a surgir uma oportunidade similar.

E é por essa razão que eu pediria ao Reino Unido, como uma das democracias parlamentares mais antigas, que considere o que pode fazer para construir as instituições sólidas necessárias para apoiar nossa democracia parlamentar nascente.

As reformas que estão acontecendo, sob a liderança do presidente Thein Sein, devem ser bem recebidas. Mas este não pode ser um processo personalista. Sem instituições sólidas, este processo não será sustentável. Nossa legislatura tem muito a aprender sobre o processo de democratização, e espero que o Reino Unido e outras democracias possam ajudar compartilhando suas próprias experiências conosco [...]

[...] O que é mais importante é empoderar o povo, o ingrediente essencial da democracia. O Reino Unido é a prova viva de que uma Constituição não precisa ser escrita para ser eficaz. É mais importante que uma Constituição seja aceita pelo povo, que o povo sinta que ela lhe pertence, que não seja um documento externo imposto a ele.

Um dos objetivos abertamente declarados do meu partido, a Liga Nacional pela Democracia, é a reforma constitucional. A Constituição original do Reino Unido[8] foi redigida após o encontro entre meu pai Aung San e Clement Attlee aqui em Londres, em 1947. Essa Constituição pode não ter sido perfeita, mas em seu cerne havia uma profunda compreensão e respeito pelas aspirações do povo.

A Constituição atual, redigida pelo governo militar em 2008, deve ser reformada para incorporar as aspirações e os direitos básicos das nacionalidades étnicas da Birmânia. Em mais de sessenta anos de independência, a Birmânia ainda não conheceu um momento em que pudéssemos afirmar que há paz em todo o território [...]

Precisamos enfrentar os problemas que estão na raiz do conflito. Precisamos desenvolver uma cultura de acordo político por meio da negociação e promover o estado de direito, para que todos os que vivem na Birmânia possam desfrutar dos benefícios da liberdade e da segurança.

---

8. O contexto deixa claro que Aung Sang Suu Kyi pretendia dizer "da Birmânia" neste momento. (N.E.)

De imediato, também precisamos de apoio humanitário para as muitas pessoas no Norte e no Oeste do país, em sua maioria mulheres e crianças, que foram obrigadas a fugir de casa.

Como mostra claramente a longa história do Reino Unido, as pessoas nunca perdem a necessidade de preservar sua identidade étnica ou nacional. Isso é algo que vai além, que ultrapassa o desenvolvimento econômico.

E é por isso que espero que, ao trabalhar para a reconciliação nacional da Birmânia, a comunidade internacional reconheça que são o diálogo político e o acordo político que devem ter precedência sobre o desenvolvimento econômico de curto prazo.

Se as diferenças continuarem não resolvidas, se as aspirações básicas continuarem não satisfeitas, não pode haver uma base adequada para o desenvolvimento sustentável de nenhum tipo – econômico, social ou político.

O Reino Unido, por tanto tempo, sob sucessivos governos – incluindo a atual coalizão liberal-democrática e conservadora, e o governo trabalhista anterior – apoiou de maneira firme e inabalável os esforços de ajuda na Birmânia. Espero que vocês possam cooperar para o desenvolvimento do nosso país de maneira direcionada e coordenada.

O Reino Unido é, até o momento, o maior doador bilateral à Birmânia. É na educação, em particular, que espero que o Reino Unido possa desempenhar um papel importante [...]

A educação profissionalizante e a criação de oportunidades de emprego para ajudar a enfrentar o desemprego crônico entre os jovens da Birmânia são particularmente importantes. A longo prazo, o sistema educacional da Birmânia é extremamente fraco. A reforma é necessária, não só das escolas, do currículo e da capacitação de professores, como também de nossa atitude para com a educação, que, no momento, é demasiado limitada e rígida.

Espero também que os negócios britânicos possam apoiar o processo de reforma democrática, por meio do que batizei de investimento favorável à democracia. Com isso quero dizer um investimento que priorize a transparência, a responsabilidade, os direitos dos trabalhadores e a sustentabilidade ambiental. Em particular, o investimento nos setores de mão de obra intensiva, quando realizado com responsabilidade e com intento positivo, pode oferecer benefícios reais ao nosso povo.

Um teste será se novos atores se beneficiarão dos investimentos recebidos. O Reino Unido exerceu um papel importante ao facilitar a visita do Secretariado da Iniciativa para a Transparência das Indústrias Extrativistas[9], no mês que vem. Espero que este seja o começo de muitas iniciativas similares nos meses seguintes.

Foi ao aprender, enquanto eu estava em Oxford, sobre dois grandes líderes britânicos, Gladstone[10] e Disraeli[11], que comecei a compreender a democracia parlamentar. Aprendi o básico: que se aceita a decisão dos eleitores, que o poder de governar é obtido e perdido de acordo com os desejos do eleitorado, que é um sistema que continua e que, finalmente, todos têm uma segunda chance.

Essas são coisas tidas como óbvias aqui no Reino Unido, mas na Birmânia de 1990 o vencedor das eleições não tinha permissão nem mesmo para convocar o parlamento. Espero que possamos deixar esses dias para trás, e que, ao olhar para o futuro, seja o desejo das pessoas que se reflita fielmente no cenário político em transformação na Birmânia.

Esta jornada fora da Birmânia não foi uma peregrinação sentimental para o passado, e sim uma exploração das novas oportunidades disponíveis para os birmaneses. Fiquei impressionada, durante toda a minha viagem, ao constatar o quão extraordinariamente afetuoso e aberto o mundo tem sido para conosco.

Vivenciar isso em primeira mão, depois de estar tanto tempo fisicamente separada do mundo, foi muito comovente.

Países que estão geograficamente distantes mostraram que estão próximos da Birmânia naquilo que realmente importa: estão próximos das aspirações do povo da Birmânia [...]

Durante os anos de minha prisão domiciliar, não foram só a BBC e outras estações de rádio e televisão que me mantiveram em contato com o mundo externo. Foram a música de Mozart e de Ravi Shankar e as biografias de homens e mulheres de diferentes raças e religiões que me convenceram de

---

9. A Iniciativa para a Transparência das Indústrias Extrativistas (EITI, por sua sigla em inglês), cujo secretariado tem sede em Oslo, na Noruega, trabalha para promover a transparência na exploração de petróleo, gás e recursos minerais dos países. A Birmânia é rica em gás e petróleo e é a maior produtora de rubis do mundo. (N.E.)
10. William Ewart Gladstone (1809-1898) foi primeiro-ministro em 1853-1855, 1859-1866, 1873-1874 e 1880-1882. (N.E.)
11. Benjamin Disraeli, 1º conde de Beaconsfield (1804-1881), foi primeiro-ministro de 1874 a 1880. (N.E.)

que eu jamais estaria sozinha em minha luta. Os prêmios e honras que recebi foram não tanto um tributo pessoal, mas um reconhecimento da humanidade básica que une uma pessoa isolada ao resto do mundo.

Durante nossos dias sombrios nos anos 1990, um amigo me enviou um poema de Arthur Hugh Clough.[12] Começa assim [...] 'Não diga que a luta é inútil'. Eu entendo que Winston Churchill, um dos maiores parlamentares que este mundo conheceu, tenha usado esse poema como um pedido para que os Estados Unidos da América intercedessem contra a Alemanha nazista.

Hoje, quero propor algo muito diferente: que podemos trabalhar juntos, combinando a sabedoria política do Oriente e do Ocidente para trazer a luz dos valores democráticos a todos os povos da Birmânia e além [...]

Para concluir, eu gostaria de enfatizar que este é o momento mais importante para a Birmânia; que este é o momento de nossa maior necessidade. E, por isso, eu gostaria de pedir que nossos amigos, aqui no Reino Unido e além, participem e apoiem os esforços da Birmânia rumo à construção de uma sociedade verdadeiramente democrática e justa.

Obrigada por me dar esta oportunidade de me dirigir aos membros de uma das instituições democráticas mais antigas do mundo. Obrigada por me permitir em seu meio. Meu país não figura na lista de sociedades verdadeiramente democráticas, mas estou confiante de que não tardaremos em chegar lá, com a ajuda de vocês. Obrigada. **"**

---

12. Arthur Hugh Clough (1819-1861) foi um poeta proeminente da era vitoriana. Aung San Suu Kyi cita um verso de "Say Not the Struggle Nought Availeth" – um chamado incitando soldados cansados a seguirem na luta. (N.E.)

"Eles acharam que as balas nos silenciariam. Mas erraram."

– Malala Yousafzai

47

Malala Yousafzai

Ativista paquistanesa

Malala Yousafzai (1997-) nasceu no vale do Swat, na província de Khyber Pakhtunkhwa, no norte do Paquistão. Seus pais eram muçulmanos sunitas da etnia pashtun, que administravam escolas na região. Ainda muito jovem, ela ganhou projeção como defensora dos direitos humanos, particularmente com relação às mulheres e à educação. Aos onze anos, começou a escrever um blog para a BBC sobre a vida numa região controlada pelo Talibã, um movimento militante sunita que usa a violência para impor uma interpretação rigorosa da lei charia islâmica, incluindo a negação da educação às meninas. Malala ganhou destaque em *Class Dismissed*, um documentário do *The New York Times* de 2010, e logo se tornou amplamente conhecida, concedendo entrevistas à mídia em todo o mundo. Em outubro de 2012, um atirador do Talibã subiu no ônibus escolar em que ela se encontrava e lhe deu um tiro na cabeça. Embora gravemente ferida, ela se recuperou totalmente após um tratamento em Birmingham, no Reino Unido, aonde depois regressou para frequentar a escola. Em 12 de julho de 2013, em seu aniversário de dezesseis anos, ela foi a principal oradora no evento "Youth Takeover" promovido pelas Nações Unidas em Nova York. Em 2014, tornou-se a pessoa mais jovem a receber um Prêmio Nobel da Paz (juntamente com Kailash Satyarthi).

"Eles acharam que as balas nos silenciariam. Mas erraram."

12 de julho de 2013, Nova York, EUA

O mundo já sabia da extraordinária coragem e determinação de Malala Yousafzai muito antes do evento "Youth Takeover" na sede da ONU, apelidado "Dia de Malala" em sua homenagem. Mas poucos poderiam imaginar que ela faria este discurso com tamanha compostura e clareza, apenas nove meses depois de ter sofrido um ferimento quase fatal. Mantendo-se quase perfeitamente ereta, ela falou com serena confiança e dignidade sob olhares do mundo inteiro. Sua principal mensagem – comunicada em apoio à iniciativa "Educação em primeiro lugar", da ONU – foi a importância da educação e o direito de todos a recebê-la.

No começo do discurso, ela se apresenta como uma muçulmana devota, mas posteriormente cita as principais figuras de outras religiões mundiais, bem como figuras seculares que abraçaram o ativismo não violento. O Islã, insiste, é uma religião pacífica que encoraja o aprendizado para todas as crianças. Ela repudia o ódio por seu covarde aspirante a assassino e, em vez disso, apela para que o Talibã permita que suas crianças sejam educadas.

"Em nome de Deus, o mais beneficente, o mais misericordioso.[1] Honorável secretário-geral da ONU, sr. Ban Ki-moon[2], respeitado presidente da Assembleia Geral, Vuk Jeremić[3], honorável emissário da ONU para a educação global, sr. Gordon Brown[4], respeitados senhores e meus caros irmãos e irmãs; *As-salamu alaykum*[5]. *[Repetido em resposta por alguns membros da audiência.]*

Hoje, é uma honra para mim estar aqui falando novamente depois de tanto tempo.[6] Estar aqui com pessoas tão respeitáveis é um grande momento na minha vida, e me sinto honrada por estar usando um xale de Benazir Bhutto Shaheed.[7]

Eu não sei por onde começar meu discurso. Não sei o que as pessoas esperam que eu diga.

---

1. Uma forma de palavras conhecida como basmala, usada por muçulmanos durante preces e em outros contextos. (N.E.)
2. Ban Ki-Moon (1944-) é um estadista sul-coreano que foi secretário-geral da ONU de 2007 a 2016. (N.E.)
3. Vuk Jeremić (1975-) é um jornalista e político sérvio que foi presidente da 67ª sessão da Assembleia Geral da ONU (2012-2013). (N.E.)
4. Gordon Brown (1951-) é um proeminente político escocês que foi líder do Partido Trabalhista e primeiro-ministro do Reino Unido em 2007-2010. Em 2012, foi nomeado emissário especial da ONU sobre Educação Global. (N.E.)
5. Uma saudação árabe, que significa "que a paz esteja convosco". (N.E.)
6. Este foi o primeiro discurso público de Yousafzai desde que ela foi atacada. (N.E.)
7. Benazir Bhutto (1953-2007) foi uma estadista paquistanesa que foi primeira-ministra de 1988 a 1990 e de 1993 a 1996. Ela foi assassinada em 2007. Shaheed é um título honorífico árabe que significa "mártir". (N.E.)

Mas, em primeiro lugar, agradeço a Deus, para quem somos todos iguais, e agradeço a cada um dos que rezaram para que eu tivesse uma rápida recuperação e uma nova vida. Não consigo acreditar em quanto amor as pessoas me demonstraram. Recebi milhares de presentes e cartões com bons votos de todas as partes do mundo. Agradeço a todos eles. Agradeço às crianças cujas palavras inocentes me encorajaram. Agradeço aos mais velhos cujas preces me fortaleceram.

Eu gostaria de agradecer aos enfermeiros, médicos e funcionários dos hospitais no Paquistão e no Reino Unido, e ao governo dos Emirados Árabes Unidos[8], que me ajudaram a melhorar e recuperar minha força. Apoio totalmente o sr. Ban Ki-moon, o secretário-geral, em sua Iniciativa Global Educação em Primeiro Lugar, e o trabalho do emissário especial da ONU, o sr. Gordon Brown, e do respeitado presidente da Assembleia Geral, Vuk Jeremić. Agradeço a todos eles pela liderança que continuam a exercer. Eles continuam a inspirar a todos nós para a ação.

Caros irmãos e irmãs, lembrem-se de uma coisa. O Dia de Malala não é o meu dia. Hoje é o dia de todas as mulheres, de todos os meninos e de todas as meninas que ergueram a voz por seus direitos.

Há centenas de trabalhadores sociais e ativistas pelos direitos humanos que estão não só defendendo seus direitos como também lutando para alcançar seus objetivos de paz, educação e igualdade. Milhares de pessoas foram mortas pelos terroristas e milhões foram feridas. Eu sou apenas uma delas.

Então aqui estou [...] aqui estou, uma garota entre muitas.

Eu falo não por mim, mas para que os sem voz possam ser ouvidos.

Os que lutaram por seus direitos:

Seu direito de viver em paz. Seu direito de serem tratados com [gaguejando um pouco] dignidade. Seu direito de igualdade de oportunidades. Seu direito de serem educados.

Caros amigos, no dia 9 de outubro de 2012, os talibãs me deram um tiro do lado esquerdo da testa. Atiraram nos meus amigos também. Eles acharam que as balas nos silenciariam. Mas erraram. E desse silêncio surgiram milhares de vozes.

---

8. O avião que levou Yousafzai para tratamento no Reino Unido reabasteceu em Abu Dhabi, nos Emirados Árabes Unidos. (N.E.)

Os terroristas acharam que mudariam meus objetivos e freariam minhas ambições, mas nada mudou na minha vida exceto isto: a fraqueza, o medo e a desesperança morreram. A força, o poder e a coragem nasceram.

[Gritos e aplausos prolongados.] Eu sou a mesma Malala. Minhas ambições são as mesmas. Minhas esperanças são as mesmas. E meus sonhos são os mesmos.

Caras irmãs e irmãos, eu não estou contra ninguém. E também não estou aqui para falar de vingança pessoal contra o Talibã ou qualquer outro grupo terrorista. Estou aqui para defender o direito de cada criança à educação.

[Aplausos.] Eu quero educação para os filhos e filhas do Talibã e de todos os terroristas e extremistas.

Não odeio nem mesmo o talibã que atirou em mim. Mesmo que houvesse uma arma em minha mão e ele estivesse na minha frente, eu não atiraria nele. Esta é a compaixão que aprendi com Maomé, o profeta da misericórdia, e Jesus Cristo e Buda. Este é o legado de mudança que herdei de Martin Luther King, Nelson Mandela e Muhammad Ali Jinnah.[9] Esta é [...] *[interrompida por aplausos.]* Esta é a filosofia de não violência que aprendi com Gandhiji[10], Bacha Khan[11] e Madre Teresa[12]. E este é o perdão que aprendi com meu pai e com minha mãe. *[Aplausos.]* Isto é o que minha alma está me dizendo: seja pacífica e ame a todos.

Caras irmãs e irmãos, nós percebemos a importância da luz quando vemos a escuridão. Percebemos a importância da nossa voz quando somos silenciados. Da mesma maneira, quando estávamos em Swat[13], no norte do Paquistão, percebemos a importância das canetas e dos livros quando vimos as armas.

---

9. Muhammad Ali Jinnah (1876-1948) foi um advogado e político que ajudou a viabilizar a criação do Paquistão em 1947, e foi o primeiro governador-geral do país até sua morte no ano seguinte. (N.E.)
10. Um apelido popular para Mohandas Karamchand Gandhi. (N.E.)
11. Bacha Khan (oficialmente, Khan Abdul Ghaffar Khan) (1890-1988) foi um político e líder espiritual pashtun que liderou uma oposição não violenta ao governo britânico na Índia. (N.E.)
12. Madre Teresa (originalmente, Anjezë Gonxhe Bojaxhiu) (1910-1997) foi uma freira albanesa conhecida por seu trabalho missionário entre os pobres e doentes da Índia. (N.E.)
13. Swat é um distrito no norte do Paquistão, centrado no vale do rio Swat. A família de Yousafzai foi exilada da região por causa dos conflitos em maio de 2009. (N.E.)

O sábio ditado 'A pena é mais poderosa do que a espada'[14] é verdadeiro. Os extremistas estavam e estão com medo dos livros e das canetas.

O poder da educação, o poder da educação os assusta. Eles têm medo das mulheres. O poder da voz das mulheres os assusta. E é por isso que eles mataram catorze estudantes inocentes no ataque recente em Quetta.[15] E é por isso que mataram professoras e trabalhadores contra a poliomielite em Khyber Pakhtunkhwa. É por isso que estão explodindo escolas todos os dias. Porque estavam e estão com medo da mudança, com medo da igualdade que traremos à nossa sociedade.

E eu me lembro que havia um garoto na nossa escola que quando um jornalista lhe perguntou 'por que os talibãs são contra a educação?' ele respondeu muito simplesmente, apontando para seu livro: 'Um talibã não sabe o que está escrito dentro deste livro'. Eles acham que Deus é um pequeno ser conservador que mandaria as meninas para o Inferno simplesmente por irem à escola. Os terroristas estão fazendo mau uso do nome do Islã e da sociedade pashtun em benefício próprio. *[Aplausos.]*

O Paquistão é um país pacífico e democrático. Os pashtuns querem educação para suas filhas e filhos. E o Islã é uma religião de paz, humanidade e fraternidade. O Islã afirma que receber educação é não só um direito de toda criança como também seu dever e responsabilidade.

Honorável secretário-geral, a paz é necessária para a educação. Em muitas partes do mundo, especialmente no Paquistão e no Afeganistão, o terrorismo, as guerras e os conflitos impedem as crianças de ir para a escola. Estamos absolutamente cansados dessas guerras. Homens e mulheres estão sofrendo de muitas maneiras em várias partes do mundo. Na Índia, crianças pobres e inocentes são vítimas de trabalho infantil. Muitas escolas foram destruídas na Nigéria.[16] Há décadas, pessoas no Afeganistão vêm sendo afetadas pelos obstáculos do extremismo. Garotas jovens têm de fazer o trabalho doméstico e são forçadas a se casar cedo. A pobreza, a ignorância, a injustiça, o

---

14. Um axioma atribuído ao autor inglês Edward Bulwer-Lytton (1803-1873), que o incluiu em sua obra teatral *Richelieu; or The Conspiracy* [*Richelieu; ou A conspiração*] (1839). (N.E.)

15. Cidade no centro-norte do Paquistão, onde um bombardeio terrorista a um ônibus matou catorze estudantes de uma universidade feminina em 15 de junho de 2013. (N.E.)

16. A organização extremista islâmica Boko Haram tem sua base de operações no nordeste da Nigéria e vem realizando ataques e sequestros na região desde 2009, com escolas entre seus alvos. (N.E.)

racismo e a privação de direitos básicos são os principais problemas enfrentados tanto por homens como por mulheres.

Caros amigos, hoje estou focando nos direitos das mulheres e na educação das meninas porque elas são as que mais sofrem. Houve uma época em que as ativistas sociais pediam para os homens defenderem seus direitos. Mas, desta vez, nós mesmas faremos isso. *[Gritos e aplausos.]* Não estou dizendo para os homens deixarem de defender os direitos das mulheres; mas quero que as mulheres sejam independentes para lutar por si mesmas.

Então, caras irmãs e irmãos, agora é hora de falar.

Hoje, conclamamos os líderes mundiais a mudar suas estratégias políticas em favor da paz e da prosperidade.

Conclamamos os líderes mundiais para que todos os acordos de paz protejam os direitos das mulheres e das crianças. Um acordo que vá contra os direitos das mulheres é inaceitável.

Conclamamos todos os governos a garantirem educação gratuita e compulsória para todas as crianças do mundo. *[Aplausos.]*

Conclamamos todos os governos a lutarem contra o terrorismo e a violência, a protegerem as crianças da brutalidade e dos maus-tratos.

Conclamamos os países desenvolvidos a apoiarem a expansão das oportunidades de educação para as meninas nos países em desenvolvimento.

Conclamamos todas as comunidades a serem tolerantes, a rejeitarem o preconceito baseado em casta, credo, seita, religião ou gênero. A garantirem a liberdade e a igualdade para as mulheres, a fim de que elas possam florescer. Não podemos prosperar enquanto metade de nós for freada.

Conclamamos nossas irmãs em todo o mundo a serem corajosas – a abraçarem a força dentro de si e perceberem todo o seu potencial.

Caros irmãos e irmãs, queremos escolas e educação para o futuro brilhante de cada criança. Prosseguiremos em nossa jornada rumo ao nosso destino de paz e educação. Ninguém pode nos deter. Defenderemos nossos direitos e traremos mudanças por meio de nossa voz. Devemos acreditar no poder e na força das nossas palavras. Nossas palavras podem mudar o mundo inteiro, porque estamos todos juntos, unidos pela causa da educação.

E, se queremos alcançar nosso objetivo, devemos nos empoderar com a arma do conhecimento e nos proteger com unidade e união.

Caros irmãos e irmãs, não devemos nos esquecer de que milhões de pessoas estão sofrendo, vítimas de pobreza, injustiça e ignorância. Não devemos nos esquecer de que milhões de crianças estão fora das escolas. Não devemos nos esquecer de que nossas irmãs e irmãos estão esperando um futuro pacífico e brilhante.

Então, travemos uma guerra global contra o analfabetismo, a pobreza e o terrorismo. Empunhemos nossos livros e nossas canetas. Essas são nossas armas mais poderosas.

[Erguendo um dedo.] Uma criança, um professor, um livro e uma caneta podem mudar o mundo. A educação é a única solução. A educação em primeiro lugar.

Obrigada.

[Gritos e ovação prolongada, em pé.] ””

"Os principais motores de desigualdade extrema são bem conhecidos: progresso tecnológico e globalização financeira [...]"

– Christine Lagarde

48

Christine Lagarde

Advogada, política e economista francesa

Christine Lagarde (1956-) estudou inglês, direito e política na França e começou a trabalhar como advogada em Chicago, nos Estados Unidos, em 1981, tornando-se presidente de seu escritório de advocacia em 1999. Ela se tornou ministra do Comércio Exterior da França em 2005 e, em 2007, a primeira mulher a ocupar o cargo de ministra da Economia no país. Desde julho de 2011, é diretora administrativa do Fundo Monetário Internacional, que procura "promover a cooperação monetária global, facilitar o comércio internacional, promover o pleno emprego e o crescimento econômico sustentável e reduzir a pobreza no mundo". Em 2014, ela enfrentou uma acusação de negligência criminosa durante seu mandato como ministra da Economia. Isso teve a ver com seu envolvimento em uma batalha jurídica de 400 milhões de euros entre o magnata Bernard Tapie e o banco Crédit Lyonnais sobre a venda da empresa de roupas esportivas Adidas. Em julho de 2016, um tribunal francês confirmou que ela deve ser julgada por essa acusação, o que pode acarretar uma sentença de prisão. Em 2014, ela foi nomeada pela revista *Forbes* como a quinta mulher mais influente do mundo.

"Reduzir a desigualdade excessiva é não só moral e politicamente correto, como benéfico para a economia."

17 de junho de 2015, Bruxelas, Bélgica

Este discurso foi feito nas Grandes Conférences Catholiques, uma notável série de palestras que acontece desde 1931 e, em suas próprias palavras, é "animada por um espírito de abertura, curiosidade e livre pensamento". Como dirigente do FMI, era de se esperar que Christine Lagarde falasse sobre economia. Seu tema escolhido foi desigualdade econômica: suas causas, seus efeitos nocivos e como enfrentá-la.

Em várias ocasiões, o FMI foi alvo de críticas por favorecer os interesses do mundo desenvolvido em detrimento dos países mais pobres, mas o foco de Lagarde é firmemente em questões globais, e ela tira inúmeros exemplos dos países em desenvolvimento. No entanto, seu principal argumento é que o problema mais urgente é a desigualdade interna: no interior de cada nação, e não entre nações.

Lagarde é uma oradora extremamente refinada e cativante, capaz de comunicar ideias complexas com um leve toque persuasivo. Aqui, ela se apoia em uma piada cínica sobre os iates luxuosos pertencentes a banqueiros de Wall Street para sua metáfora central dos "barcos pequenos", que ela define como "os meios de subsistência e as aspirações econômicas dos pobres e da classe média".

❝ Boa noite! É um grande prazer participar mais uma vez desta conferência prestigiosa, e eu gostaria de agradecer ao vice-primeiro-ministro Reynders[1] por sua amável apresentação.

No mês passado, em 6 de maio, eu quase engasguei com meu iogurte matinal quando vi a primeira página de um dos mais importantes jornais econômicos. Lá estava – um ranking dos gestores de fundos hedge mais bem pagos do mundo.[2] Mostrava que a pessoa no topo da lista havia embolsado 1,3 bilhão de dólares em 2014. Um único homem, 1,3 bilhão de dólares!

Juntos, os 25 gestores de fundos hedge mais bem pagos do mundo receberam um total de 12 bilhões de dólares no ano passado, embora seu setor tenha apresentado uma performance de investimento extremamente medíocre.

Isso me fez lembrar de uma famosa piada de Wall Street, sobre uma pessoa que visitou Nova York e admirava os iates luxuosos dos banqueiros e corretores mais ricos. Depois de contemplar por um bom tempo esses belos barcos, o visitante perguntou, com ironia: 'Onde estão os iates dos clientes?'. Obviamente, os clientes não conseguiam comprar iates, embora seguissem ao pé da letra os conselhos de seus banqueiros e corretores.

---

1. Didier Reynders (1958-) é um político belga que foi líder do partido Movimento Reformador de 2004 a 2011. Ele se tornou vice-primeiro-ministro em 2004. Também foi ministro da Economia de 2008 a 2011, tornando-se ministro de Relações Exteriores em 2011. (N.E.)
2. Gestores de fundos hedge operam esquemas de investimento extremamente complexos e rentáveis para uma clientela exclusiva de investidores. (N.E.)

Por que isso é relevante agora? Porque o tema da desigualdade excessiva e crescente não só está de volta às manchetes como também se tornou um problema para o desenvolvimento e o crescimento econômico. Eu gostaria de falar sobre isso com vocês esta noite de uma perspectiva econômica. Não vou focar nos iates luxuosos dos super-ricos, que se tornaram o rosto de uma nova Era Dourada. Não é imoral desfrutar do próprio sucesso financeiro.

Mas eu gostaria de trazer à discussão o que eu chamaria de 'barcos pequenos' – os meios de subsistência e as aspirações econômicas dos pobres e da classe média.

> **Em inúmeros países, o crescimento econômico foi incapaz de erguer esses barcos pequenos – enquanto os iates luxuosos vêm navegando as ondas e desfrutando do vento em suas velas.**

Em inúmeros casos, as famílias pobres e de classe média perceberam que trabalho duro e determinação, por si sós, podem não ser suficientes para mantê-las à tona [...]

Minha principal mensagem esta noite é: reduzir a desigualdade excessiva – erguendo os 'barcos pequenos' – é não só moral e politicamente correto, como benéfico para a economia.

Não é preciso ser altruísta para apoiar políticas que aumentem a renda das classes média e baixa. Todos se beneficiarão com essas políticas, porque elas são essenciais para gerar um crescimento maior, mais inclusivo e mais sustentável.

Em outras palavras, para ter um crescimento mais duradouro, é preciso promover um crescimento mais equitativo. Com isso em mente, eu gostaria de focar em três questões:

1. A perspectiva econômica mundial;
2. As causas e consequências da desigualdade excessiva;
3. As políticas necessárias para um crescimento mais sólido, mais inclusivo e mais sustentável.

Permitam-me começar descrevendo o mapa meteorológico econômico global, tal como o vemos. De acordo com as previsões de primavera do FMI, a economia global crescerá 3,5 por cento este ano – quase o mesmo que no ano passado – e 3,8 por cento em 2016.

As economias desenvolvidas estão se saindo um pouco melhor do que no ano passado. Nos Estados Unidos, a perspectiva ainda é de uma forte expansão – o desempenho fraco no primeiro trimestre foi apenas um revés temporário. As perspectivas na área do euro estão melhorando, em parte por causa do alívio monetário do Banco Central Europeu. E o Japão parece finalmente colher os primeiros frutos de sua estratégia de recuperação baseada nas 'três flechas' (monetária, fiscal e estrutural).

As previsões para a maioria das economias emergentes e em desenvolvimento são um pouco piores do que no ano passado, principalmente porque os exportadores de commodities são afetados pela queda nos preços, sobretudo no caso do petróleo [...] Mas há uma enorme diversidade de tendências nacionais – do crescimento ainda sólido na Índia à recessão no Brasil e na Rússia.

Portanto, a boa notícia é que a recuperação global continua. Mas o crescimento se mantém moderado no geral e desigual entre os países.

E quanto aos anos posteriores a 2016, a segunda metade desta década? Bem, aqui é onde devo partilhar algumas notícias não tão boas com vocês. Nossa visão no FMI é de que o potencial de crescimento das economias desenvolvidas e emergentes provavelmente será menor nos anos vindouros. Isso se deve, em parte, a mudanças demográficas e produtividade mais baixa. Nossa preocupação é de que isso trará mais desafios aos mercados de trabalho, finanças públicas menos sólidas e melhorias mais lentas nos padrões de vida.

Este é o 'novo medíocre' sobre o qual venho alertando. Para os 'barcos pequenos', significa que o vento está soprando, mas não é forte o suficiente para reduzir os altos índices de desemprego. Não é forte o suficiente para aumentar as rendas da classe média e promover a redução da pobreza. Simplesmente não é forte o suficiente para erguer os 'barcos pequenos' – enquanto os iates desfrutam da brisa em alto-mar.

Então, o que está acontecendo? Devemos nos resignar diante do clima desfavorável? Não há esperança para os capitães dos 'barcos pequenos' [...]?

A resposta sucinta é: há esperança, mas, para vê-la, precisamos dar um passo para trás e olhar para o cenário global antes de focar no nível dos países.

Imaginem se enfileirarmos a população mundial das mais pobres às mais ricas, cada uma delas atrás de uma pilha de dinheiro que representa sua renda anual.

Vocês verão que o mundo é um lugar muito desigual. Há, obviamente, um grande abismo entre os mais ricos e os mais pobres. Mas, se observarem as mudanças ocorridas nessa fila ao longo do tempo, perceberão que a desigualdade de renda global – isto é, a desigualdade entre os países – na verdade diminuiu gradativamente durante as últimas décadas.

Por quê? Porque a renda média nas economias de mercado emergentes, como a China e a Índia, cresceu muito mais depressa do que nos países mais ricos. Isso mostra o poder transformador do investimento e do comércio internacional. O fluxo global maciço de produtos, serviços, pessoas, conhecimento e ideias tem sido bom para a igualdade de renda global – e precisamos de mais disso. Para que possamos reduzir ainda mais a desigualdade entre os países.

Mas – e este é um grande 'mas' – também observamos uma desigualdade crescente de renda no interior de cada país [...]

Nas economias desenvolvidas, por exemplo, os um por cento mais ricos da população detêm, hoje, cerca de dez por cento da renda total. E a diferença entre ricos e pobres é ainda mais acentuada quando se trata de riqueza. A Oxfam[3] estima que, em 2016, a riqueza combinada dos um por cento mais ricos do mundo será maior que a dos outros 99 por cento [...]

Considerando tudo isso, vemos uma divergência gritante entre uma tendência global positiva e tendências quase sempre negativas no interior dos países.

A China, por exemplo, se encontra no extremo de ambas as tendências. Ao tirar mais de 600 milhões de pessoas da pobreza nas últimas três décadas, a China fez uma contribuição notável para uma maior igualdade de renda global. Mas, no processo, tornou-se uma das sociedades mais desiguais do mundo – porque muitas áreas rurais continuam pobres e porque a renda e a riqueza aumentaram rapidamente nas cidades e nas camadas mais altas da sociedade chinesa.

De fato, economias como a da China e a da Índia parecem se encaixar perfeitamente em uma narrativa tradicional, que afirma que a desigualdade extrema é um preço aceitável a se pagar pelo crescimento econômico [...]

Mas há um novo consenso cada vez maior de que os países não devem aceitar esse pacto faustiano. Por exemplo, as análises dos meus colegas no FMI demonstram que a desigualdade de renda excessiva, na verdade, retarda o crescimento econômico e o torna menos sustentável com o passar do tempo.

---

3. Fundada em Oxford em 1942, a Oxfam é uma confederação internacional de organizações dedicadas a enfrentar a pobreza e a injustiça. (N.E.)

No começo desta semana, nós divulgamos a última análise do FMI[4], que fornece os números concretos para a minha mensagem principal – de que é preciso erguer os 'barcos pequenos' para promover um crescimento mais sólido e mais duradouro.

Nossas pesquisas mostram que, se aumentarmos a parcela da renda das classes média e baixa em um por cento, o crescimento do PIB aumenta em 0,38 por cento em um dado país após cinco anos. Já se aumentarmos a parcela da renda dos ricos em um por cento, o crescimento do PIB diminui em 0,08 por cento. Uma explicação possível é que os ricos gastam uma fração menor de sua renda, o que poderia reduzir a demanda agregada e minar o crescimento.

Em outras palavras, nossas descobertas indicam que, contrariando a visão convencional, os benefícios das rendas mais altas estão gotejando para cima, e não para baixo.

Isso, é claro, mostra que as classes média e baixa são os principais motores de crescimento. Infelizmente, esses motores estão parando [...]

Esse tipo de desigualdade inibe o crescimento porque desencoraja o investimento em habilidades e capital humano – o que leva a uma produtividade mais baixa em grande parte da economia.

Portanto, as consequências da desigualdade de renda excessiva são cada vez mais claras. Mas e quanto às causas?

Os principais motores da desigualdade extrema são bem conhecidos: progresso tecnológica e globalização financeira [...]

Outro fator é a dependência excessiva do setor financeiro em grandes economias como os Estados Unidos e o Japão. Obviamente, as atividades financeiras – especialmente o crédito – são essenciais a toda sociedade próspera. Mas há indícios cada vez maiores, inclusive da equipe do FMI[5], de que o

---

4. Um artigo intitulado "Causes and Consequences of Income Inequality: A Global Perspective" ["Causas e consequências da desigualdade de renda: uma perspectiva global"] foi publicado pelo FMI em 15 de junho de 2015. (N.E.)

5. Um artigo do FMI intitulado "Rethinking Financial Deepening: Stability and Growth in Emerging Markets" ["Repensando o aprofundamento financeiro: estabilidade e crescimento em mercados emergentes"], publicado em maio de 2015, argumentava que o desenvolvimento financeiro excessivo tinha o potencial de prejudicar o crescimento. (N.E.)

desenvolvimento financeiro excessivo pode distorcer a distribuição de renda, corroer o processo político e minar o crescimento e a estabilidade econômica.

Nas economias emergentes e em desenvolvimento, a desigualdade de renda extrema é, em grande medida, provocada por uma desigualdade de acesso – à educação, à saúde e a serviços financeiros [...]

Com esses tipos de desvantagens – com esse tipo de desigualdade de oportunidades –, milhões de pessoas têm pouca ou nenhuma chance de aumentar sua renda e acumular riqueza. Esta é, nas palavras do papa Francisco, uma 'economia da exclusão'.[6]

Os responsáveis pela elaboração de políticas públicas podem, em nossa visão, gerar uma onda sob a proa dos 'barcos pequenos'. Há receitas para um crescimento mais sólido, mais inclusivo e mais sustentável em todos os países.

A prioridade número um deve ser a estabilidade macroeconômica. Se vocês não implementarem boas políticas monetárias, se se entregarem à indisciplina fiscal, se permitirem que a dívida pública infle, estarão fadados a ver um crescimento mais lento, desigualdade crescente e maior instabilidade financeira e econômica [...]

A prioridade número dois deve ser a prudência. Todos sabemos que é preciso tomar medidas para reduzir a desigualdade excessiva. Mas também sabemos que um certo nível de desigualdade é saudável e útil. Fornece incentivo para as pessoas competirem, inovarem, investirem e aproveitarem as oportunidades – para aprimorar suas habilidades, começar um novo negócio e fazer as coisas acontecerem [...]

A prioridade seguinte deve ser ajustar as políticas às causas específicas da desigualdade em cada país, considerando cenários políticos, culturais e institucionais. Não mais políticas genéricas e padronizadas, e sim políticas inteligentes – ações potencialmente transformadoras – que possam ajudar a reverter a tendência a uma maior desigualdade.

Uma ação potencialmente transformadora é uma política fiscal inteligente.

O desafio aqui é elaborar medidas orçamentárias e fiscais que tenham efeitos colaterais mínimos sobre os incentivos de trabalhar, poupar e investir. O objetivo deve ser promover maior igualdade e maior eficiência.

---

6. Uma "Exortação Apostólica" feita pelo papa Francisco em 24 de novembro de 2013 afirmava: "Assim como o mandamento 'Não matarás' estabelece um limite claro a fim de salvaguardar o valor da vida humana, também devemos dizer 'não' a uma economia de exclusão e desigualdade". (N.E.)

Isso significa aumentar a base de arrecadação de impostos – por exemplo, combatendo a evasão fiscal; reduzindo as deduções fiscais sobre os juros de hipotecas, das quais os ricos são os que mais se beneficiam;[7] e reduzindo ou eliminando as deduções fiscais sobre ganhos de capital, opções de compra de ações e lucros oriundos de fundos de investimento em participações, conhecidos como 'taxa de performance'.

Em muitos países europeus, também significa reduzir os altos impostos trabalhistas [...] Isso seria um forte incentivo para criar mais empregos e mais postos de trabalho em tempo integral – o que ajudaria a conter a onda de trabalhos temporários e de meio período que contribuem para aumentar a desigualdade de renda.

No que concerne às despesas, isso significa ampliar o acesso à educação e à saúde. Em muitas economias emergentes e em desenvolvimento, significa reduzir os subsídios à energia – que são custosos e ineficientes – e usar os recursos liberados para investir em educação, capacitação e amparo social [...]

Promover mais igualdade e eficiência também significa se apoiar mais nas chamadas transferências condicionadas de renda. Estas são ferramentas extremamente eficazes no combate à pobreza, que contribuíram de maneira significativa para a redução da desigualdade de renda em países como o Brasil, o Chile e o México.

Durante minha visita recente ao Brasil[8], eu tive a oportunidade de visitar uma favela e testemunhar em primeira mão o Bolsa Família. Esse programa fornece auxílio a famílias pobres – na forma de cartões de crédito pré-pagos – com a condição de que seus filhos frequentem a escola e participem de programas de vacinação do governo.

O Bolsa Família se mostrou eficiente e economicamente viável: para um gasto de meio por cento do PIB por ano, 50 milhões de pessoas estão sendo assistidas – um em cada quatro brasileiros.

Além dessas políticas fiscais inteligentes, há outras ações potencialmente transformadoras: reformas inteligentes em áreas vitais como educação, saúde, mercado de trabalho, infraestrutura e inclusão financeira. Essas reformas estruturais são essenciais para aumentar o crescimento econômico em potencial e impulsionar a renda e os padrões de vida no médio prazo.

---

7. Cerca de metade dos governos do mundo desenvolvido permite que os credores hipotecários deduzam os juros de suas receitas tributáveis. (N.E.)
8. Lagarde visitou o Brasil em maio de 2015. (N.E.)

Christine Lagarde

Se eu tivesse de escolher as três ferramentas estruturais mais importantes para reduzir a desigualdade de renda excessiva, seriam educação, educação, educação.[9] *[...]*

Rendas mais elevadas requerem capital humano mais elevado e políticas que tragam mais professores e alunos às salas de aula do século XXI, com livros melhores e mais acesso a recursos on-line. As economias emergentes e em desenvolvimento precisam promover um acesso mais equitativo à educação básica, enquanto as economias desenvolvidas precisam focar mais na qualidade e na acessibilidade da educação universitária [...]

Outra ferramenta importante é a reforma do mercado de trabalho. Pensem em salários mínimos e políticas bem calibradas para apoiar a busca de empregos e a adequação das habilidades dos candidatos aos requisitos das vagas. Pensem em reformas para proteger os trabalhadores, e não os empregos [...]

As reformas do mercado de trabalho também têm uma dimensão de gênero importante. No mundo inteiro, as mulheres têm se deparado com uma desvantagem tripla. Elas têm menos probabilidade do que os homens de conseguir um emprego remunerado, sobretudo no Oriente Médio e na África do Norte. Quando conseguem emprego remunerado, é mais provável que seja no setor informal. E, se eventualmente conseguem um emprego no setor formal, ganham apenas três quartos do que ganham os homens, mesmo com o mesmo nível de escolaridade e desempenhando a mesma função.

Países como o Chile e a Holanda demonstraram como é possível aumentar drasticamente a participação feminina no mercado de trabalho por meio de políticas inteligentes que enfatizem creches e babás acessíveis, licença-maternidade e flexibilidade no ambiente de trabalho.

Também é preciso eliminar as barreiras jurídicas e a discriminação tributária que continuam a prejudicar as mulheres em muitos países.

No mundo inteiro, há cerca de 865 milhões de mulheres com potencial de contribuir mais plenamente para a economia.

Portanto, a mensagem é clara: se vocês se importam com uma maior prosperidade partilhada, precisam libertar o poder econômico das mulheres.

---

9. Esta frase foi cunhada pelo líder do Partido Trabalhista britânico Tony Blair durante um discurso-manifesto em novembro de 1997. Logo depois, ele foi eleito primeiro-ministro. (N.E.)

Também precisam fomentar uma maior inclusão financeira, especialmente nos países em desenvolvimento. Pensem nas iniciativas de microcrédito que transformam as pessoas pobres – em sua maioria, mulheres – em microempreendedoras bem-sucedidas – como pude ver recentemente no Peru.[10] Pensem nas iniciativas de construir históricos de crédito para pessoas sem conta bancária. Pensem no impacto transformador de serviços bancários baseados em telefones celulares, sobretudo na África subsaariana.

Ao melhorar o acesso a serviços financeiros básicos, as famílias pobres nas economias em desenvolvimento podem investir mais em saúde e educação, o que leva a maior produtividade e maior potencial de renda [...]

Todas essas políticas e reformas requerem liderança, coragem e colaboração. É por isso que estou convocando políticos, mentores de políticas públicas, líderes empresariais e todos nós aqui presentes a traduzir boas intenções em ações ousadas e duradouras.

Em particular, os responsáveis por elaborar políticas públicas precisam tirar vantagem do que considero uma oportunidade de desenvolvimento que não se repetirá nesta geração.

Espero sinceramente que, no fim deste ano, sejamos capazes de olhar para trás e dizer 'nós conseguimos'. 'Reenergizamos o crescimento econômico global.' 'Chegamos a um acordo histórico sobre as mudanças climáticas.' 'E lançamos uma pauta de desenvolvimento totalmente nova, com objetivos ambiciosos e financiamento sólido.'

Em todas essas questões, vejo um importante papel para o FMI. Nossa principal missão é promover a estabilidade econômica e financeira global. É por isso que estamos profundamente envolvidos com o desenvolvimento – ajudando nossos 188 países-membros a conceber e implementar políticas e concedendo empréstimos aos países em momentos de dificuldade, para que possam se reerguer [...]

Considerem as últimas tragédias envolvendo migrantes na costa do Mediterrâneo[11] e na do Sudeste Asiático.[12] Esses barcos abarrotados de mi-

---

10. Lagarde visitou o Peru em novembro de 2014. (N.E.)
11. Em 2015, o número de refugiados e migrantes econômicos tentando entrar na Europa cresceu rapidamente. Milhares tentaram a jornada via Mediterrâneo em barcos inadequados para a travessia, muitas vezes pagando taxas exorbitantes para os traficantes de pessoas. Muitos morreram no intento. (N.E.)
12. Uma crise similar surgiu no Sudeste Asiático, onde migrantes principalmente de Bangladesh e da Birmânia tentaram chegar à Indonésia, à Tailândia e à Malásia atravessando o oceano Índico. (N.E.)

grantes representam os Estados e as comunidades mais frágeis. Eles são os menores de todos os 'barcos pequenos' – um lembrete potente da mais extrema desigualdade de renda e de riqueza. A economia da exclusão está nos olhando de frente.

Muitas vezes se afirma que devemos medir a saúde de nossa sociedade não em seu topo, e sim em sua base. Ao erguer os 'barcos pequenos' dos pobres e da classe média, podemos construir uma sociedade mais justa e uma economia mais sólida. Juntos, podemos criar mais prosperidade – para todos.

Obrigada. 🙢

"E estamos aqui diante de fascistas. Não apenas sua brutalidade calculada, mas sua crença de que são superiores a cada um de nós aqui esta noite e a todas as pessoas que representamos."

– Hilary Benn

49

Hilary Benn

Político britânico

Hilary James Wedgwood Benn (1953-) é o segundo filho do ministro do Trabalho Tony Benn (1925-2014). Ele se graduou em Estudos da Rússia e do Leste Europeu na Universidade de Sussex, e então trabalhou em dois sindicatos e foi vice-líder do Conselho Distrital de Ealing, em Londres. Candidatou-se pelo Partido Trabalhista nas eleições gerais de 1983 e 1987, mas foi derrotado. Ele se distanciou da postura de seu pai, reconhecidamente de extrema esquerda, descrevendo a si mesmo como "um Benn, e não um Bennite[1]", e foi eleito membro do Parlamento por Leeds Central em 1999. Foi secretário de gabinete nos governos de Tony Blair e Gordon Brown. Sob a liderança de Ed Miliband no Partido Trabalhista, ele se tornou líder da Câmara dos Comuns no gabinete paralelo.[2] Foi nomeado ministro de Relações Exteriores do gabinete paralelo em 2015, mas foi demitido do cargo pelo líder trabalhista Jeremy Corbyn em 2016. Como o pai, ele é abstêmio e vegetariano; ao contrário do pai, é a favor de o Reino Unido manter armas nucleares como estratégia de dissuasão.

"Nós nunca passamos e nunca devemos passar pelo outro lado da estrada"

2 de dezembro de 2015, Londres, Inglaterra

Este foi o último discurso em um longo e acalorado debate na Câmara dos Comuns. Estava em discussão uma moção do governo para ampliar os ataques aéreos no Oriente Médio. Isso era uma resposta ao poder crescente do Daesh – também conhecido como ISIS, ISIL ou Estado Islâmico. Esse grupo extremamente organizado usa a violência e o terror a fim de alcançar seu objetivo de um "califado global" – o controle político e militar das populações muçulmanas do mundo. O governo britânico, liderado pelo primeiro-

---

1. O termo "bennite" é usado no Reino Unido para se referir aos que apoiam as visões políticas de Tony Benn. (N.T.)
2. Sobre gabinete paralelo, ver primeira nota do capítulo 30. (N.T.)

-ministro conservador David Cameron, já havia ordenado bombardeios às regiões dominadas pelo Daesh no Iraque. A proposta era estender os ataques aéreos à Síria, onde o Daesh também detém faixas de território.

Como ministro de Relações Exteriores do gabinete paralelo, Benn apoiou a moção. Ao fazer isso, ele discordou do líder de seu partido, Jeremy Corbyn, o líder da oposição de esquerda, que, com relutância, permitira que seu partido votasse livremente sobre o assunto. Preocupado com uma "corrida precipitada para a guerra", Corbyn se recusara a apoiar a moção do governo. Cameron criticara os que se opuseram à moção, referindo-se a eles como "um bando de simpatizantes do terrorismo", um insulto pelo qual ele se recusou a se retratar.

O discurso de Benn foi recebido com aclamações e aplausos – algo normalmente não permitido na Câmara dos Comuns. A moção foi aprovada por 397 votos a 223, uma confortável maioria de 174. A reação da mídia foi, no geral, muito positiva, embora em alguns lugares Benn tenha sido desfavoravelmente comparado ao pai, o falecido Tony Benn, um pacifista de esquerda que quase certamente teria se oposto à moção.

❝ Muito obrigado, sr. orador. Antes de responder ao debate, eu gostaria de dizer algo diretamente ao primeiro-ministro: embora meu muito honorável amigo, o líder da oposição, e eu nos encontremos em diferentes saguões de votação[3] esta noite, estou orgulhoso de falar do mesmo que ele na mesa de debate. Meu muito honorável amigo não é um simpatizante do terrorismo. Ele é um homem bom, honesto, decente e de princípios, e penso que o primeiro-ministro deve se arrepender do que disse ontem e de sua incapacidade de fazer o que deveria ter feito hoje, que é simplesmente dizer 'sinto muito'.

Agora, sr. orador, tivemos um debate intenso e acalorado – e com razão, considerando a clara e presente ameaça do Daesh, a gravidade da decisão que recai sobre os ombros e a consciência de cada um de nós, e as vidas que temos em nossas mãos esta noite. E, independentemente da decisão a que cheguemos, espero que tratemos uns aos outros com respeito [...][4]

---

3. Os membros do Parlamento votam caminhando da câmara de debate até um de dois anexos conhecidos como *division lobbies* [saguões de votação]. (N.E.)

4. Neste momento, Benn faz homenagem a uma série de outros oradores de ambos os lados do debate. (N.E.)

A questão que nos confronta em um conflito muito, muito complexo é, em seu cerne, muito simples.

O que devemos fazer com os outros para enfrentar esta ameaça aos nossos cidadãos, à nossa nação, a outras nações e aos povos que sofrem sob o jugo, o jugo cruel, do Daesh?

A carnificina em Paris[5] nos trouxe o claro e presente perigo que eles representam para nós. Poderia muito bem ter sido Londres ou Glasgow ou Leeds ou Birmingham – e ainda pode vir a ser. E acredito que temos o dever moral e prático de estender à Síria a ação que já estamos realizando no Iraque. E também tenho clareza – e digo isso aos meus colegas – de que as condições estipuladas na resolução de emergência aprovada na conferência do Partido Trabalhista em setembro[6] foram satisfeitas. Agora temos uma resolução clara e inequívoca do Conselho de Segurança da ONU, a resolução 2.249, cujo parágrafo cinco convoca especificamente os Estados-membros a tomarem todas as medidas necessárias; a redobrarem e coordenarem seus esforços para evitar e suprimir atos terroristas cometidos especificamente pelo ISIL e erradicar o refúgio seguro que eles estabeleceram em partes significativas do Iraque e da Síria.

Portanto, as Nações Unidas estão nos pedindo para fazer alguma coisa. Estão nos pedindo para fazer alguma coisa já [...]

E, considerando que as Nações Unidas aprovaram essa resolução, considerando que tal ação seria legítima sob o artigo 51 da Carta das Nações Unidas[7] – porque todo Estado tem o direito de se defender –, por que nós não apoiaríamos o desejo expresso das Nações Unidas, em particular quando existe tal apoio da própria região, inclusive do Iraque?

---

5. Em 13 de novembro de 2015, 137 pessoas (incluindo sete perpetradores) morreram em uma série de tiroteios e bombardeios suicidas em Paris, na França. Os alvos incluíam um estádio de futebol, restaurantes, cafés e a casa de espetáculos Bataclan, onde 89 das vítimas foram mortas. (N.E.)

6. Durante um debate de emergência sobre a política de defesa na conferência anual do Partido Trabalhista em setembro de 2015, chegou-se a um acordo sobre quatro condições a serem satisfeitas antes que a ação militar na Síria fosse aprovada. Estas incluíam uma autorização das Nações Unidas. (N.E.)

7. O artigo 51 da Carta da ONU permite que os Estados-membros adotem medidas de autodefesa contra ataque armado. (N.E.)

Somos parte de uma coalizão de mais de sessenta países que se uniram para se opor à sua ideologia e brutalidade. Agora, sr. orador, todos nós compreendemos a importância de colocar um fim à guerra civil síria[8], e há certo progresso em um plano de paz por causa das conferências de Viena.[9] Elas são a melhor esperança que temos de chegar a um cessar-fogo. Agora, isso colocaria um fim ao bombardeio de Assad, levando a um governo transicional e eleições. E por que isso é vital? Porque ajudaria na derrota do Daesh e porque permitiria que milhões de sírios que foram forçados a fugir façam o que todo refugiado sonha fazer: eles só querem poder voltar para casa.

Agora, sr. orador, ninguém neste debate duvida da ameaça letal que o Daesh representa – embora, às vezes, consideremos difícil conviver com essa realidade [...]

Sabemos que eles mataram trinta turistas britânicos na Tunísia[10], 224 turistas russos em um avião[11], 178 pessoas em bombardeios suicidas em Beirute, Ancara e Suruç[12], 130 pessoas em Paris – incluindo aqueles jovens no Bataclan, a quem o Daesh, ao tentar justificar sua matança sanguinária, chamou de apóstatas entregues ao vício e à prostituição. Se tivesse acontecido aqui, poderiam ser nossos filhos. E nós sabemos que eles estão tramando mais ataques.

Então, a pergunta para cada um de nós e para nossa segurança nacional é a seguinte: considerando que sabemos o que eles estão fazendo, podemos realmente ficar de fora e nos recusar a agir totalmente em autodefesa contra aqueles que estão planejando esses ataques? Podemos realmente deixar para outros a responsabilidade por defender nossa segurança nacional, quando essa responsabilidade é nossa? E, ao não agir, que mensagem estaríamos

---

8. Desde 2011, a Síria se encontra em um estado de guerra civil, com um grande número de facções rivais envolvidas, entre elas o regime brutalmente repressivo do presidente Bashar al-Assad (1965-), que assumiu o poder após a morte de seu pai em 2000. (N.E.)

9. As conferências de paz para a Síria, conhecidas como Grupo Internacional de Apoio à Síria, começaram em Viena, na Áustria, em outubro de 2015. Os princípios propostos foram endossados em dezembro de 2015 pela resolução 2.254 da ONU. (N.E.)

10. Em 26 de junho de 2015, 38 pessoas foram massacradas por um atirador em uma praia no balneário tunisiano de Sousse. Entre as 38 vítimas, havia trinta turistas britânicos. (N.E.)

11. Em 31 de outubro de 2015, um avião da Metrojet explodiu sobre o Egito, com a perda de 224 vidas. Os passageiros eram turistas russos regressando do balneário egípcio de Sharm el-Sheikh. Indícios de explosivos foram encontrados entre os escombros. (N.E.)

12. Uma cidade e distrito no centro-sul da Turquia, perto da fronteira com a Síria, com uma população predominantemente curda. (N.E.)

enviando sobre nossa solidariedade para com aqueles países que sofreram tanto, incluindo o Iraque e a França, nossa aliada? [...]

Agora, sr. orador, tem-se argumentado no debate que os ataques aéreos não resultam em nada. Não é bem assim. Observem como o avanço do Daesh foi contido no Iraque.

A câmara se lembrará de que, há catorze meses, as pessoas estavam dizendo: 'Eles estão quase nos portões de Bagdá'. E é por isso que votamos para responder ao pedido de ajuda do governo iraquiano para derrotá-los. Observem como sua capacidade militar e sua liberdade de movimento foram colocadas sob pressão. Perguntem aos curdos sobre Sinjar e Kobanî[13] [...]

Portanto, sr. orador, sugerir que os ataques aéreos não devem acontecer até que a guerra civil síria chegue ao fim é, na minha opinião, não compreender a urgência da ameaça terrorista que o Daesh impõe a nós e a outros, e não compreender a natureza e os objetivos da ampliação dos ataques aéreos que está sendo proposta.

E, é claro, devemos adotar medidas – não há uma contradição entre as duas – para cortar o apoio ao Daesh na forma de dinheiro, combatentes e armas. E, é claro, devemos dar ajuda humanitária e oferecer abrigo a mais refugiados, inclusive neste país, e, sim, devemos nos comprometer a desempenhar integralmente o nosso papel, ajudando a reconstruir a Síria quando a guerra acabar.

Agora, aceito que há argumentos legítimos, e nós os ouvimos durante o debate, para não adotar essa forma de ação no momento, e também está claro que muitos membros se debateram – e, quem sabe, no tempo que resta muitos ainda estejam se debatendo – com o que é a coisa certa a se fazer. Mas eu digo que a ameaça é agora, e raramente – se é que alguma vez – há circunstâncias perfeitas para empregar a força militar.

Agora ouvimos testemunhos muito convincentes de honorável membro do Parlamento por Eddisbury quando ela citou esta passagem[14], e eu só quero ler o que Karwan Jamal Tahir, o alto representante do governo regional do Curdistão em Londres, disse na semana passada, e cito: 'Em junho, o Daesh capturou um terço do Iraque da noite para o dia, e alguns meses depois atacou a região do Curdistão. Os rápidos ataques aéreos do Reino Unido, dos Estados Unidos e da França, e as ações da nossa própria Peshmerga[15],

---

13. No norte do Iraque e na Síria, respectivamente. (N.E.)
14. Mais cedo no debate, Antoinette Sandbach, membro do Parlamento, citara o famoso ditado: "Tudo o que é necessário para o triunfo do mal é que os homens de bem nada façam", usualmente atribuído ao filósofo irlandês Edmund Burke (1729-1797). (N.E.)
15. A milícia do Curdistão iraquiano, cujo nome significa "aqueles que enfrentam a morte". (N.E.)

nos salvaram. Agora temos uma fronteira de mil quilômetros com o Daesh. Nós os fizemos recuar e recentemente capturamos Sinjar. Mais uma vez, os ataques aéreos ocidentais foram vitais. Mas a velha fronteira entre o Iraque e a Síria não existe. Os combatentes do Daesh vêm e vão por essa fronteira fictícia'.

E este é o argumento, sr. orador, para tratar os dois países como um se quisermos seriamente derrotar o Daesh.

Agora, sr. orador, espero que a Câmara me compreenda se eu dirigir minhas palavras de encerramento aos meus amigos e colegas do Partido Trabalhista deste lado da Câmara.

> ***Como partido, sempre fomos definidos por nosso internacionalismo. Acreditamos que temos uma responsabilidade uns para com os outros. Nós nunca passamos e nunca devemos passar pelo outro lado da estrada.*** [16]

E estamos aqui diante de fascistas. Não apenas de sua brutalidade calculada, mas de sua crença de que são superiores a cada um de nós aqui esta noite e a todas as pessoas que representamos. Eles nos desprezam. Desprezam nossos valores. Desprezam nossa crença na tolerância e na decência. Desprezam nossa democracia, o meio pelo qual tomaremos nossa decisão esta noite.

E o que sabemos sobre os fascistas é que eles precisam ser derrotados. E é por isso que, como ouvimos esta noite, os socialistas e os sindicalistas e outros se uniram na Brigada Internacional[17] nos anos 1930 para lutar contra Franco. É por isso que esta Câmara inteira se ergueu contra Hitler e Mussolini. E é por isso que o nosso partido sempre se ergueu contra a negação dos direitos humanos e em defesa da justiça. E minha visão, sr. orador, é que devemos agora confrontar este mal. É hora de fazermos nossa parte na Síria. E é por isso que peço aos meus colegas que votem a favor desta moção esta noite. **"**

---

16. Uma referência à parábola do bom samaritano (Lucas 10:25-37), em que a vítima de um roubo violento é ignorada por todos aqueles que se podia esperar que viessem em seu socorro. (N.E.)
17. Uma aliança informal de milícias voluntárias, supostamente de 53 países, formada para resistir ao golpe fascista liderado pelo general Francisco Franco durante a Guerra Civil Espanhola (1936-1939). (N.E.)

"Estamos vivendo um momento importante na história do nosso país. Após o referendo, estamos diante de um momento de grande mudança nacional."

– Theresa May

50

Theresa May

Política britânica

Theresa Mary May (1956-) nasceu em Eastbourne, Sussex. Após estudar na Universidade de Oxford e começar sua carreira profissional no Banco da Inglaterra, May entrou para a política, primeiro como vereadora do distrito londrino de Merton, de 1986 a 1994. Ela foi eleita membro do Parlamento pelo Partido Conservador em 1997, foi a primeira mulher a ser presidente de seu partido em 2002 e serviu no gabinete paralelo de 1999 até se tornar ministra do Interior em 2010, cargo que ocupou por seis anos. Após a renúncia do primeiro-ministro David Cameron em decorrência do resultado do referendo sobre a União Europeia, May venceu a eleição pela liderança do Partido Conservador e foi nomeada primeira-ministra em 13 de julho de 2016, tornando-se a segunda mulher a ocupar o cargo no Reino Unido.

"Ao deixarmos a União Europeia, construiremos para nós mesmos um novo papel positivo e ousado no mundo"

13 de julho de 2016, Londres, Inglaterra

Após um referendo nacional em 23 de junho de 2016, o Reino Unido votou a favor de sair da União Europeia, depois de 42 anos como Estado-membro. O voto do "Brexit" se deu após um crescente descontentamento com Bruxelas, mas ainda foi uma espécie de choque quando 51,9 por cento do eleitorado britânico votou a favor da saída. A campanha anterior à votação foi espinhosa e contenciosa, com questões centradas na economia, na imigração e na soberania nacional.

Cameron renunciou no dia seguinte à votação, desencadeando uma série de tentativas de liderança por parte de integrantes do Partido Conservador, tanto favoráveis quanto contrários à saída. No meio da batalha estava a ministra do Interior Theresa May, uma defensora da permanência e membro de longa data do gabinete de Cameron, que manteve o apoio popular da bancada do partido para garantir sua indicação e se tornou a segunda mulher a ser primeira-ministra do Reino Unido.

A primeira declaração de May como primeira-ministra, feita do lado de fora do número 10 da Downing Street[1], revela sua visão para o Reino Unido sob seu mandato. Sua principal intenção era apelar à união e dirigir esse apelo à audiência mais ampla possível. Após elogiar Cameron, May aborda brevemente uma ampla secção transversal da sociedade britânica, listando desafios típicos enfrentados diariamente pela população e delineando uma missão para melhorar as perspectivas de todos no Reino Unido. Os princípios inclusivos que ela abraça são essencialmente aqueles do conservadorismo unionista, ou "one nation" – um termo cunhado por Benjamin Disraeli, primeiro-ministro conservador da era vitoriana.

"Eu acabo de vir do palácio de Buckingham, onde Sua Majestade a Rainha me pediu para formar um novo governo, e eu aceitei.

Em David Cameron, eu sigo os passos de um primeiro-ministro moderno e eminente. Sob a liderança de David, o governo estabilizou a economia, reduziu o déficit orçamentário e promoveu a geração de empregos como nunca antes.

Mas o verdadeiro legado de David não está na economia, e sim na justiça social. Da legalização do casamento entre pessoas do mesmo sexo[2] à isenção total do imposto de renda para as pessoas de baixa renda, David Cameron liderou um governo de uma só nação, e é nesse espírito que também planejo liderar.

Porque nem todo mundo sabe, mas o nome completo do meu partido é Partido Conservador e Unionista, e a palavra 'unionista' é muito importante para mim.

---

1. Ver segunda nota do capítulo 46. (N.T.)
2. A Lei do Casamento (entre casais do mesmo sexo) foi aprovada em 13 de março de 2013 na Inglaterra e no País de Gales. (N.E.)

Significa que acreditamos na União: o vínculo precioso entre a Inglaterra, a Escócia, o País de Gales e a Irlanda do Norte.[3] Mas significa mais uma coisa igualmente importante: significa que acreditamos em uma união não só entre as nações do Reino Unido como também entre todos os nossos cidadãos, cada um de nós, independente de quem somos e de onde viemos.

Isso significa lutar contra a injustiça premente de que, se você nasceu pobre, morrerá, em média, nove anos mais cedo do que outros.

Se você é negro, é tratado de maneira mais severa pelo sistema de justiça criminal do que se você é branco.

Se você é um rapaz branco da classe trabalhadora, tem menos probabilidade do que qualquer um no Reino Unido de ir para a universidade.

Se você estuda em uma escola pública, tem menos probabilidade de chegar às profissões mais valorizadas do que se você estuda em uma escola privada.

Se você é mulher, ganhará menos do que um homem. Se sofre de problemas de saúde mental, não há ajuda suficiente disponível.

Se você é jovem, terá mais dificuldade do que nunca para comprar a casa própria.

Mas a missão de fazer do Reino Unido um país que funciona para todos significa mais do que combater essas injustiças. Se você é de uma família comum da classe trabalhadora, a vida é muito mais difícil do que muitas pessoas em Westminster conseguem perceber. Você tem um emprego, mas nem sempre tem estabilidade. Tem casa própria, mas se preocupa em pagar a hipoteca. Consegue se virar, mas se preocupa com o custo de vida e com mandar os filhos para uma boa escola.

Se a sua é uma dessas famílias, se vocês estão apenas se virando, quero falar diretamente a vocês.

Eu sei que vocês estão correndo contra o relógio, sei que estão dando o melhor de si, e sei que às vezes a vida pode ser uma luta. O governo que eu lidero será guiado não só pelos interesses dos poucos privilegiados, mas também pelos seus.

---

3. A união de nações fora um ponto de discussão política desde o referendo sobre a independência da Escócia em 2014, em que o eleitorado votou a favor de continuar sendo parte do Reino Unido. O Partido Nacional Escocês convocou um segundo referendo sobre a independência após o resultado do referendo sobre a União Europeia. Sessenta e dois por cento dos escoceses haviam votado a favor de permanecer na União Europeia. (N.E.)

Faremos tudo que pudermos para lhes dar mais controle sobre sua vida. Quando tomarmos as grandes decisões, pensaremos não nos poderosos, mas em vocês. Quando aprovarmos novas leis, ouviremos não os poderosos, mas vocês. Quando se tratar de impostos, priorizaremos não os ricos, mas vocês. Quando se tratar de oportunidade, não consolidaremos as vantagens dos poucos afortunados. Faremos tudo que pudermos para ajudar a todos, independente de suas origens, para que cheguem tão longe quanto seu talento permitir.

Estamos vivendo um momento importante na história do nosso país. Após o referendo, estamos diante de um momento de grande mudança nacional.

E eu sei que, porque somos a Grã-Bretanha, enfrentaremos o desafio. Ao deixarmos a União Europeia, construiremos para nós mesmos um novo papel positivo e ousado no mundo e faremos do Reino Unido um país que funciona não só para uns poucos privilegiados, mas para cada um de nós.

Esta será a missão do governo que eu lidero, e juntos construiremos um Reino Unido melhor. **"**

Agradecimentos

Sou grato às seguintes pessoas, cujo tempo, conhecimento e expertise foram cruciais para a elaboração e a conclusão deste livro: Libby Bassett, Women's Environment & Development Organization; Dr. Douglas Cairns; Angus Calder; Julie Christensen, Mary Fisher CARE Fund; Louise Clarke, Biblioteca da Universidade de Cambridge; Dr. Frank Cogliano, Universidade de Edimburgo; Chris Collins, Margaret Thatcher Foundation; Dr. Markus Daechsel, Universidade de Edimburgo; Dr. John Doyle, Universidade Cidade de Dublin; Barry Eaden, Biblioteca da Universidade de Cambridge; Owen Dudley Edwards, Universidade de Edimburgo; Bashabi Fraser, Universidade de Edimburgo/Open University; Diane S. Gianelli, Conselho Presidencial de Bioética dos EUA; Professor Robert F. Goheen, Universidade de Princeton; Ieuan Hopkins, Churchill Archives Centre, Cambridge; Lord Howard; Ami Isseroff, mideastweb.org; Prof. Rhodri Jeffreys-Jones, Universidade de Edimburgo; Helen Langley, Biblioteca Bodleiana, Oxford; Michael McManus; Joyce McMillan; Aurelie Martot; Dr. Jolyon Mitchell, Universidade de Edimburgo; Alan Morrison; Dr. Graeme Morton, Universidade de Edimburgo; Judy Nokes, Office of Public Sector Information; Barry Pateman, Universidade da Califórnia, Berkeley; Patrick Price, Assembleia da Irlanda do Norte; Elaine Steel, agente literária; Emily Tarrant, Biblioteca Bodleiana, Oxford; Alan Taylor; Martin Tod, membro do Parlamento; Darren Treadwell, People's History Museum, Manchester; Barbara Walker; Colin Webb, Palazzo Editions; John Wells, Biblioteca da Universidade de Cambridge; Louise Weston, BBC Written Archives Office; Prof. Philip Williamson, Universidade de Durham; os funcionários da Biblioteca Nacional da Escócia, das Bibliotecas da Cidade de Edimburgo e da Biblioteca da Universidade de Edimburgo.

AB

Fontes

Nossos agradecimentos aos seguintes por sua gentil permissão para reproduzir material com direitos autorais: Daniel Barenboim: a Daniel Barenboim; David Ben-Gurion: a Philosophical Library, Nova York (reimpresso de *Rebirth and Destiny of Israel*, copyright © 1954, Philosophical Library); Benazir Bhutto: à The Wylie Agency (Reino Unido) Ltd., copyright © 1995 Benazir Bhutto; Sir Winston Churchill: à Curtis Brown Ltd., Londres, em nome dos herdeiros de Winston Churchill, copyright © Winston S. Churchill; Anthony Eden: à BBC; Eduardo VIII: à Família Real; Elizabeth II: à Família Real; Mary Fisher: ao Mary Fisher Clinical AIDS Research and Education (CARE) Fund da Universidade do Alabama em Birmingham (copyright © 1992 The Mary Fisher CARE Fund da Universidade do Alabama em Birmingham); Betty Friedan: à Curtis Brown Ltd. (reimpresso de *It Changed My Life*, Dell 1991); Mahatma Gandhi: à Navajivan Trust, em nome dos herdeiros de M. K. Gandhi; Joseph Goebbels: a Cordula Schacht, tradução de Randall Bytwerk; Dag Hammarskjöld: a Marlene Hagstrom; Edward Heath: ao Arquivo do Partido Conservador e aos herdeiros de Sir Edward Heath; Heinrich Himmler: a Stéphane Bruchfeld (tradutora), Universidade de Uppsala, tradução reproduzida de www.scrapbookpages.com; Ho Chi Minh: à Gioi (World) Publishers, Hanói, Vietnã (reimpresso de *Ho Chi Minh: Selected Works*, copyright © 1977, Foreign Languages Publishing House, Hanói); Nikita Khrushchev: reproduzido com permissão de Andrew Nurnberg Associates Ltd. em nome do detentor dos direitos autorais; Martin Luther King, Jr.: aos herdeiros de Martin Luther King, Jr. (reimpresso conforme acordo com os herdeiros do patrimônio de Martin Luther King, Jr., a/c Writers House como agente do proprietário, Nova York, NY); Patrice Lumumba: à Little, Brown and Co., Inc. (reimpresso de *Lumumba Speaks*, Patrice Lumumba. Copyright © 1963, Éditions Présence Africaine; copyright © 1972, Little, Brown and Company, Inc. (tradução). Com permissão de Little, Brown and Co., Inc. Todos os direitos reservados); Harold Macmillan: aos membros do conselho administrativo da Harold Macmillan Book Trust (reproduzido do arquivo da Harold Macmillan Book Trust); Malcolm X: à CMG Worldwide, Inc., www.CMG Worldwide.com (TM 2006 Malcolm X); Nelson Mandela:

a Nelson Mandela (copyright © Nelson Mandela); Richard Nixon: à Richard Nixon Foundation; La Pasionaria (Dolores Ibarruri): a Lawrence and Wishart, Londres (reimpresso de *Speeches and Articles 1936-1938*, copyright © 1938, Lawrence and Wishart); Margaret Thatcher: aos herdeiros dos direitos autorais de Margaret Thatcher, reproduzido com permissão de www.margaretthatcher.org, o website da Margaret Thatcher Foundation; Desmond Tutu: à Fundação Nobel (copyright © The Nobel Foundation 1984).

Embora se tenham feito todos os esforços para entrar em contato com os detentores dos direitos autorais, os editores se prontificam a retificar, em futuras edições, quaisquer erros ou omissões que sejam trazidos à sua atenção.

lepmeditores
www.lpm.com.br
o site que conta tudo

IMPRESSÃO:

PALLOTTI
GRÁFICA

Santa Maria - RS | Fone: (55) 3220.4500
www.graficapallotti.com.br